HET EILAND

Met dank aan de Raad van Kunsten van Groot Brittannië voor het verstrekken van de Schrijversbeurs, die het mij mogelijk gemaakt heeft om deze roman te schrijven.
J.R.

Jane Rogers

HET EILAND

VAN BUUREN UITGEVERIJ BV

Oorspronkelijke titel: *Island*
Oorspronkelijke uitgave: Abacus, onderdeel van Little, Brown and Company, UK

© 1999 Jane Rogers

© 2002 Nederlandstalige uitgave:
Van Buuren Uitgeverij BV
Postbus 5248
2000 GE Haarlem
E-mail: info@vanbuuren-uitgeverij.nl

Vertaling: Erica van Rijsewijk
Omslagontwerp: Wil Immink Design
Omslagillustratie: Daniel Murtagh/Image Store
Zetwerk: Scriptura, Westbroek

ISBN 90 5695 145 9
NUR 302

Voor Milla

INHOUD

MOORD IN RUANISH

Mevrouw Phyllis MacLeod (50) werd donderdagavond op wrede wijze in haar eigen huis om het leven gebracht, nadat iemand haar om onduidelijke redenen had aangevallen. Ze werd gevonden door haar huurster mejuffrouw Nikki Black, die de politie verwittigde. Nadat deze was gearriveerd werd mevrouw MacLeod officieel doodverklaard; haar dood was veroorzaakt door klappen die haar met een zwaar voorwerp op het hoofd waren toegebracht. Haar zoon Calum (27), eveneens afkomstig uit Ruanish, bevestigde dat er geen waardevolle voorwerpen uit het huis waren ontvreemd.

'Ik heb nog nooit zoiets wreeds gezien als deze zinloze aanval op een zieke, weerloze vrouw,' zei D.I. Sinclair. De voordeur van de woning van mevrouw MacLead bleek niet op slot te zitten.

(*Aysaar Reporter*, 8 oktober 1997)

1. Leugens

Op mijn achtentwintigste besloot ik mijn moeder te vermoorden. Alles liep fout en ik zocht een manier om dingen weer recht te zetten. Het ging van kwaad tot erger, en in feite wilde ik niet werkeloos blijven toekijken. Ik moest de touwtjes in handen nemen.

Nikki Black is mijn derde naam. De Cannings noemden me Lily. Een lieve blanke naam, kleine Lily Canning, het kleine verloren meisje. Vervolgens stond er op mijn geboortebewijs dat ik Susan Lovage heette. Maar ik ben noch zo blank als een Lily, noch zo bot als een Susan, en ik ben niemands Liefje. En aangezien er geen sprake was van een vader – *onbekend*, staat er keurig in het voor hem gereserveerde vakje getikt – speelde ik zelf voor vader.

De andere serieuze kandidaat was 'Ruth'; de genezeres die ik in Hereford heb bezocht, raadde Ruth aan, maar in mijn oren klinkt dat meelijwekkend. Bij die naam denk ik aan treurige dingen. Een cloon van Ophelia. Het klikt ook lichtelijk tuttig: Ruth, trut. Nikki heeft minder kwalijke associaties. Ik ga voor Nikki, zei ik tegen haar, en zij zei dat dat andere psychische krachten zou vrijmaken. Hoe anders? vroeg ik. Nikki is gevaarlijker, zei ze. Mooi zo. Gevaarlijk past wel bij me. Niet dat ik er trouwens een woord van geloof.

Nikki Black. Klinkt pittig. De spelling is belangrijk.

Het begin.

Lily Canning woonde met mama Canning en papa Canning in een leuk huis in een buitenwijk van Birmingham, en het was een gelukkig gezinnetje met zomervakanties met schepjes en emmertjes waar je in boeken over leest. Maar de mama en de papa vielen weg en mama Canning ging ervandoor met haar rij-instructeur. Papa Canning was een drukbezet man met een belangrijke carrière in het bankwezen, dus op een dag zette hij Lily op een stoel en vertelde haar iets dat beter voor haar zou zijn. Het zou beter voor haar zijn, zei hij, als ze een mama had. En nu mama Canning weg was en niet meer terugkwam, zou het beter voor haar zijn als ze wist dat mama en papa Canning niet haar *echte* mama en papa waren, maar haar alleen hadden geadopteerd. En nu zou hij haar teruggeven aan iemand anders, zodat ze een nieuwe mama voor haar konden zoeken die goed voor haar zou zorgen en niet weg zou lopen. Want hoe moest hij dat in zijn eentje doen, als hij de hele dag moest werken? Het zou niet eerlijk tegenover haar zijn. En in een ander huis zouden er broertjes en zusjes zijn om mee te spelen. Het zou veel beter voor haar zijn.

Lily Canning werd naar een kindertehuis gebracht (het eerste). Daar was ze erg ondeugend en vocht ze met de andere kinderen en plaste ze in bed en kraste ze in haar boeken op haar nieuwe school. Ze vertelden haar dat ze nooit een nieuwe mama zou krijgen als ze zich zo bleef gedragen; en dat was het enige van wat ze allemaal tegen haar zeiden wat ook echt klopte.

Ik zal het kort en simpel houden. Lily Canning werd geadopteerd; het werkte niet; ze werd naar een ander kindertehuis gebracht. Kwam op de basisschool terecht in de klas van juffrouw Plant, die haar leerde lezen en tegen haar zei dat ze knap was. Juffrouw Plant kende duizend sprookjes uit haar hoofd en vertelde de kinderen er elke dag na het avondeten eentje, en ze vulde Lily's hoofd met verloren kinderen die op wonderbaarlijke wijze werden teruggevonden, en een heleboel ze-leefden-nog-lang-en-gelukkig's. Lily vond haar plek, beterde haar leven, en werd toen op haar tiende weer geadopteerd. Dank u wel, juffrouw Plant. Maar ze was 'stiekem, achterbaks, je weet niet wat er in haar omgaat, niet open zoals een kind zou moeten zijn na een proeftijd bij haar nieuwe mama en papa'. Domme Lily! Ze deed te hard haar best. Ze zei altijd alstublieft en dank u wel, probeerde te zeggen wat de mensen wilden dat ze zei, alleen maar om ervoor te zorgen dat ze haar wilden houden. Dat ze haar zouden mogen! Met het idee dat braafheid zou lonen. Domme stiekeme Lily.

Naar het kindertehuis (het derde). Sloeg alles kort en klein. Stal geld van kleine kinderen. Beschuldigde de huisouder van seksueel misbruik toen hij haar op haar plaats zette. Naar het kindertehuis (het vierde). Daarna verhuisde ze nog heel wat keren, het voorspelbare werk.

Op mijn veertiende kwam ik weer bij zinnen, en werd ik geadopteerd door de Marshalls. Werd op school een van de besten van de klas. Je hoeft niet *leuk* te zijn om slim te zijn. Je hoeft niet *aardig gevonden te worden* om slim te zijn. Slim zijn kun je helemaal in je eentje.

De Marshalls hadden een dikke, slome dochter die Louise heette, ze was een jaar ouder dan ik. Ze zat altijd maar in haar kamer te chagrijnen. Ze hadden een leuk, gezellig, oubollig huis, met bloemetjesbehang en bijpassende gordijnen, een dressoir met een arrangement van kristallen glazen erop, en wat handbeschilderd pottenbakkerswerk. Een Oxfam-kalender aan de muur; ze gingen naar de kerk. Ze waren zo keurig als maar kon. Drink het in, zei ik tegen mezelf, drink het in zolang je kunt, Nikki, al die burgermansgezelligheid. 's Avonds zaten ze voor de tv, meneer en mevrouw, allebei met een glas wijn, terwijl zij tegelijkertijd iets nuttigs deed, zoals strijken of nieuwsbrieven van de kerk in enveloppen stoppen, of knopen aanzetten. De eindeloze nuttige dingen die dit soort deugdzame vrouwen doen! Ze had zoals iedereen haar kleine portrettengalerij die ze me wilde laten zien:

'Sharon, ze is een jaar bij ons geweest, ze deed het heel goed op school. Nu studeert ze', en: 'Philippa. Ze was zo verlegen dat ze tegen niemand een woord zei. Weet je wat we deden? Op een gegeven moment legden we briefjes voor haar neer – *Wat vind je lekker bij de thee?* en *Heb je vanavond huiswerk?* en *Heb je zin om zaterdag te gaan schaatsen?*, en dan schreef ze een antwoord. Op een dag kwam ik thuis, pakte mijn boodschappen uit en zei tegen haar: "Philippa, lieverd, lees eens voor wat je op dat briefje hebt geschreven, want ik moet eerst dit eten in de vriezer leggen." En toen las ze het hardop voor! En daarna kregen we haar aan het praten.'

Wat allejezus heerlijk.

Ze vonden mij geweldig. Dat was ik ook. Vergeleken met hun pudding van een dochter. Ze raakten onder mijn bekoring. Tijdens het eten sloeg ik verstandige taal uit en ik gaf de piepers door voordat ze erom vroegen. Ik keek naar het nieuws en gaf commentaar op de toestand in de wereld. Ik las vijf bibliotheekboeken per week. Ik praatte met de vrouw.

Bij de man hadden net zo goed operatief zijn hersens verwijderd kunnen zijn; hij scharrelde wat door het huis, vertrok om acht uur naar zijn werk en kwam om halfzeven weer thuis, waste zijn auto, gaf zijn rozen water en zei geen boe of bah. Daar had de dochter het van. De moeder was wanhopig. Zij wilde drama. Emotie, gevaar, opwinding. Het arme mens wilde een beetje leven in de brouwerij. Dus begon ik haar in vertrouwen te nemen, het soort dingen die ze graag wilde horen. Wat vertelde ik haar? O – dat ik in het tehuis in Hereford was misbruikt. Dat het meisje met wie ik een kamer had gedeeld zelfmoord had gepleegd. Dat in mijn een na laatste tehuis mijn sociaal werkster een verhouding had gehad met de huisouder, en nooit geloofde wat ik zei omdat ze moest doen of ik ook daarover loog. Dat ik na schooltijd door twee jongens verkracht was, en dat de agent die zei dat hij me alleen maar wilde helpen zijn hand onder mijn rok stak. Dat ik droomde over mijn moeder en me voorstelde hoe gelukkig ik zou zijn als ik bij haar was, en hoe braaf ik zou zijn, omdat ik wist dat ze op een dag naar me zou gaan zoeken en er blij om zou zijn als ik braaf was; dat ik wakker werd met tranen in mijn ogen.

O, wat vond ze dat fijn, die arme bleke vrouw met haar deugdzame leventje waarin nooit iets gebeurde. Ik zie haar nog voor me, zoals ze voorover leunde met haar ellebogen op de keukentafel, en haar hand uitstak om mij op mijn arm te kloppen en mijn hand te pakken: 'O, Nikki, ik ben zo blij dat je vindt dat je met me kunt praten. Het is goed voor je om al die narigheid er eens uit te gooien.' Parasiet. Ze dronk de ellende gretig in, slurpte het sap eruit.

Boven zat haar dikke droevige dochter zich natuurlijk vol te vreten met chocoladekoekjes (ze kreeg tien pond zakgeld per week en ze kwam de deur niet uit), om ze naderhand weer uit te kotsen. Mevrouw wilde graag dat we vriendinnen werden. Ik hoorde hoe ze er dikke Louise over aan haar kop zeurde terwijl ik zogenaamd mijn huiswerk zat te maken. 'Ze heeft zo'n moeilijk leven gehad, Louise, je moet echt proberen aardig voor haar te zijn. En ze maakt er het beste van, ze heeft overal belangstelling voor – weet je, je zou leuk met haar kunnen omgaan, als je er een beetje moeite voor zou doen.'

Ze nam ons mee naar de film en ging toen zelf weg om ons samen naar de film te laten kijken. Louise at een zak Opal Fruits en vier Mars-repen. Ze nam ons mee uit schaatsen, maar Louise wilde het ijs niet op. Ze zaten samen zwijgend toffees te eten terwijl ze naar mij keken.

Ze voelde zoveel sympathie voor me, die vrouw, ze wilde me adopteren. Ze sprak er met me over. 'Ik weet dat je nu bijna vijftien bent, en sommige mensen zouden zeggen volwassen, maar ik wil je alleen laten weten dat je je hier altijd op je gemak kunt voelen, ik wil echt dat je me als familie beschouwt, als iemand die er altijd voor je zal zijn. Je moet niet denken dat iedereen is zoals die akelige mensen in Hereford; er zijn nog wel anderen in het leven die weten wat liefde is, en die loyaal zijn.'

Wat had ik een heerlijke tijd. Tot Louise op het punt kwam dat de voorraad snoep en koek die in huis aanwezig was en wat ze met haar zakgeld zelf kon kopen niet meer genoeg was, en ze geld uit mama's portemonnee begon te stelen om haar vreetbuien te bekostigen.

Ik was de eerste die daarvan hoorde, natuurlijk.

'Nikki,' zegt mevrouw, terwijl haar grote bruine hondenogen glanzen van ernst, 'niemand zal je beschuldigen of kwaad op je worden, niemand zal er wat van zeggen. Maar het gaat erom dat je eerlijk tegen me bent. Dat is het allerbelangrijkste. Het kan me niet schelen wat je hebt gedaan, ik begrijp het wel. Maar ik wil dat je de waarheid spreekt. Nou, heb je geld uit mijn portemonnee gehaald?'

Ik moest praten als Brugman om haar ervan te overtuigen dat ik het niet gedaan had. Ze huilde, ze smeekte, ze schakelde Meneer Hersenoperatie in, die me moest vragen of ik wilde bekennen en wilde worden vergeven; ze hield urenlang mijn hand vast, ze bood me geld aan, zoveel als ik wilde, als ik maar wilde beloven dat ik nooit meer zou stelen... Op het laatst interesseerde het me niet meer en zei ik dat ze maar eens onder Louises bed moesten kijken. Daar bewaarde ze alle verpakkingen, alles. 'Hebben jullie haar niet horen overgeven?' vroeg ik hun. 'Ik dacht dat jullie wel wisten dat ze een probleem had.'

Ha. Ze hadden erg met zichzelf te doen. En verrassing, o verrassing, van al die welgemeende woorden over dat ik altijd bij hen terechtkon bleef niets meer over. Opeens was er sprake van een voelbare verkilling. En bleven de deuren beneden gesloten, en werd er aan de telefoon gedelibereerd met mijn sociaal werkster. Opeens zat Louise beneden en ik boven, en de Hersenman verhief van tijd tot tijd zijn stem. Hij zei hetzelfde woord twee keer achter elkaar, hoorde ik. 'Koekoek,' zei hij. 'Een koekoek.'

Mevrouw Marshall moest haar eigen kleine drama onder ogen zien en ze had me helemaal niet meer nodig. En dus ging ik verder met mijn leven.

De sociaal werkster las me de les. 'Je moet geen leugens vertellen. Je verliest de waarheid uit het oog en je weet niet wat echt waar is...'

Persoonlijk zie ik daar geen kwaad in. Ik snap niet wat er zo geweldig is aan de waarheid, en waarom ik die niet uit het oog zou mogen verliezen. Leugens houden de wereld draaiende. Mensen hebben iets nodig waar ze hun tanden in kunnen zetten. Zou jij willen dat de hele wereld leeg en stil was? Over iets wat er niet is kun je niet praten. Je kunt niet praten over een gat.

Je moet geen verhaaltjes vertellen. Dat zei mama Canning, een hele tijd geleden. *Als je liegt/splijt je tong in twee/en alle vogeltjes/nemen een stukje mee.* Ik zag dat altijd voor me: een heleboel vogeltjes die met hun scherpe snaveltjes om me heen fladderden en naar smalle reepjes van mijn tong pikten, hun klauwtjes in mijn kin boorden en ze naar buiten trokken zoals de merel op het gazon een worm uit de aarde trok.

Ik hou van verhalen. Die sprookjesverhalen van juffrouw Plant van de basisschool. Ik mag graag horen hoe Sparappel en zijn zusje veranderen in een vijver en een eend en zo weten te ontsnappen aan de klauwen van de boze oude kokkin. Ik vind het leuk wanneer de lelijke Repelsteeltje de molenaarsdochter helpt om van stro goud te spinnen. Ik hou van de prinses die van brandnetels hemden weeft voor haar zeven betoverde broers zodat ze bevrijd worden uit hun zwanengestalte. (Ze hebben zo'n haast dat ze één mouw van het hemd van de jongste nog niet af had, en hij verandert weliswaar terug in een knappe jonge prins, maar heeft wel één zwanenvleugel in plaats van een arm. Stel je voor.) Ik hou van kikkers die in prinsen veranderen en van oude vrouwen die jonkvrouwen worden en van vissen die kunnen praten en je wensen vervullen. *Ik verlies de waarheid graag uit het oog.* De waarheid is maar niks.

2. Sparappel

'Sparappel' was het eerste verhaaltje dat juffrouw Plant ons vertelde. Ik was nieuw ik zat in een tweepersoonsbankje voor in de klas met niemand naast me. Ze vochten er altijd om om niet naast me te hoeven zitten. Als ik zenuwachtig was, moest ik altijd plassen en dan kon ik niet meer wachten. Ik zou ook niet naast mezelf zijn gaan zitten als ik de kans kreeg.

Ik zal je vertellen over Sparappel. Hij werd gevonden boven in een sparrenboom, in het grote donkere bos. Zo kwam hij aan zijn naam. Hij was een klein baby'tje dat helemaal alleen boven in een boom zat midden in een verlaten bos dat zich uitstrekte over de bergen in de omgeving. Hij lag op een hoge gevederde tak die lichtjes zwiepte in de wind. Hij lag daar te huilen met een stemmetje zo licht en zwak dat je het bijna niet kon horen door het geruis van de wind in de takken en het gekras van kraaien in hun nesten.

Maar het gelukkige toeval wilde dat... (O, luister)
Het gelukkige toeval wilde dat... (mijn maag draait er nog steeds van om)

Het gelukkige toeval wil dat er een houthakker na een dag hard werken door het eenzame bos onderweg is naar zijn huis. Hij kijkt op en ziet een merkwaardige roze plek tussen de takken. Dan hoort hij het ijle gejammer van de baby. En hij legt zijn bijl en zijn knapzak neer, en klimt pardoes de boom in. Een spar is een dichte boom en het is lastig om erin te klimmen, maar hij baant zich een weg omhoog dwars door de geurige, stekelige takken, omhoog omhoog omhoog, tot hij ten slotte zijn arm kan uitsteken en de kleine Sparappel van de tak kan plukken. Waarop hij was neergelegd, dient erbij te worden vermeld, door een adelaar die hem uit de armen van zijn slapende moeder had weggerukt, in een ver land.

De houthakker wikkelt Sparappel in zijn wambuis. 'Arm kind,' zegt hij. 'Ik neem je wel mee naar huis, als speelkameraadje voor mijn kleine Lizzy. Onze oude kokkin zal goed voor je zorgen.'

Sparappel en Lizzy kregen toen ze al spelend samen opgroeiden een nauwere band met elkaar dan welke broer en zus ook, en waar je de een zag, was de ander niet ver uit de buurt. Nog nooit waren er twee kinderen samen zo gelukkig geweest. Zei juffrouw Plant. O, luister. Nog nooit waren er twee kinderen zo gelukkig geweest.

Op een dag zag Lizzy dat de oude kokkin heen en weer liep te zeulen, heen en weer naar de bron, waar ze emmers water putte.

'Waarvoor heb je al dat water nodig?' vroeg ze.

'Als ik je dat vertel, mag je het tegen niemand verklappen.'

'Nee, dat zal ik niet doen,' antwoordde Lizzy. (Maar daar hield ze zich niet aan.)

'Wanneer je vader morgenvroeg naar het bos gaat, zal ik al dat water aan de kook brengen en er de kleine Sparappel in doen, om een lekkere stoofpot te maken.'

Toen de twee kinderen die avond in bed lagen, fluisterde Lizzy tegen Sparappel, zoals ze altijd lagen te fluisteren: 'Als jij mij nooit in de steek laat, laat ik jou nooit in de steek.'

Waarop Sparappel antwoordde: 'Nu niet en nooit niet.'

Vervolgens fluisterde Lizzy hem in wat het plan was van de oude kokkin. En de twee kinderen besloten samen te ontsnappen. De volgende morgen heel vroeg, toen de kokkin in de keuken het vuur onder haar enorme pan met water aanstak, klommen Lizzy en Sparappel het raam uit en renden het bos in.

Toen de kokkin in de gaten kreeg dat ze weg waren, was ze woedend. Wat zou de houthakker zeggen als hij thuiskwam? Ze stuurde drie knechten achter hen aan.

Diep in het bos hoorden Lizzy en Sparappel de knechten met veel lawaai tussen de bomen door rennen. Sparappel begon te huilen, maar Lizzy zei: 'Als jij mij nooit in de steek laat, laat ik jou nooit in de steek.'

'Nu niet en nooit niet.'

'Vlug dan, jij verandert in een rozenstruik, en dan ben ik de bloem die eraan bloeit.'

Het volgende moment waren de kinderen verdwenen; toen de knechten van de kokkin aan kwamen rennen op de open plek, zagen ze alleen maar een rozenstruik met één enkele bloem eraan.

'Stommelingen!' riep de kokkin uit. 'Jullie hadden die struik moeten kappen en de roos naar mij moeten brengen. Ga maar terug om nog eens te kijken!'

Weer repten de knechten zich door het bos, en de kinderen hoorden hun rennende voeten. Sparappel klampte zich doodsbang aan zijn zusje vast.

'Als jij mij nooit in de steek laat, laat ik jou nooit in de steek.'

'Nu niet en nooit niet.'

'Verander jij dan in een hoge toren, dan word ik de klok boven-in.'

Het volgende moment waren de kinderen verdwenen, en op de plek waar ze zo-even nog waren geweest stond een sierlijke klokkentoren, die bijna even hoog was als de bomen eromheen. Toen de knechten van de kokkin ter plaatse aankwamen, zagen ze op de klok dat het etenstijd was en holden ze terug om de kokkin te vertellen dat ze geen kinderen hadden gezien, maar alleen een hoge toren met een mooie ronde klok.

De kokkin ontstak in woede en tierde tegen de knechten: 'Jullie hadden die toren moeten neerhalen en mij de klok moeten brengen. Stommelingen, ik kan ook niets aan jullie overlaten, dan moet ik die kinderen zelf maar gaan zoeken.' Dus rende ze het bos in. Maar de kinderen hoorden haar naderbij komen, en Sparappel pakte Lizzy's hand stijf vast.

'Als jij mij nooit in de steek laat, laat ik jou nooit in de steek.'

'Nu niet en nooit niet.'

'Verander jij in een vijver, dan word ik de eend die erin zwemt.'

Het volgende moment had het bos een verandering ondergaan. Er was een schitterende blauwe vijver verschenen, met één sneeuwwitte eend die in het water zwom. Maar de kokkin was slim: ze liet zich op haar knieën vallen en dronk snel de vijver leeg. Toen zwom de eend regelrecht naar haar toe en pikte haar met haar snavel in haar neus, en trok haar omlaag in het laatste restje water. Al snel was ze verdronken.

Toen renden Lizzy en Sparappel het bos door om vóór de hout-hakker thuis te zijn. En ze leefden nog lang en gelukkig.

Juffrouw Plant vroeg ons of we er een tekening van wilden maken, en ik deed ontzettend mijn best om een eend in een vijver te tekenen, maar het zag eruit als een eend in een cirkel of een eend op een lijn. Ik kon geen water tekenen. Uiteindelijk gaf ik het op en tekende de boze kokkin met haar kookpan, met sliertjes damp die ervan afsloegen en feloranje vlammen eronder. Ik kreeg er een vlaggetje voor, maar het was niet de tekening die ik had willen maken.

3. Een plan

Waarom besloot ik om mijn moeder te vermoorden? De redenen zijn vrij simpel.

Als je jong bent, denk je dat andere mensen je kunnen helpen. Ouders, als je die hebt. Vrienden. Leraren. Dokters. Drank, pillen, therapie. Misschien helpen die sommige mensen ook wel. Maar waar het echt om gaat is dat je moet weten wat je wilt en dat vervolgens moet doen. Ongelukkig zijn, raad vragen, proberen te ontsnappen, de kwestie analyseren – met dat alles schiet je niets op. Om vooruit te komen moet je je voet optillen en een stap zetten.

Ik dacht: ik wil mijn moeder vermoorden. En dat zal ik doen ook.

Ik ben ervan beschuldigd dat ik egoïstisch zou zijn en geen gevoel zou hebben. Om maar wat te noemen. Eerlijk gezegd ben ik van een heleboel dingen beschuldigd: ik zou een leugenaar zijn, een slet, een dievegge, iemand die alleen maar aandacht wil, onvolwassen, niet-loyaal, labiel, immoreel, gek, en iemand die zijn talenten verspilt. Al deze dingen waren waar, of waren waar geweest, van tijd tot tijd. Helemaal waar. Wat nog een extra reden was voor mijn plan.

Omdat die persoon (ik; egoïstisch, zonder gevoel enz.) uit iemand voortkwam. En omdat zij nooit ter verantwoording was geroepen. Haar was nooit gevraagd zich nader te verklaren of zich te verontschuldigen, of zelfs maar om zich bekend te maken. Dus besloot ik haar op te sporen.

Goed, redenen om het plan op te vatten haar te vermoorden: toen mijn moeder Phyllis Rose Lovage mij het leven had geschonken, nam ze me niet in haar armen. Ze waste me niet. Gaf me niet te eten. Kleedde me niet aan.

Ze hield niet van me.

Ze wikkelde me in een handdoek en legde me 's nachts of 's ochtends vroeg in een kartonnen doos op de drempel van een postkantoor in het centrum van Londen.

Ze liep weg.

(Dat ze me in een handdoek wikkelde maakt er ook deel van uit. Als ze me niet in een handdoek had gewikkeld – als ze de moed had gehad die haar overtuigingen haar ingaven, en niet alleen niet van me had gehouden, maar me ook had *gehaat* en naakt in de doos had gelegd, dan zou ik dood zijn gegaan van de kou. Wat voor ons allebei veel eerlijker zou zijn geweest.)

Andere redenen: toen de politie haar ernaar vroeg, beweerde ze dat ze niet wist wie mijn vader was. Ze vertelde hun dat ze me niet terug wilde hebben.

Goed. De redenen komen op twee dingen neer: 1) Ze had me. 2) Ze liet me in de steek.

Vraag: waarom behoorde er een aantal jonge vrouwen uit kindertehuizen tot de slachtoffers van de familie West? Ik heb een artikel gelezen waarin stond dat Fred en Rosemary speciaal hen kozen omdat ze dachten dat er toch niemand naar hen zou omkijken. Maar ik weet wel wat de reden is: toen ze ertoe werden uitgenodigd, *kozen* die meisjes de Wests. Ze gingen *chez* West met het idee dat het daar aangenaam was, een echt thuis, een boerderij waar je paard kon rijden en gedichten kon schrijven, een *gezin*. Waar je zou worden opgenomen en waar er van je zou worden gehouden. Zelfs als ze er een poosje waren dachten ze er nog zo over en leek het hun een prima plek. Omdat *ze niet beter wisten*. Ze wisten niet wat het verschil was tussen een liefdevol gezin en een huis vol ontaarde moordenaars.

Hoe zouden ze dat ook moeten weten? Ik leerde over gezinnen uit boeken. Gezinnen met mama's en papa's en verjaardagsverrassingen, en picknicks en heerlijke zomervakanties. In boeken had ik een leuk stel kameraden en we liepen altijd de geheimzinnige man die mank liep achterna, of gingen op onderzoek uit naar de nachtelijke lichtflitsen in de Smokkelaarsbaai; we lieten ons vermoeid achterovervallen en genoten van de heerlijke thee die mama had klaargemaakt; we werden plechtig bedankt door ouders van kleine verdwaalde kinderen/eigenaren van ondeugende jonge hondjes/burgemeesters van in gevaar gebrachte steden. Als we echt in moeilijkheden kwamen, kwam papa vaak met de politieagent praten of gaf de boze kolonel een verklaring, of kwam ons als het donker werd een standje geven met een twinkeling in zijn ogen en bracht ons vervolgens met de auto veilig naar huis. We trokken er dapper op uit om fatsoen en eerlijkheid te verbreiden onder boosaardige buitenaardse wezens; we groeven na adembenemende gevaren te hebben doorstaan een oeroude schat op, en bleven de schurken altijd één stap voor. Oké, het was onzin. Maar het was tenminste onzin die me gelukkig maakte.

Hoe is dat – om opgevoed te worden in kindertehuizen?

Het is net als met de jongen in 'De sneeuwkoningin'. Hij krijgt een splinter ijs in zijn oog. Daardoor worden alle dingen die hij ziet koud en lelijk.

Zo is het, en je kunt er in zekere zin wel mee leren leven; je weet niet beter. Zoals mensen die vanaf hun geboorte blind zijn weten dat anderen kunnen *zien*, maar niet goed kunnen visualiseren (sorry) wat dat is, zo weten degenen met een ijssplinter in hun oog dat alle andere mensen iets *hebben*, maar kunnen ze zich niet goed voorstellen wat dat zou kunnen zijn.

Het is net zoiets als fantoompijn. Ik voelde mijn handicap goed. Ik werd verteerd door ongenoegen. Nou, het was niet alleen maar ongenoegen. Er was wel meer voor nodig dan dat om mij in beweging te krijgen. Het kwam door de andere dingen, de akelige dingen.

Ik geloof niet dat je daarvan op de hoogte hoeft te zijn. Nog niet, althans. Nadat ik het had verpest met dikke Louise en haar aan tragedie verslaafde moeder, ging het bergafwaarts met me. Maar ik kwam het te boven, ik veerde terug. Daar ben ik goed in – ik vlieg ik stijg op ik schiet omhoog ik zweef door de lucht. Ze probeerden me weer op een andere school te doen, maar ik stapte naar het hoofd en barstte in tranen uit. Ik hield van zijn school, ik wilde er niet weg, ik beloofde dat ik erg mijn best zou doen, ik beloofde dat ik uit de buurt zou blijven van Louise (waarom zou je bij haar in de buurt willen zijn). Was het wel eerlijk dat ik gestraft werd voor wat er met haar mis was? Kijk eens hoe vaak mijn leven was ontwricht: tien verschillende scholen, negen verschillende huizen – hoe moest ik ooit kans zien om de belofte die mijn schoolprestaties inhielden waar te maken? Het lot had me slecht bedeeld – hij was toch niet van plan om het me nog moeilijker te maken?

Tegen het eind zat hij me bijna te strelen; vanzelfsprekend kon ik blijven, hij zou het er persoonlijk met mijn sociaal werkster over hebben dat ik in de buurt bij een gezin geplaatst zou worden; hij zou goed opletten wat er met me zou gebeuren.

Ik werd een braaf meisje; werkte hard, bleef na op school, deed al mijn huiswerk. Ik deed al mijn examens, mijn leven liep gesmeerd. Ik vatte een liefde op voor de aardrijkskundeleraar, die me elke donderdag om halfvijf (als zijn vrouw op yoga zat) neukte in het scheikundepracticum, maar dat was niet erg slim, omdat ik ging denken dat hij me graag mocht. Ik kwam erachter dat hij het ook deed met Tessa Watson op dinsdag (als zijn vrouw naar het zwembad was), dus liet ik hem weten dat ik het aan het hoofd zou vertellen. In de loop van dat schooljaar gaf hij me in totaal 234 pond zwijggeld.

Toen ik in de zesde klas zat, verhuisde ik naar nieuwe adoptiefouders. Ze deden hun best om me uit mijn evenwicht te brengen, maar zelfs zij slaagden daar niet in. Ze hadden de mond vol van allerlei onzin over vrijheid en verantwoordelijkheid. Gaven me een sleutel en zeiden me dat ik zelf maar moest zeggen hoe laat ik thuiskwam – best hoor, geen probleem, waarom zou ik er blij om moeten zijn dat ik om twee uur 's nachts kon thuiskomen, in plaats van het raam in het kindertehuis open te schuiven en over de vensterbank te klimmen? Maar ze zeiden me dat mijn kamer privé was. Ze zeiden dat niemand daar naar binnen zou gaan. En ik was naïef genoeg om hen te geloven.

In hun huis waren meer lampen dan in een theater: plafondlampen en wandlampen en tafellampen en nachtlampen en beveiligingslampen. Het gezin stond permanent op de planken om te spelen dat ze vrij, verantwoordelijk en volwassen waren. Nergens kon je eraan ontkomen. Mijn kamer was wit met beige. 'Licht en luchtig, en lekker fris!' zei Jill, de nieuwste sociaal werkster, die me er dumpte en vervolgens aan haar stutten trok.

Na een week zette de vrouw de stofzuiger voor mijn deur. 'Je moet je kamer maar schoonmaken wanneer je er zin in hebt. Candice en Zoe doen de hunne een keer in de week.'

In het begin deed ik dat ook. Ik stak de stekker in het stopcontact onder het bed, zoog het beige tapijt, zoog met de kleine zuigmond het stof van de witte vensterbanken en plinten. Toen begon ik dingen op de grond te gooien. Kleren, schoolboeken, paperassen. Als ik 's avonds terugkwam, lagen ze er nog. Vuile onderbroeken onder mijn gymspullen, onder mijn geschiedenisboeken; ik liet tijdschriften, panty's, klokhuizen en zelfs munten vallen, die dag in dag uit op dezelfde plek bleven liggen. God, wat ging ik van die kamer houden. Ik schreef mijn naam in het stof op de vensterbank. Op het voeteneind van mijn bed lag zo'n berg kleren dat ik er door het gewicht amper mijn voeten onder kreeg, ik schreef briefjes en maakte lijstjes van popgroepen die ik goed vond, kleren die ik wilde hebben, brieven aan mensen aan wie ik een gruwelijke hekel had, en ze lagen op de stoel en ladekast en vensterbank en vloer. Ze kwam nooit binnen. Maar één keer klopte ze op de deur en vroeg een badhanddoek terug; die lag kletsnat op de grond en ik zei tegen haar dat ik hem in de was had gedaan. Zij zei niets. Ik wist precies waar alles was, ik kon dingen met mijn ogen dicht vinden. In de rest van het huis kon je van de vloer eten, die was overal brandschoon, maar mijn kamer was met een korst bedekt en gecompliceerd, en niet zoals zij. Ik vroeg of ik iets aan de muren mocht hangen, en zij gaf me Blu-tack. Ik hing plaatjes op uit tijdschriften en mijn eigen tekeningen en bierviltjes, ik bedekte de muren helemaal totdat er geen plekje meer vrij was, geen wit, geen beige. Ik had schedels en paddestoelwolken en popgroepen en delen van gezichten – één hele muur was overdekt met lippen, ogen, tepels en stroken zwart. Als ze de deur uit waren, nam ik eten mee naar boven, biscuitjes, appels, chips – zodat ik niet naar beneden hoefde als ik trek kreeg in een tussendoortje. In één hoek had ik een hoop afval liggen. Ik bewaarde mijn sigarettenpeuken onder mijn bed in een grote jampot met schroefdeksel zodat ze ze niet zouden ruiken, en wat wodka en een paar dingen die ik had gejat, parfum en sieraden, in een kartonnen doos met tweedehands kleren die ik op de markt haalde om ze aan de meisjes op school te verkopen. Als ik de deur uit ging en hem dichtdeed en alleen het kleine bedlampje aandeed (ik had blauw vloeipapier over de kap gelegd), was de kamer schemerig en mysterieus en rommelig en rook naar zichzelf. Hij was van mij, helemaal van mij.

★ ★ ★

Ik ging met een excursie naar Frankrijk. Een week. Toen ik terugkwam, was mijn kamer opgeruimd. De vloer was schoon, alle oppervlakken waren leeggeruimd. De vuile kleren waren gewassen en opgeborgen in de laden. De lege muren waren opnieuw geschilderd in een walgelijke kleur magnoliaroze. Alle paperassen en boeken lagen op de planken. De kartonnen dozen waren verdwenen en de gejatte parfum en sieraden waren op de toilettafel gearrangeerd alsof ze mij toebehoorden. De wodka en peuken waren weg. Ze had me uitgewist. Ik nam aan dat ze dat deed na ieder meisje dat die kamer had gehad. Ieder in huishoudelijk opzicht onzindelijk wezen. De kamer uitmesten, alle oppervlakken schoonboenen, luchtverfrisser rondspuiten.

Ik zat in mijn kamer de verflucht en de tapijtshampoo in te ademen tot ik zeker wist dat ze allemaal naar bed waren, en toen piste ik op het bed, trok mijn uniform aan en ging met mijn koffer naar school. Ik bleef de hele nacht op het bordes zitten en na de conciërge was het hoofd van de school de eerste die arriveerde. Ik vertelde hem dat ik nooit meer terug wilde naar dat huis en dat ik nooit iemand zou vertellen wat me daar was overkomen. Het enige wat ik wilde was hard werken voor mijn examens en mijn leven beteren. Hij zorgde ervoor dat ik die avond terug kon naar het kindertehuis.

Bij mijn eindexamen haalde ik goede cijfers, en ik kon terecht aan de universiteit van Sheffield.

Ik was een slimme meid, ik kon alles wat die mama- en papakinderen konden. Ik maakte opstellen, liep college, verdiende bij door boeken te jatten en die aan andere studenten te verkopen – ik pikte het vriendje van mijn kamergenote en ik pikte haar cd-speler en fototoestel (herverdeling van goederen). Dan had ze die deur maar op slot moeten doen, ze mocht nog van geluk spreken dat er niet meer verdwenen was. Met mij was niks mis, ik was braaf, ik was een hele poos braaf, het liep allemaal lekker, totdat ik er opeens niets meer van bakte.

Dit lijkt wel een patroon te zijn. Ik ken het van vroeger. Ik schiet omhoog ik zweef ik vlieg

ik val.

Nooit op het goede moment of op de goede plek (waar zou dat zijn?), en als ik eenmaal beneden ben is het elke keer moeilijker om weer omhoog te komen. Net als zo'n zeemeeuw die teer op zijn vleugels heeft. Mensen doen alsof ze je vrienden zijn, maar als het minder met je gaat wil niemand daar echt iets van weten. Mijn kamergenote ging verhuizen, wat maar weer eens aantoont dat ik groot gelijk had om haar spullen te pikken; het vriendje ging terug naar haar. Ik werd overgeleverd aan de genade van de studentendecaan. Zij wist me een paar maanden op de rails te houden, waarna ook zij haar belangstelling verloor. Als dingen eenmaal bergafwaarts gaan, is er geen houden meer aan. Ik kwam niet meer opdagen voor mijn bardiensten in de Crown. Ik kreeg het niet meer voor elkaar om boeken te jatten. Ik ging niet meer naar college. Mijn geld raakte op. Je glipt door de mazen van het net. Ik kon in de vakantie nergens heen, ik had met niemand iets opgebouwd, ik had niet...

Het gebeurt telkens weer. Op verschillende manieren. Toen ik werkte bij het centrum voor daklozen en een vrijwel normaal leven leidde en zelfs vrienden had; ik sliep niet meer, dus raakte ik die baan kwijt. Ik verdiende niet meer, zodat ik de huur niet kon betalen. Ik raakte het appartement kwijt, dus ging ik bij vrienden wonen, en raakte mijn vrienden kwijt. Dat bedoel ik nou. Het hele kaartenhuis stort in elkaar...

Je hebt geen controle over op- en neergang of over het moment waarop dingen gaan veranderen. Het is een saai verhaal.

4. De duif

Je denkt dat ik een taaie ben, hè? Ik denk zelf dat ik een taaie ben. Maar ik heb – ik heb een -

Een neiging om te gaan glijden. Glip slip klap halsoverkop omlaag in... Maar goed. Hoe moet ik het beschrijven? Het is een andere zijnstoestand. Het is klote. Ik kan het je niet beschrijven, maar ik moet dit verhaal wel vertellen.

Moet ik het je vertellen?

Ja, kennelijk. Nou, soms ben ik bang.

Is dat voldoende?

Bang. Begrijp je? Bevreesd. Angstig. Vat je 'm? Soms krijg ik ineens – Angst.

Bijvoorbeeld. Ik voel het opkomen. Zoals wanneer je de schaduw van een groot gebouw vlak voor je over de straat ziet vallen en jij doorloopt en van het zonlicht in de schaduw stapt en denkt: niets aan de hand, ik loop nog steeds op de stoep, met dezelfde grond onder mijn voeten dezelfde lucht boven mijn hoofd hetzelfde verkeer dat voorbijraast – maar...

het is niet hetzelfde.

Het is niet hetzelfde. Je loopt de schaduw in en je voelt de kilte

– ik voel de kilte, ik voel hoe de aarde draait ik voel dat mijn gebruikelijke welbevinden wegglijdt over de rand ik voel me verlaten – ik voel – Angst.

Het komt over me. Ik kan je niet zeggen waarom. Een typerend voorbeeld van hoe het over me komt: de dag dat ik de duif zag. Ik sneed een stuk af door het park en ik zag een duif die gevangenzat. Het stelde niets voor – onbelangrijk, uitermate en volkomen onbelangrijk.

Maar zo komt die schaduw over me.

Er zat een duif gevangen in het park. Ze spannen een soort hengeldraad over de bloemperken. Zijn pootjes waren erin verstrikt geraakt. Toen ik hem zag, stond hij heel stil, vervolgens fladderde hij wild. Toen hij daarmee ophield, keek hij me met zijn glinsterende oogjes aan.

Ik liep op het pad. Ik bleef staan. Ze waren bezig geweest in het park, waarschijnlijk omdat het lente was. Hadden de bloemperken omgespit, er wat lelijke primulaatjes geplant. En deze draad gespannen, kriskras boven de aarde. Hij zou wel dienen om de vogels op afstand te houden, ik had zoiets nog nooit eerder gezien. Er keerde een tractor op het voetbalveldje, die iets over het modderige gras sleepte. Met een zwerm vogels erachteraan. Overal duiven en meeuwen. Maar deze zat vast.

Ik bleef staan kijken of hij zichzelf door met zijn vleugels te fladderen kon bevrijden. Maar daarmee maakte hij het alleen maar erger. Het draad zat strak om zijn magere pootje en sneed erin. Op die manier kun je een vinger amputeren. Door er een touwtje strak omheen te binden. En te wachten tot het topje eraf valt, kinderen deden dat soort spelletjes op school.

Ik keek of ik andere mensen zag. Twee loonslaven die naar kantoor gingen. Ze zagen mij niet, laat staan de duif. Een vrouw met een doodmoe gezicht in de blauwe overall van een schoonmaakster. Mensen die naar hun werk gingen. Wat zou je moeten zeggen? 'Kunt u alstublieft deze duif redden?' 'Red hem zelf maar, dom wicht. Als je je er zo druk om maakt.'

Wat betekent nou één duif minder? Duiven zijn ongedierte. Dragen ziektes met zich mee. Schijten gebouwen onder in de stad. De gemeente vergiftigt ze, ze moeten wel. Daarom spanden ze ook dat draad. Om te voorkomen dat de duiven de jonge plantjes opaten. Om ze te vangen, een voorbeeld te stellen. Er waren geen andere duiven in de buurt van dit bloemperk. Zet er eentje neer en de andere worden bang. Vogelverschrikker. Duivenverschrikker.

Hij fladderde als een razende, zijn vleugels wierpen kleine kluitjes aarde op, hij draaide zijn lijf naar boven. Het pootje had afgesneden kunnen worden. Ik wou dat dat zou gebeuren. Zodat de duif weg zou kunnen.

Om hem te redden zou ik over het lage groene boogjeshek moeten stappen, voorzichtig mijn voeten neer moeten zetten tussen de gekruiste draden, me voorover moeten buigen midden in het perk, en de duif moeten aanraken. Hij staarde me nijdig aan. Zijn snavel was scherp om goed te kunnen pikken. Ik geloof dat ze hondsdolheid verspreiden, dat heb ik horen zeggen. Ik had geen handschoenen bij me.

Mijn gezicht was rood en mijn hart hamerde, ik kon het voelen bonzen tegen mijn ribbenkast. Er kwam een vrouw aan met een baby in een wandelwagentje en een klein kind in een uniform. Ik draaide me af, zodat ze mijn gezicht niet zou zien. Het kind zei: 'Mam!', en ik wist dat hij de duif had gezien, maar ze zei dat hij niet moest zeuren en bleef niet staan.

Ik besloot een parkwachter te gaan zoeken. Een tuinman. Met van die dikke handschoenen, met kappen eraan. Hij zou de duif kunnen bevrijden, dat was zijn taak. Ik liep verder over het pad en een deel van me dacht: ik kom niet meer terug, dan hoef ik dat gefladder en gezwoeg niet meer aan te zien, of hoe hij stil zit te kijken. Als ik eenmaal bij het hek ben, doet het er niet meer toe.

Er waren geen tuinmannen. Alleen de tractor op het voetbalveldje, aan de andere kant van een niemandsland van drassige grasvelden. Toen ik naderbij kwam en riep om boven het geluid van de tractor uit te komen, zette hij ten slotte geërgerd de motor uit en boog zich naar buiten. *'Wat is er?'*

'Een duif,' zei ik. 'Het spijt me wel, maar hij zit vast...'

'Een stomme duif?' Hij keek me vuil aan en schakelde de motor weer in.

Ik ging terug over het pad. Had ik maar een schaar. Of een zakmes. Dan had ik het draad door kunnen snijden. Dan hoefde ik de duif niet eens aan te raken.

Misschien was hij al dood. Hij zou vrij snel doodgaan van uitputting. Ik hoopte dat hij al dood was.

Maar in het modderige bloemperk zat een man gehurkt. Hij keek naar me op. Hij had de duif in een hand, met zijn vingers om zijn lijf en zijn gevouwen vleugels. Met de andere hand ontwarde hij de draad om zijn poot. De vogel keek strak voor zich uit. Hij bewoog zijn kop niet en pikte niet. Het draad zat ook om een vleugel; de man vloekte zachtjes toen hij de vogel om en om draaide en probeerde hem los te maken. Ik voelde me opgelaten, beschaamd dat ik zo naar hem stond te kijken. Ik nam dezelfde weg terug. Toen ik over mijn schouder keek, stond hij eindelijk weer op het pad. Hij had zijn arm geheven en liet de vogel los, die fladderde op schouderhoogte alsof hij was vergeten hoe hij zich door de lucht moest voortbewegen. Toen steeg hij op. Hij vloog omhoog.

★ ★ ★

Dat is het. Eén zo'n incident en ik voel dat alles gaat glijden, ik bevind me in het beeld, maar er staat een stippellijn om me heen. Knip langs deze lijn. Ik word eruit geknipt.

De nachten zijn natuurlijk het ergst. Ik ben uitgeput. Rauw, van streek, ik wil me alleen maar oprollen en mijn ogen sluiten. Dan wil ik niets liever dan lekker in elkaar kruipen, vredige zwarte vergetelheid. Controleer ik de ramen, doe de deur op slot, knip het licht uit, doe ik alsof de flat veilig is. Maar zodra ik mijn ogen sluit, hoor ik geluiden. Een haag, een struikgewas, een woud van geluiden barst om me heen los. En ik luister, waakzaam en alert, naar het ding erachter. Ik houd mijn oren gespitst op dat ene geluid dat ik niet goed kan horen. Ik blijf een hele poos stil liggen, terwijl de geluiden steeds oorverdovender worden. Er is geen ontkomen aan, ik slaap niet, ik kan niet slapen, het maakt niet uit wat ik doe, maar toch komt er een moment dat ik niet meer passief kan blijven liggen terwijl ik aangevallen word door de herrie om me heen en mijn inwendige oor ondertussen zijn uiterste best doet om een verborgen geluid op te vangen – ik moet mezelf in bed omhooghijsen (zwaar; het lichaam is zwaar en dof, de benen stijf, ze doen pijn als ik ze probeer te buigen. Het lichaam trekt me omlaag, in het midden voelt het hol alsof het door te eten tot bedaren zou kunnen komen. Ik weet dat dat niet zo is.)

Er is een manier om te zorgen dat het ophoudt: de tikkende wekker in een trui wikkelen, polshorloge in een T-shirt, een opgevouwen velletje papier aan de zijkant tussen het raamkozijn steken. Ik doe de deur van mijn slaapkamer open, controleer of de voordeur op slot zit. Het gezoem van de ijskast is een geloei geworden dat alles overstemt; ik zet hem uit. De radio is op de TAPE-stand blijven staan; het rode lampje brandt nog en het toestel zendt een zacht statisch geruis uit dat lijkt op het suizen van een gasvlam. Trek de stekker eruit. De tv van de buren staat loeihard; als ik de tussenmuur aanraak, voel ik hem trillen. Boven trekt iemand een wc door en bij de kracht van het geluid breekt het zweet me uit, ik krijg het eerst warm en dan koud, mijn holle hoofd echoot en weergalmt van het geluid. Buiten is het gestage verkeersgedruis overgegaan in geïsoleerde geluiden, het verre gereutel van een motor dat toeneemt tot stormkracht, waarna het langgerekt vervaagt in de verte tot het niet meer te horen is. Maar telkens als ik elk zich verplaatsend geluid heb achterhaald en wacht tot het uit beeld verdwijnt, wordt het vervangen, overschreven, onderbroken door andere, nieuwe inbreuken – een kreet, dreunende voetstappen, het gebulder van een vliegtuig, het gedrup van kranen, het slaan van deuren, en de druk van de wind tegen de ramen, het geknetter van elektriciteit in de draden en het gegorgel van water in de leidingen, het werken en zich zetten van de bakstenen en het cement van gebouwen de kletterende hagel van vallende stofdeeltjes van huismijten de donderende waterval van mijn eigen bloed dat langs mijn oren brult.

Ik zet alles uit wat ik kan vinden. Trek alle stekkers eruit. Luister. Spits mijn oren.

Er is een ver geluid, achter deze muur van lawaai. Ik kan bijna... Ik geloof dat er iemand roept. Een auto overstroomt de kamer met geluid en trekt zich dan terug, ik kan bijna... als ik die kreet weer hoor...

Ik trek het gordijn een paar centimeter open. Er is niemand te zien. Alleen maar een leeg trottoir en een lege weg. Het is rustig en stil. Ik wacht. Het is wachten. Als een toneelpodium dat helemaal in orde is gebracht. Er staat iets te gebeuren. Ik sta hier doodstil te wachten en naar de donkere straat te staren. Ik krijg het koud.

Ik trek me terug op de bank, van daaraf kan ik nog steeds naar buiten kijken. Ik trek de kussens over me heen. Nu zijn de dingen rustiger. Doordat ik sterk ben houd ik stand. Ik laat me niet afleiden van de straat. Wat is het? Wat?

Mijn ogen branden. Ze willen zich dolgraag sluiten. Een paar tellen maar. Maar als ik knipper vliegen ze open. Als mijn ogen dichtvallen zal het komen. Het ding op de straat. Ik moet ernaar uitkijken. Als ik ernaar uitkijk, blijft het weg. Ik heb geen keus, ik moet hier verlamd blijven zitten, mijn ogen vastgeplakt aan de lege nachtelijke straat alleen door mijn wilskracht kan die leegte gehandhaafd blijven kunnen gruwelen op afstand worden gehouden kan de verstikkende druk van een nachtmerrie buiten de randen van mijn gezichtsveld blijven.

5. Over moeders

Wat een zielige toestand, nietwaar? Angst. Al met al is het ver-achtelijk. Mensen zouden dapper moeten zijn. Dapperheid is aan-trekkelijk. Iemand die stokstijf blijft zitten en van angst niet weet wat hij moet doen verdient het om het mikpunt te zijn van spot.

Ik ben me daar heel wel van bewust. Ik vind het ook niet aan-trekkelijk. Ik geef me er niet zomaar aan over, ik val er niet zo-maar zonder verzet aan ten prooi, ik doe voor mezelf echt niet alsof het *niks* is.

Naderhand – niet op het moment zelf, omdat er dan geen geest-kracht over is om het te doen, maar na een aanval – heb ik gepro-beerd te ontdekken hoe het precies zit, de verwrongen logica van het hele gebeuren. Als ik mijn waakzaamheid laat verslappen, zal het erge gebeuren. Zou je dan niet denken dat het erge in míj zit? Als ik me ontspan, komt het los. Ik moet wakker blijven om het de baas te blijven. Maar zit het vanbinnen of is het buiten? Houd ik het onder de duim of houd ik het op afstand?

Uiteindelijk kom ik van de bank af, stijf, met slapende ledematen, overal pijntjes. Ik keer het raam welbewust de rug toe en laat mijn voeten me naar de badkamer voeren. Neem vier paraceta-molletjes uit het buisje met de kinderveilige sluiting waar ik met een blikopener in heb zitten hakken omdat ik hem er niet af kreeg. Het is kwart over twee. Ik ga weer naar bed, ik doe mijn ogen en oren dicht. Maar slapen doe ik niet.

★ ★ ★

Langzaam verstijkt de nacht. Na een hele poos gebrom op middellange afstand rijdt de eerste auto oorverdovend voorbij. Dan nog een. Vroegtijdig gekwetter van een gedesoriënteerde vogel. Het zachte gezoem van een elektrisch melkwagentje. De ochtend breekt weldra aan.

Niemand anders doet dit. Niemand anders gaat zitten wachten, verstijfd en wezenloos naar het plafond zitten staren. Een konijn dat gevangenzit in de koplampen van een auto komt er nog het dichtst bij in de buurt. Maar aan de verstarring van zo'n konijn komt een einde. Het licht van de lampen dendert zijn ogen binnen, vult zijn kop met een explosie van sterretjes, gebrul van de motor, enorme hitte – en dan is het voorbij. Een minuut, nog niet eens. Hoe lang blijf jij hier zitten, Nikki? Zitten wachten tot het gebeurt, starend in het donker? Nog een week? Een maand? Een jaar?

Ik ben zo kwaad dat ik ervan tril, mijn gebalde vuisten doen pijn, mijn ogen stromen over van gloeiend hete tranen. Je kunt dit niet doen. Je kunt hier niet de rest van je leven blijven zitten. *Alles* is beter dan dit.

Elke keer dat ik erin slaag omhoog te vliegen val ik uiteindelijk weer als een baksteen naar beneden. Waarom? Ik noem het Angst. Kinderachtig, ik weet het. Maar kinderachtig of niet – daar gaat het nu eenmaal niet om, hè?

Ik zal je zeggen wat ik erop heb gevonden. Het kan verkeerd zijn – het kan heel goed verkeerd zijn. Maar het gaat erom dat ik er iets aan heb. Ik heb naar moeders gekeken. Vrouwen met hun kinderen. Ik kijk vaak naar ze, op plekken waar je ze zoal kunt vinden. Speelterreinen bijvoorbeeld; ik ga op een bankje een sigaret zitten roken en kijk hoe ze hun kinderen omhoogduwen op de schommels, ze van glijbanen af laten glijden, onder hen rondlopen als ze aan een klimrek hangen. Moet je horen wat ze zeggen:

'Hou je goed vast!'

'Niet vallen, hoor!'

'Niet loslaten!'

'Doe voorzichtig!'

'Zo is het wel hoog genoeg.'

'Niét met je hoofd naar voren.'

'Ik vang je wel op. Spring maar. Ik vang je op.'

Dit soort dingen zeggen moeders. Als je boven aan de hoge glij-
baan staat, hoef je niet bang te zijn; er is wel een moeder die bang
voor je is.

'Hou je goed vast! Ga zitten! Rem af met je voeten.'

Ik hoor ze soms andere dingen zeggen, litanieën van moederpraat:

'Niet te laat thuiskomen.'

'Doe de deur op slot.'

'Ik kom naar je toe/zal op je wachten/zal je komen halen.'

'Doe voorzichtig op straat.'

'Kleed je warm aan.'

'Ik zal het licht op de overloop laten branden.'

'Vergeet niet het gas uit te draaien.'

'Het komt allemaal wel in orde.'

'Mama is bij je.'

'Slaap lekker.'

Moeders tegen hun kinderen. Waar zijn ze mee bezig? Met zich zorgen maken. Met zorgen voor. Met *bang zijn voor*. Simpel, nietwaar? Waarom ben ik bang? Omdat mijn moeder dat nooit voor me heeft gedaan.

Als een moeder het voor je doet, ben jij vrij om te vliegen. Ga hoog de lucht in op de schommel – moeder maakt zich wel zorgen om wat er gebeurt als je mocht vallen. Moeder weet dat je breekbaar bent, kwetsbaar, nog maar heel klein; ze weet dat je bijna niets voorstelt, niet meer bent dan een stukje vlees dat zij naar buiten heeft geperst. Zij weet dat je sterfelijk bent – dus hoef jij dat niet te weten.

Zo denk ik erover. Dat is de basis voor succes: moederangst. Moeders die hebben gedaan wat goed is en al het klamme zweet en alle schaduwen op zich hebben genomen. De mijne, dat rotwijf, heeft mij al mijn angsten zelf laten oplossen.

Zodoende kwam ik op het idee haar te vermoorden. Haar op te sporen en te vermoorden. Haar van tevoren eerst goed bang te maken – om het haar enigszins betaald te zetten –, haar vervolgens te vermoorden en mezelf vrij te maken om te vliegen.

Voortgaan in het leven is net als schaatsen of fietsen: als je de gang erin houdt, gaat alles goed. Pas als je erover na gaat denken of vaart mindert, wordt het gevaarlijk. Welke gedachte me bijgelovig maakt. Ben jij bijgelovig? Mijn bijgeloof heeft meestal te maken met vogels. Goede vogels: eend, mooie witte eend in een vijver. Zwaan, reiger, kievit, uil, Canadese gans, torenvalk, havik. Slechte vogels: ekster – duidelijk. Duif (smerig, ongedierte dat in draden verstrikt raakt), spreeuw, kraai, meeuw, kip, witte gans, mees. Dat is niet waar, mezen laten me volkomen koud. Of mussen. Die zijn te gewoontjes. Of roodborstjes, want die zijn te vriendelijk. Voor de rest klopt het allemaal. Een reiger betekent dat het een gezegende dag is.

Mijn bijgeloof houdt de zaken gaande, houdt me in evenwicht, recht overeind. Of het zijn tekenen dat ik kan vallen en dat het mis met me gaat.

Ik ben tijdenlang vrijwel probleemloos gaande gebleven. Mijn eerste jaar aan de universiteit, bijvoorbeeld. Maar ik besef altijd dat er een val aan zit te komen. En als die komt, is het geen kleinigheid om weer op te staan. Ik dacht dat als ik *haar* zou laten verdwijnen ik mezelf zou laten verdwijnen, zodat ik niet verder naar omlaag zou gaan.

Geloof me nou maar. Waarom zou ik liegen? Wat zou het voor zin hebben om allerlei leugens op te schrijven?

Ik geloof dat ik altijd heb gedacht dat de waarheid erg belangrijk was. Niet makkelijk toegankelijk, een zeldzaam goed, maar *noodzakelijk*. Tot op zekere hoogte. Dat was trouwens nog een reden om mijn moeder te vermoorden: de noodzakelijkheid van de waarheid. Maar ik zal me bij mijn oorspronkelijke uitgangspunt houden. (Maar het is belangrijk op te merken dat in feite alleen leugenaars de waarheid in ere houden. Ik bedoel, alle leugens die ik heb opgehangen dienden voornamelijk om de waarheid te beschermen. Je hebt de onderliggende waarheid en je hebt de vluchtige behoeftes van het moment, realiteit die in geen enkele zin waar is en die eervolle naam niet verdient. Ik zeg bijvoorbeeld: 'Ik heb mijn nieuwe jas cadeau gekregen van een rijke vriendin; ze haalde me over om hem aan te passen en zei toen dat hij me zo goed stond dat ik hem moest nemen, en zij betaalde.' Terwijl ik hem in werkelijkheid heb gestolen. Immers: verdien ik het dat iemand een jas voor me koopt? Als ik echt was gaan winkelen met een rijke vriendin, zou ze hem dan niet voor me hebben gekocht? Wil je soms dat ik zeg dat de waarheid is dat ik een dievegge ben en dat ik nooit iets van een ander zal krijgen? De leugen is een tijdelijke maatregel. Totdat blijkt hoe de feiten werkelijk liggen.

Dit is een gedachtesprong. Maar ik heb net nog een ander voorbeeld bedacht. Relaties. Je zegt tegen de een dat je van hem houdt en altijd bij hem wilt blijven, en je zegt hetzelfde tegen een ander. Dit zijn noodzakelijke leugens. Want als je die twee personen van elkaars bestaan op de hoogte bracht, zouden ze je het bed uit trappen. En in beide gevallen is het de waarheid, wat je tegen hen allebei hebt gezegd was de waarheid. De waarheid gaat niet gelijk op met wat de mogelijkheden zijn, nietwaar? Ik bedoel, de waarheid is dat mensen onsterfelijk zouden willen zijn, altijd gelukkig zouden willen zijn, en rijk, en er goed uit zouden willen zien, met minnaars bij de vleet en een schitterende showbizz-achtige carrière. Dát is de waarheid. Terwijl ze alleen maar te maken krijgen met ziekte, dood, ellende, armoede, lelijkheid, echtscheiding en baantjes waarin ze plees moeten schrobben. Wat is de waarheid? De waarheid is wat mensen *willen*. Leugenaars zijn in wezen idealisten, leugenaars zijn heiligen en profeten. Jezus was een leugenaar.

Verhalen vertellen leugens. Daarom zijn ze ook zo aangenaam. Iemand heeft het *verzonnen*. Je begint te lezen en iemand heeft het volkomen uit zijn duim gezogen, het lelijke eendje wordt een zwaan, de goeden winnen het van de slechteriken! Recht zegeviert! Hoera voor de leugens.)

Laten we het verhaal nu afmaken: Angst.

Ik heb altijd Angst gekend, maar dat is geen staat die voortduurt. Het komt en het gaat. Als het komt, raak ik verlamd. Als het gaat, ben ik vrij van vrees. Nogmaals: ik kan het je bewijzen. Ik heb in een Schots *loch* in bodemloos zwart water gezwommen. Ik heb zonder helm op een motor honderdveertig kilometer per uur gereden. Spinnen doen me niks. Bij wijze van uitdaging ben ik in de spits de Mancunian Way overgestoken met mijn ogen dicht. Ik heb achter in een gestolen auto gezeten met een dronkelap achter het stuur. Ik kan vuurvreten en jongleren met brandende fakkels, dankzij het feit dat ik zes weken iets met een alternatieve clown heb gehad. Ik ben in mijn eentje van Newcastle naar Southampton gelift.

Dus ik ben niet bang uitgevallen, oké? In de gebruikelijke zin des woords. Niet schijterig, zenuwachtig, geagiteerd, niet op mijn hoede voor gevaar. Ik bedoel, het is *opwindend*. De motor die als een speer door het donker raast, zo snel dat je longen geen lucht binnenkrijgen en dat je hart danst in je ribbenkast – fantastisch. Om gevaar maak ik me niet druk.

Maar. Als ik Angst heb (zo zeg ik het met opzet, als in: een koutje hebben, longontsteking hebben, een zenuwaanval hebben, Angst hebben), kan ik helemaal niets meer.

Nu heb ik gemerkt dat dat niet voor andere mensen geldt. Tenzij ze dat héél goed weten te verbergen. Tenzij ze veel betere leugenaars zijn dan ik denk, en wanneer ze kruipend naar het werk komen en zeggen: 'Het wilde deze week niet zo met mijn rug', in werkelijkheid bedoelen: 'Ik stond met slappe knieën helemaal hulpeloos tegenover iets angstaanjagends dat ik niet kan benoemen, en ik kon me niet verroeren.' Ik geloof het niet. Dan zou daar wel een vereniging voor bestaan, of niet soms? Voor mensen die Angst hebben. Zoals voor migrainepatiënten en manischdepressievelingen en schizofrenen en voor wie er verder ook maar last heeft van een andere bewustzijnstoestand. Het is een andere bewustzijnstoestand (Het kost me moeite om het status te geven. Het is shit. Maar – het ís een andere bewustzijnstoestand.) Ik ben anders als ik Angst heb. Maar er bestaat geen kring van medelijders waartoe ik me kan wenden om steun.

★ ★ ★

Vervolgens rijst uiteraard de vraag: waarom? Waarom zou deze op het oog gezonde kennelijk normale redelijk intelligente jonge eind-twintigste-eeuwse vrouw, die alleen staat in de wereld, lijden aan Angst? Aan klinische Angst?

Goed. In welke zin ben ik anders dan de miljarden andere jonge vrouwen die er op de wereld rondlopen? Ik ben gespitst op discrepanties tussen mijn eigen ervaring en de ervaring van anderen, en ik probeer die kloof te verkleinen. Hocus-pocus! Ik heb iets gevonden! Ik heb geen moeder.

Een heleboel mensen hebben geen moeder. Hun moeder gaat dood of gaat ervandoor met een taxichauffeur of geeft hen weg bij hun geboorte.

Oké. Oké. Maar trek van dat aantal al diegenen af die *een soort* moeder hadden; zeg dat die vijf jaar oud waren toen ze stierf, of acht toen ze ervandoor ging, of meteen na hun geboorte werden geadopteerd door een fatsoenlijk moedersubstituut van wie je kon vragen dat ze zich hun hele jeugd lang om hen bekommerde. Trek daar al diegenen vanaf die een ouder hadden; degenen zonder moeder, maar met een vader. Of zelfs een oma, of een tante of stiefmoeder, *wie dan ook* om van hen te houden.

Trek daar al diegenen van af van wie als kind ooit werd gehouden. Oké?

Hoeveel zouden er overblijven? Een paar miljoen, neem ik aan. Trek daar alle mensen van af die zo'n beroerd leven hadden dat ze permanent bezig zijn met vechten om in leven te blijven: straatkinderen in Bombay en Mexico, hongerende vluchtelingen uit door oorlog verscheurde c.q. door droogte geteisterde c.q. door overstromingen verwoeste derdewereldlanden die je elke avond op het journaal ziet. Als je moet gaan overwegen een insect te vangen om het op te eten omdat je vijf dagen niets te eten hebt gehad en drie soldaten je zojuist hebben verkracht, dan is het gemis van een moeder niet direct het eerste wat je bezighoudt. Stel ik me zo voor.

Maar voor mij is het dat wel. Dankzij het feit dat ik in een rijke eerstewerelddemocratie woon waarin het tot de verantwoordelijkheid van de staat behoort om me te kleden en te voeden en me een dak boven mijn hoofd te geven telkens wanneer er geen menselijk wezen is dat daar zin in heeft. Wat je op zich al als een misdaad kunt beschouwen, nietwaar? Als je bijvoorbeeld teruggaat naar de natuur: een jong levend wezen dat verstoten wordt door zijn ouder zal, als het in het wild aan zijn lot wordt overgelaten, sterven. Tenzij er een ander volwassen levend wezen voorbijkomt, de wees opneemt en overlaadt met liefde. (Het is echt waar. Wolven en apen hebben mensenbaby's opgenomen, eenden hebben zwanen geadopteerd, een collieteefje heeft een welpje gezoogd – het is *waar*.) De oplossing van de natuur is: sterf of zorg dat je een andere moeder krijgt. Wat heeft een overheid in vredesnaam voor recht om zich met de natuur te bemoeien?

Ik hoop dat je mijn redenering kunt volgen. Ik heb tijd genoeg gehad om het patroon in mijn eigen leven te ontdekken (vliegen omhoogschieten vallen zinken; vliegen omhoogschieten vallen zinken) en tot het besef te komen dat het niet in mijn macht ligt daar iets aan te veranderen. Ik kan niet proberen géén Angst te hebben. Die komt gewoon. Die is er op een goeie dag. Zoals wanneer er op winterochtenden iets in de lucht hangt: vorst. Het is niet mogelijk hem weg te duwen.

Ik kan het geen halt toeroepen – ook niet wanneer ik het heb geanalyseerd; ook niet wanneer ik er de vinger op heb gelegd wat de oorzaak is. (Ik heb eens een therapeut gehad die daarbij zwoer: 'Breng onder woorden wat je dwarszit. Zorg dat je het uitbant uit je systeem.' Nou, niks hoor. Door het onder woorden te brengen gaat het echt niet weg. Gek dat het niet te vangen is in een grote tekstballon die onschuldig wegdrijft de ether in; het komt er niet zo makkelijk bij me uit in de vorm van *woorden*. In godsnaam. Het zit ín me. Ik bén niet iemand om van te houden. Het is onmogelijk van mij te houden. Niemand heeft ooit van me gehouden, mijn eigen moeder niet eens.)

O ja, dat vergeet ik nog. Toen ik net zei dat er zoveel mensen geen moederliefde ervaren, had ik daar diegenen die achteraf gezien wel iets van een moeder hebben gehad niet mee moeten rekenen, diegenen wier moeders na hen verlaten te hebben pogingen hebben ondernomen om hen twintig jaar later weer op te sporen of een kaartje te sturen, of zelfs op te bellen. Omdat achter die gevallen stuk voor stuk op het moment van contact een hele ijsberg van liefde en bezorgdheid schuilgaat; een telefoontje na twintig jaar wijst er voor mij op dat een moeder zich negentien jaar lang naarstig heeft zitten afvragen of ze het nou wel of niet zou moeten doen, en dat alle overwegingen ten slotte worden overheerst door het intense verlangen de stem te horen van haar verloren kind.

Intens verlangen. Stel je voor.

Maar goed. Je moet in aanmerking nemen hoezeer ik me gevangen voelde. Als je het allemaal begrijpt en als je het allemaal op een rijtje hebt gezet en als je zelfs wat je dwarszit onder woorden hebt gebracht en je tot het besef bent gekomen dat het niet helpt; als je negenentwintig bent en het je voorland is om de rest van je leven, zeg nog zo'n vijftig jaar vliegen omhoogschieten vallen zinken, een beschadigd goed te zijn, toestanden van veranderd bewustzijn mee te maken, Angst te hebben, nooit uit je eigen hoofd te komen dat zo zijn eigen problemen heeft (over uit je hoofd zien te komen moet ik het ook nog met je hebben, in verband met chemicaliën, maar niet nu) – dan kun je in een depressie belanden. Dat is wat er met mij gebeurde. Ik kreeg er schoon genoeg van. Ik had er geen zin in de rest van mijn leven aanvallen te krijgen van Angst. Ja, ik speelde met de gedachte aan zelfmoord. Maar het idee dat ik mezelf zou moeten vermoorden omdat iemand anders zich had misdragen maakt me heel kwaad.

★ ★ ★

Wie heeft mij in deze situatie gebracht? *Zij*. En als ik haar eenmaal heb vermoord, dacht ik, zit het er dik in dat de problemen die zij voor mij heeft opgeworpen tegelijk met haar verdwijnen. Dan zou ze een goede reden hebben om niet van me te houden (ze is dan immers dood); ze zou haar verdiende loon hebben gekregen omdat ze niet van me had gehouden. En als ik dit oog om oog tand om tand zou hebben rechtgezet, zou ik mezelf herpakken als een fenix, op eigen kracht, opnieuw geschapen zou ik vliegen, omhoogschieten, *vliegen*. Vliegen en vliegen en vliegen, en die Angst voorgoed van me af zetten.

Welnu. Uit je hoofd zien te komen. Voor de goede orde: ik moest uit mijn hoofd zien te komen omdat er Angst in mijn hoofd zat, of het gevaar bestond dat ik Angst zou krijgen, en er was geen zichtbare uitweg uit die cirkel.

Uit je hoofd komen (sic) wordt in de regel gedaan met behulp van alcohol of drugs. Dat is wat andere mensen doen, degenen die er de behoefte toe voelen. Ze komen uit hun hoofd en ze lachen en zingen en dansen en voelen zich kiplekker. Ze bepalen niet langer zelf wat er gebeurt – met opzet niet. Op chemische wijze deblokkeren ze zichzelf.

Als ik vlieg, bepaal ík wat er gebeurt. Toen ik mijn schoolexamens deed, toen ik begon te werken bij het centrum voor daklozen – toen bepaalde ík wat er gebeurde. Als ik Angst heb, ben ik niet degene die bepaalt wat er gebeurt.

Ik ben mijn hele leven op mijn hoede geweest – gespitst op de nadering, het tevoorschijn kruipen van Angst. Als ik me een stuk in mijn kraag zou drinken, zou ik mezelf er dan niet juist voor openstellen? Er languit in m'n nakie voor gaan liggen en roepen: *Pak me maar?*

Ik zou graag uit mijn hoofd willen komen en aan de angst voor de Angst ontkomen. Maar ik kan niets ergers bedenken dan bewust de controle verliezen en de Angst binnenlaten. En ik ben bang (ik zei dat ik dat niet was, toch? ik zei dat ik niet zenuwachtig, schijterig vreesachtig enz. was – maar dat was niet waar), ik ben bang dat de ik die zo stevig in elkaar zit uit elkaar zou vallen. Ik wíl wel uit mijn hoofd komen, maar niet als ik dan nergens heen kan. Níét als ik vervolgens tot de ontdekking kom dat er niets is, dat ik niet een andere vorm van vaste grond onder de voeten krijg.

Ik ben bang van drugs. Ik ben bang dat ik dan helemaal de kluts kwijtraak. Ik ben er zo bang voor dat ik, als mensen er een geintje over maken hoe ze de hoogte hadden, misselijk word. Na één drankje wordt mijn hele lichaam warm en koud bij wijze van vroegtijdige waarschuwing; al zou ik nog zo graag willen, ik zou niet meer kúnnen drinken, mijn keel wordt dichtgesnoerd. Als ik iemand anders teut zie worden, voel ik afgrijzen en walging.

Dat is niet iets wat andere mensen leuk vinden (waarom zouden ze ook? Kijk, ik vraag je niet of je me aardig wilt vinden. Ik vertel je de waarheid, ik vertel je over een verandering. Een soort transformatie. Het is maar goed dat ik het plan bedacht om haar te vermoorden, want anders zou dit allemaal niet zijn gebeurd. Je hoeft me niet aardig te vinden om te kunnen zien hoe de dingen veranderd zijn, sterk veranderd. Of wel soms?)

Niemand vindt iemand leuk die niet drinkt of geen drugs gebruikt. Dan ben je er een van de blauwe knoop, iemand met wie geen lol te beleven valt – unfair, dat ben ik me je eens. Maar ik durf het gewoon niet. Dat heb ik nog nooit tegen iemand gezegd, en het is de waarheid.

6. Vallen

Je zou kunnen stellen dat dit voorbestemd was. Het kwam doordat ik in het café op tv het laatste stukje van een documentaire zag. Tien minuten later en ik zou het hebben gemist. En dan zou ik er geen idee van hebben gehad. Want weet je, voordat ik besloot haar te vermoorden, had ik zoiets van: ze kan het dak op. Zij wil niets van mij weten, dan wil ik niets van haar weten. Ik zou haar nooit de voldoening gunnen dat ik ooit ook maar tien seconden aan haar had gedacht.

Maar ik kwam toevallig vroeg op mijn werk. En daar zag ik een achtenswaardig vrouwspersoon iets blaten over adoptie. Met een paar heuse proefkonijnen van *o-ja-alstublieft-stel-mijn-edele-delen-tentoon-voor-zes-miljoen-kijkers*. Adoptiekinderen. Op zoek naar hun moedertjes. En het eerste wat ze deden was een brief schrijven naar het Centraal Bureau voor Statistiek in Southport, en op die manier kwamen ze aan hun geboortebewijs.

Je hebt namelijk geen geboortebewijs, snap je. Niet zoals ieder ander menselijk wezen. Het enige wat je hebt is een adoptiebewijs, een fraai nepdingetje, een velletje plastic dat over een leegte heen is gespijkerd.

Dus ik dacht: een cadeautje. Een zetje. Ik zal hun een brief schrijven en dan zie ik wel. Wat kan mij het ook schelen? Misschien ben ik wel de onwettige dochter van Mary Whitehouse, je weet maar nooit.

★ ★ ★

Vervolgens bleef het een jaar slepen, want ik zette er geen vaart achter en mensen op dat soort plekken worden er nu eenmaal voor betaald om achterlijk te zijn. En er is ook nog zoiets als een bureaucratische hindernisbaan; ik moest zelfs in therapie om die eikel ervan te overtuigen dat ik gezond was.

Maar goed, uiteindelijk wist ik de hand te leggen op twee fotokopieën: het geboortebewijs (Susan Lovage) en een bladzijde uit iemands aantekenboek, van een sociaal werkster of de politie, over dat ze me hadden gevonden. De datum die erboven stond was 3 oktober 1968. De dag nadat ik was geboren.

Ik werd gevonden in een kartonnen doos op de trap van het postkantoor in Camden High Street. Gevonden door een schoonmaakster, om halfzeven 's ochtends. Ik was in een handdoek gewikkeld en ik was net geboren.

Dus waarvandaan verstootte mijn moeder me? Vanuit een bed in een huis daar in de buurt? Hurkend in de bosjes in het park? De wc achter een café na sluitingstijd?

Wanneer legde ze me daar neer? Om middernacht? Om drie uur 's ochtends? Of deed iemand anders dat misschien? Háár *moeder*? Ja, als zij nou eens een moeder had, die haar had geholpen om van mij af te komen?

Ze deed me weg, maar wilde niet dat ik doodging. Dat is de puzzel. De handdoek, de doos, het postkantoor. Misschien wist ze zelfs wel hoe vroeg de schoonmaakster kwam. Koos ze daarom het postkantoor boven de bank of de kruidenier.

Of was het omdat ze écht opruiming wilde houden: me niet zomaar in de vuilnisbak wilde smijten, maar me op de post wilde doen. Me *ver weg* sturen.

Ze waarschuwden de plaatselijke ziekenhuizen. Ze verscheen die middag bij de eerste hulp, omdat ze te veel bloedde. Was ze alleen? Dat wordt niet vermeld. Wat wel vermeld wordt, is dat ze me niet kon houden, dat ze me weggaf voor adoptie. Weggaf. Ze schreven haar naam en adres op een geboortebewijs en zodoende hadden ze ook een naam voor mij. De enige vraag is dat 'Susan'. Haar keus? O, vast. Waarschijnlijk heette de schoonmaakster die me heeft gevonden zo. Of de vriendin van de politieagent. De ergste naam die iemand daar kon bedenken, en die ze er voor de grap op hebben gezet.

Het is hoe dan ook een rotnaam. Haar geboortedatum was 18 januari 1948. Ze was *twintig*.

Als je een vrouw met een baby ziet, kijkt ze er altijd naar. In een bus bijvoorbeeld, of gewoon op een bankje in het park. Ze praat tegen iemand anders, maar haar ogen zullen op de baby rusten, zoals de maan en de aarde, aan de aantrekkingskracht daarvan kan ze niet ontkomen. Ze is voortdurend aan het controleren, let erop of het kind zijn lakentje niet in zijn mond heeft, of gewurgd wordt door de koordjes van zijn mutsje, of dat zijn handjes koud zijn of dat er snot uit zijn neus komt, of dat er vliegen op zijn ogen zitten.

Zo niet mijn moeder.

Je ziet ze met hun knokkels stijf om de stang van het kinder-wagentje geklemd rondworstelen in kleine winkels, met ogen die alert zijn op babydieven.

Zo niet mijn moeder.

Je ziet dikke vette zwangere koeien op hun buik kloppen met zelfgenoegzame soezerige glimlachjes, nadenkend over namen en kleertjes.

Mijn moeder niet. Pers het eruit en zie dat je ervanaf komt. Kon niet wachten om haar blik van me *af* te keren. Prima als ze nog een jong meisje was geweest. Prima als ze vijftien was geweest. Maar *twintig*? Stom wijf.

Ze dumpt me voor een deur in een doos, als het eerste het beste stuk vuil. Ze heeft niet eens de moed om me in een vuilnisbak te stoppen zodat ik doodga.

Vanaf dat moment ging het bergafwaarts met me. Omlaag omlaag omlaag omlaag omlaag. Ik sliep niet meer, ik liep de hele nacht door mijn kamer te ijsberen en naar de geluiden te luisteren, en vervolgens viel ik overdag in slaap en kwam niet opdagen voor mijn dienst in het café. Ik sloeg er een paar over en hij ontsloeg me. Het gaf niet omdat ik toch geen geld uitgaf – ik ging niet uit, ik overleefde wel met mijn giro. Maar de hospita gaf me een maand opzegtermijn. Mensen ruiken het als je zwak bent, nietwaar, als je alleen nog maar aan je nagels hangt vinden ze niets leuker dan je vingers een voor een los te maken en je te dwingen los te laten. Waarom wilde ze eigenlijk dat ik wegging? Ze was niet van plan de kamer zelf te gaan gebruiken. Ik betaalde mijn huur, ik was rustig en netjes, ik was nooit mijn sleutel kwijt. Ze zei dat ze niet had geweten dat ik overdag zoveel thuis zou zijn, ze zag graag dat mensen werkten. Nou, mooi was dat, zij werkte zelf ook niet. Ze hing maar wat rond als een dikke opgeblazen bloedzuiger die zich voedde met het geld van haar huurders. Ik was niet in optimale conditie om andere woonruimte te zoeken, er leek niet veel beschikbaar te zijn en één huis dat ik belde was altijd in gesprek en bij een ander werd er nooit opengedaan. Ik was wazig en duizelig ik vertelde haar dat ik me niet goed voelde, waar ik nu ontzettend nijdig om kan worden: dat ik om nog wat medeleven te krijgen genoodzaakt was mijn toevlucht te zoeken bij die ouwe haaibaai. Ik probeerde mezelf op te vrolijken door te bedenken hoe ik uit de kamer weg zou gaan, maar het was moeilijk omdat ik boven aan de trap woonde en zij het altijd in de gaten had wanneer ik naar buiten kwam. Ook moest ik mijn borgsom terug zien te krijgen. Vuile teef. Met veel genoegen spoelde ik een gigantisch maandverband door de wc. Dat was een makkelijk middel om voor een verstopping te zorgen.

Maar ik was vallende. Ik kon nergens heen. Ik liep 's ochtends op straat en had die avond geen plek om mijn hoofd ter ruste te leggen, en een rugzak en een tas drukten mijn lichaam terneer.
Er bestaat niets walgelijkers dan meelijwekkend te zijn. Om om dingen te moeten vragen. Ik moest een vloer zien te vinden om op te slapen. Ik belde Karen, het andere barmeisje; ik belde de zorgzame Bill van het laatste tehuis; ik belde die klootzak van een Vince die me zonder enige reden aan de kant had gezet – en ik wist van tevoren al dat niemand van hen keiharde redenen zou hebben waarom het onmogelijk was dat ik een nachtje of wat opgerold op een vierkante meter van hun vloer zou kunnen slapen. *Zij* heeft me zo gemaakt: tot iemand van wie je weg kunt lopen.

O ha ha. Denk maar niet dat ik medelijden met mezelf heb. Zo'n watje ben ik niet. Ik zie ze in hun benepen relatietjes en gezinnetjes, hoe ze daarbinnen hun best doen om hun waarden, hun eigendommen en hun genen in stand te houden. Ik ben tenminste niet zo hypocriet dat ik naar iets van dat al zou verlangen. Maar tegenover Vince heb ik niets misdaan. Ik was aardig voor hem.

Meer dan opbellen kon ik niet doen, de hele buitenwereld was zo groot en licht en lawaaiig en ik was dagenlang amper buiten geweest ik verkeerde in die toestand dat ik wist dat ik het alleen maar uit hoefde te zitten de Angst moest zien te doorstaan tot die weer over me heen geslagen was. Ik moest ergens naar binnen ik voelde me zo naakt als een gepelde garnaal. Ik ging de grote marmeren mond van de bibliotheek in, wankelend onder mijn rugzak en tas, als zo'n ouwe vent die daar overdag heen gaat om uit de kou te zijn en de hele dag boven een krant zit te stinken. Ik bleef er tot de honger me naar buiten dreef en toen ik wegging liet ik mijn rugzak liggen alsof ik alleen maar even een boek ging halen, zodat ik hem niet hoefde te dragen.

Zover komt het nou met je. Ik heb op de universiteit gezeten, weet je. Ik kwam ermee weg te doen alsof ik een van hen was, ik schreef opstellen ik praatte met docenten ik zat aan de bar van de studentenvereniging ik maakte aantekeningen tijdens colleges. Ik neukte met jongens die inmiddels zelf wel docent zullen zijn geworden. Ik was een volstrekt overtuigende studente, en toen ging het bergafwaarts met me.

Toen ik weer bovenkwam kon ik niet terug omdat het een grap was. Al die luitjes uit de middenklasse die *een toneelspel speelden.* Speelden of ze in een huis woonden, speelden of ze arm/dronken/onder invloed/verliefd/met een gebroken hart/ondeugend/uit de rails gelopen/onverantwoordelijk/achter met hun werk waren. Ze wentelden zich allemaal in hun stomme drama's van eigen vinding en allemaal precies op schema; met mama en papa en geld achter zich, door het fijne rechte kleine kanaal van de verenigingsstudent, waar ze met een beetje geluk een geschikte partij zouden treffen uit hetzelfde socio-economische milieu, evenals deugdelijke kwalificaties voor zichzelf – en daarna de betoverde werkende wereld van pas afgestudeerde academici in en startershypotheken en een auto van trotse pappie op de dag van de diploma-uitreiking enzovoort enzovoort, op weg naar comfortabele verstikkende beschermde leventjes. Als je eenmaal ergens uit bent geknald, zie je immers scherp hoe dat in elkaar zit, nietwaar? Een wassen neus. Als ik de kans kreeg, zou ik terug zijn gegaan om een paar van die lui lek te prikken. Maar de moed zinkt je in de schoenen als je bedenkt hoeveel geld, energie en uithoudingsvermogen daarvoor nodig zijn. Wanneer ik vlieg heb ik dat allemaal – binnen handbereik, binnen bereik van mijn vleugels. Maar vanaf de bodem van de put kun je er niet bij.

Nu ik erop terugkijk, realiseer ik me dat die dag in de bibliotheek het absolute dieptepunt was. Ik kon me niet eens voorstellen wat er het volgende moment zou kunnen gebeuren. Mijn hoofd stond bol van de Angst. Maar wat zou ik, nuchter bezien, kunnen hebben doen? Er waren slechts twee mogelijkheden: slapen in het portiek van een winkel of een smeerlap oppikken op straat en aanbieden om voor tien pond met hem mee naar huis te gaan. Ik zat helemaal aan de grond. Ik was negenentwintig en zat helemaal aan de grond. Mijn erfenis. Dank je wel, mam.

Maar toen kwam het bewijs dat ik helemaal geen grond meer onder mijn voeten had. Ik viel. Toen ik de marmeren trap van de bibliotheek af liep, gleed mijn voet onder me vandaan en viel ik. Ik viel achterover op mijn stuitje en rolde vervolgens holderdebolder de laatste twaalf treden af. Al hotsend knakte mijn hoofd achterover en ik raakte buiten kennis. Ik had een hersenschudding, whiplash, rugletsel en een haarscheurtje in een ruggenwervel. Ik kan me de details van de val nog goed voor de geest halen, welke verwondingen ik daarbij precies opliep, omdat drie artsen en twee advocaten daar uit en te na werk van maakten. De trap was glad geweest, de schoonmaker had vergeten een waarschuwingsbordje neer te zetten; een oudere man die me te hulp schoot gleed eveneens uit en viel. Het was een klare zaak, de bibliotheek werd verantwoordelijk gesteld en moest ons allebei schadevergoeding bieden. Het deed er niet toe dat het niet eens pijn had gedaan, het was een opluchting om opgepakt te worden en naar een ziekenhuis te worden gebracht en te worden verzorgd. Een hele poos drong het niet eens tot me door dat ik ook nog geld zou krijgen. Het kostte enige tijd om door de papiermolen heen te komen, maar uiteindelijk werd me twaalfduizend pond aangeboden.

Vanwege mijn rug hielden ze me zes weken in het ziekenhuis; ik moest plat blijven liggen. En in die tijd besloot ik haar te vermoorden. Ik was uiteindelijk gaan beseffen hoe weinig je leven voorstelt als je, wat je ook onderneemt, uiteindelijk toch geen grond meer onder je voeten hebt en je over de rand zult vallen en verdwijnen.

★ ★ ★

Het plan om haar te vermoorden bood me een pad, het gaf me een koers die ik kon varen. De kapelaan van het ziekenhuis (vind je zoiets niet enig? Het lijkt wel een negentiende-eeuwse roman: hij zit aan je bed en vertelt over Gods liefde, hij houdt je voor dat je je zegeningen moet tellen. Als jij op de zaal de enige blijkt te zijn die geen bezoek krijgt, gaat hij als een molensteen om je nek hangen) reageerde uit mijn naam op advertenties voor woonruimte en ging zelfs een paar kamers persoonlijk bekijken. Hij had een mooie kamer op de begane grond helemaal in orde gebracht toen ik uit het ziekenhuis kwam, en ik zou drie maanden in de ziektewet blijven. Ik had niets anders te doen dan mijn plan uitbroeden en wachten tot mijn schadevergoeding binnenkwam.

Ik spoorde haar op aan de hand van het adres dat ze op het geboortebewijs had vermeld. Het was verrassend eenvoudig. Ik kreeg een tweede adres in Manchester in handen. Ik schreef en kreeg antwoord. Haar ouders hadden daar tot '89 gewoond. Hun nieuwe adres was bijgesloten. Toen ik weer kon lopen, ging ik naar Manchester.

Vanwege mijn rug liep ik met een stok. Dat leek een positief effect op mensen te hebben. Ze wilden me helpen. (De ene dag helpen ze me, de volgende dag trappen ze me in mijn gezicht. Waarom is er nu eens hoop en dan weer niet? Aan het voeteneind van de bedden in het ziekenhuis hingen temperatuurgrafieken die op- en neergingen als bergketens – hoog laag hoog hoog hoogst laag. Een bochtige weg, een ritje op een steigerend paard, krijsend tegen je zin van de hoogten naar de diepten worden gesleurd en niet weten wanneer de hoogte weer komt of hoe lang het kan duren zodat ik er niet eens van kan gaan genieten maar alleen weet dat er een einde aan zal komen – zo is het leven dat ze heeft geschonken. Aan mij.)

Het pand was gesitueerd in een lommerrijke buitenwijk, Edwardiaans, halfvrijstaand. Een buurt in goeden doen. Het terrein van tweeverdieners, twee auto's, twee-kinderen-en-een-au-pair. Vanzelfsprekend was er niemand thuis. Het veiligheidsalarm knipoogde rood boven de deur. Ik probeerde het pand ernaast. Het was smoezeliger, de verf bladderde, dichte vitrage, een lichte beweging bij een hoek. Een oud gezicht gluurde naar me. Ik glimlachte stralend en hij kwam oneindig langzaam naar de deur. Deed die een paar centimeter open, met de ketting er nog op. Ik was beminnelijk, ik was charmant.

'O, fijn dat u opendoet, ik vroeg me af of u me kunt helpen. Ik ben op zoek naar de Lovages, ik doe onderzoek naar mijn stamboom en we zijn achternichten, ik ben bij hun oude huis geweest en daar kreeg ik het adres van het huis naast het uwe, weet u of...' Zijn hersens werkten net zo traag als zijn benen, ik moest mijn vlotte babbel drie of vier keer voor hem afdraaien voordat het enigszins tot hem doordrong.

Knersende, knarsende geluiden in het donker achter hem, en daar stond ook een oude vrouw te gluren en te mompelen. De veiligheidsketting ging er niet af. Wie zou hun dat kwalijk nemen? Ik zou in een mum van tijd binnen kunnen komen, hen in elkaar kunnen slaan en wurgen, mijn zakken kunnen vullen met hun familie-erfstukken. Stelletje ouwe mestkevers. Het bleek dat de oude Lovages (oma en opa? Wie zou wanten voor me hebben gebreid en mijn handje hebben vastgehouden om de eendjes te voeren?) waren afgevoerd naar een tehuis. Ziek/onvermogend/-mogelijk dood waren (op dit punt enig geharrewar en knorrig verschil van mening tussen mijn bejaarde vrienden; zij dacht dat ze dood waren omdat er dat jaar geen kerstkaart was gekomen; hij zei dat zij telkens vergat dat mevrouw Lovage Parkinson had, die er in de loop der tijd vast niet beter op geworden was, zou het wel, en hoe ze dan een pen moest vasthouden?).

De zoon, de jonge meneer Lovage (oom?) woonde nu met zijn gezin naast hen, maar zijn vrouw en hij werkten allebei en...

'En zijn zuster?' kwam ik monter tussenbeide. 'Ik wilde met name meer te weten komen over Phyllis Lovage, de dochter van de Lovages.'

Hij wendde zich tot zijn vrouw voor overleg, maar hij moest wel even over zijn schouder kijken of ik geen krassen maakte op de deurknop of blaadjes van de ligusterheg trok. Ik glimlachte en knipoogde dankbaar, en hij draaide zich weer om. Schudde vervolgens zijn hoofd. Nee, haar hadden ze nooit gezien.

'Hij heeft ons een keer een adres gegeven, toen hij...' Hij keerde zich naar het onzichtbare oude besje. 'Heeft hij ons niet een keer het adres van een familielid gegeven toen hij met vakantie ging, voor als er iets zou gebeuren?'

'O, ik zou dolblij zijn als u haar adres voor me had – ziet u, mijn moeder en zij speelden altijd samen toen ze nog klein waren – met mijn moeder gaat het niet zo goed en ze zou het heel leuk vinden om...'

Verspilde moeite, want hij trok zich terug van de deur en schuifelde weer de gang in naar zijn vrouw, die wat in een stapel kranten, enveloppen en telefoonboeken rommelde die vervaarlijk op een oude zwarte kast lag. Ik zette mijn voet losjes tegen de deur om te voorkomen dat die voor mijn neus zou dichtvallen. Telkens als ze iets neerlegde op de stapel nadat ze er even kippig naar had staan turen, pakte hij het op en las het zorgvuldig van begin tot eind. Ze konden het niet vinden, al lag het vlak voor hun neus. Ik zou 's avonds terug moeten gaan naar de broer, en wie weet waarom Phyllis daar nooit haar gezicht liet zien? Was ze in ongenade gevallen? Een familievete? Hij zou een beter verhaal willen horen dan wat ik hier nu op stond te hangen – hij zou de vrienden van zijn zus moeten kennen. De oude kerel schudde zijn hoofd. Hij kwam naar me teruggeschuifeld.

'Kan ik helpen?' probeerde ik. 'Ik kan heel snel lezen.'

'Ik denk dat je beter bij meneer Lovage kunt gaan vragen, die komt om een uur of halfzeven thuis.' Lelijke kwijlende ouwe idioot met mijn moeders adres levensgroot in je hal, ik zou het zó kunnen pakken, ik zou het meteen weten...

'Heb je al in het adresboek gekeken, lieve?' kraste de vrouw. Uiteraard had hij dat niet gedaan stomme vleermuis hij zocht naar een stukje papier. Zij draaide met haar klauwen de bladzijden van een groot adresboek om.

'L-L-Lovage. Mabel en Peter. Ja, in Altrincham – dat is het tehuis... Phyllis. Dan moet dit het zijn, hè? Phyllis MacLeod, maar ze staat onder de Lovages, ik kan geen andere Phyllis bedenken, jij wel, Harold? We hebben een adres in Schotland bij haar naam staan.'

O grote glorie, geduld wordt beloond. Ze knarsten en piepten toen ze zochten naar een pen.

'Hier! Ik heb er een in mijn tas... Hier...', en ze schreef het over als een slak die valium had geslikt, en ten slotte kreeg ik het in mijn warme, plakkerige hand gedrukt. Een *Dit is uw geluksdag! Open deze envelop en controleer uw lotnummer!*-envelop met het adres van ene Phyllis MacLeod in hanenpoten op de achterkant gekrabbeld. Onbekende, onuitspreekbare plaatsnamen. MacLeod. MacHaggis. MacTartan. Getrouwd met een Schot. Die niet op de hoogte was van mijn bestaan? Nou, voor hem dus ook een leuke verrassing, net als voor haar.

Toen ik weer terug was op het station, belde ik Inlichtingen, met haar naam en adres, en *ze gaven me haar nummer*. Ze woonde er nog steeds. Ik belde het en een vrouw zei: 'Hallo?' Ik vroeg naar Phyllis MacLeod. 'Daar spreekt u mee.' Middelbare leeftijd middenklasse niet Schots zij was het. Aan de andere kant van de lijn, mijn moeder. Mijn onwetende, nietsvermoedende moeder. Zo makkelijk te vinden, het had zo moeten zijn. Ze had niet eens genoeg om me gegeven om haar sporen uit te wissen. Ze had niet eens een geheim nummer genomen. Had me gedumpt en had er geen moment meer bij stilgestaan dat ik wel eens een gevaar zou kunnen gaan vormen. Haar onverschilligheid riep mijn plan in me wakker, *smeekte* erom.

7. Calums schat

Het bleek dat mijn moeder op een eiland woonde. Een eiland dat deel uitmaakte van de Hebriden, een klein, traanvormig eiland dat Aysaar heette, vlak voor een groter eiland. Ze had wat je noemt afstand genomen. Je zou daar niet zomaar even langsgaan omdat je toevallig in de buurt was. Misschien dacht ze dat afstand voldoende was om mij uit de buurt te houden.

Ik zegde mijn kamer op; omdat ik niet wist hoe lang het zou duren en omdat ik geen geld wilde verspillen. Het had geen zin om een sfeerloze oude kamer aan te houden. Als ik terugkwam, zou ik opnieuw beginnen. Waarom zou ik daar überhaupt terug willen?

Als je van tevoren een treinkaartje koopt, krijg je twintig procent korting, wat betekende dat ik voor de slaaptrein zeventien pond minder hoefde te betalen. Ik had nog nooit eerder in een trein gezeten die ik van tevoren had gereserveerd. Het was weer iets waarvan ik me voorstelde dat de dood van mijn moeder het makkelijker zou kunnen maken: reizen met van tevoren geboekte treinen.

Ik miste mijn trein omdat ik jaren geleden een doos boeken bij Patsy had gestald en zij belde om te zeggen dat ze ging verhuizen en niet wist waar ze ze moest laten. In mijn radeloosheid sjouwde ik ze mee in een taxi naar de burelen van het centrum voor daklozen, omdat daar altijd ruimte was boven op de metalen kasten bij de receptie, maar het bleek dat die waren weggehaald om de cliënten meer zitruimte te geven (*cliënten* = daklozen). Er was niemand die me kende, dus ze wilden de boeken niet bewaren, en uiteindelijk ging ik terug naar mijn kamer, nam mijn rugzak ook mee de taxi in, racete naar het station en bracht de doos boeken naar het bagagedepot. Daar stond een rij met halve zolen en een ouwe sukkel met Alzheimer die wilde weten hoe lang ik de boeken in bewaring wilde geven omdat je vooraf moest betalen. Bovendien was de doos te groot. Toen ik eindelijk uitgediscussieerd was en voor twee weken had betaald en wegliep zodat hij niet anders kon dan ze innemen, was de trein al vier minuten geleden vertrokken, en ik hoef er niet bij te vertellen dat dit de eerste trein in de geschiedenis van de spoorwegen was die eens op tijd uit New Street was vertrokken.

Dus ik miste hem. Ik nam de volgende (de dag daarna, om dezelfde tijd) en kreeg ze zover dat ze mijn kaartje accepteerden.

Wat op zichzelf niet interessant is. Maar toen ik na een nacht in een doodskist van een couchette aankwam en was overgestapt op een boemeltje van Scotrail dat door reclamefolderachtig landschap reed (hertenbokken, bergen, hei enz.) en eindelijk de zee zag, ontdekte ik dat de afgelopen vierentwintig uur de veerboten niet waren uitgevaren omdat het stormde op zee. Ze hadden 's nachts zelfs de tolbrug afgesloten.

Alles in Kyle was doodstil, en een heleboel dingen waren kapot. Uithangborden hingen ontwricht en aan flarden aan hun houders. De luifel van een winkel was losgerukt en hing op halfzeven. Langs de smalle kustlijn lagen bergen drijfhout en troep, takken met de bladeren er nog aan, een gedeukte kano, kapotte plastic stoelen. De nog glimmende straten lagen vol met de inhoud van omgewaaide vuilnisbakken. Een bushokje was op de weg gevallen.

Het was heel stil, bijna oorverdovend. Een enkele auto of vrachtauto reed behoedzaam de brug over. De veerboot kwam vanaf de overkant aanpuffen. Het water was zo kalm als melk.

Ik liep de brug over en de lucht was leeg en lichtblauw; je zag zelfs geen zeemeeuw. Vlak bij de aanlegsteiger lag een motorfiets op zijn kant, en toen ik de stad in ging was de stoep bezaaid met scherven van dakpannen. Ik moest een bus nemen naar de volgende veerpont, en het hele eiland lag zo stil als de dood om me heen, als betoverd.

Ik probeerde vooruit te denken. Het eiland was (volgens Patsy's oude Phillips-schoolatlas) klein. Misschien een paar kilometer breed en een kilometer of vijftien, twintig lang. Er zouden niet veel mensen wonen. Haar adres was Tigh Na Mara, Main Road, Ruanish. Dat was het enige dorp van formaat op het eiland. Het was eind september, het einde van het toeristenseizoen; misschien moeilijk om onderdak te vinden.

Hoe lang zou het gaan duren?

Het kon niet zo zijn dat ik haar gewoon opspoorde en vervolgens vermoordde. Eerst zou ik haar gangen na moeten gaan. Haar verhaal uit haar lospeuteren en haar in spanning houden. Ik zou haar vermoorden als ik er klaar voor was en wanneer ik had bedacht hoe ik mijn sporen zou uitwissen. Het had geen enkele zin om de rest van mijn leven in de gevangenis te moeten zitten.

Ik dacht na over mijn moordwapen: mes, of een zwaar stomp voorwerp? Gesteld dat het noodzakelijk zou zijn een verhaal te hebben – waarom zou ik op het eiland zijn? Hoe zou ik de mogelijke duur van mijn verblijf kunnen rechtvaardigen?

Uiteindelijk bedacht ik het volgende: ik zou me voordoen als een student die onderzoek deed op het eiland. Een vrouw bij Patsy in huis studeerde al jaren aan de Open Universiteit. Van tijd tot tijd klaagde ze steen en been over haar project – dat ze woensdag een deadline had en dat ze nog steeds niets had gedaan. Haar project was het gebruikelijke zinloze academische gedoe. Ze moest mensen uit bepaalde gebieden vragen naar hun winkelgewoonten en die relateren aan hun inkomen en woon-plaats. Kun je een saaiere zogenaamde opleiding bedenken dan een waarbij je feiten moet verzamelen en analyseren om daarmee iets te bewijzen dat je al weet? Rijke mensen die in grote huizen wonen gaan naar chique winkels. Werklozen met een uitkering worden opgelicht door de winkel op de hoek. *Wauw.* Interessant hoor.

Ik bedacht een project voor mezelf. Onderzoek naar een eiland-bevolking en recente demografische verschuivingen, om het leven van mijn moeder in kaart te brengen. Wat me in staat zou stellen in alle hoekjes vol spinrag te kijken en daar zo lang te blijven als ik wilde.

Vanaf de veerboot ziet het eiland er donker en steil uit, half met bossen overdekt die bovenaan overgaan in een kale berg. Het is er ruig en er wonen weinig mensen. Primitief, een plek voor oerdaden, geknipt voor moedermoord.

En wanneer de veerboot, zwarte dampen uitbrakend, je ernaar-toe brengt, kom je aan op een fraaie houten steiger. Die overgaat in een weg, die over een met gras begroeid niemandsland naar een dorpje voert. Bij de bocht in de weg staat een geel plastic container voor zout en zand. Het is oogverblindend gewoon. Er is een veld (zonder omheining) met een handjevol mottige scha-pen en verderop is de weg voorzien van een trottoir en staat een rij grijze huizen. Een postkantoortje, een piepkleine bushalte en een groezelige pub.

Ik sloeg de weg in naar het macabere dorpje. Een paar auto's die van de boot kwamen reden langs me heen. Ik voelde me goed, alsof ik wist wat me te doen stond. De kalme helderheid van de lucht beviel me wel. Er stonden een paar ouwe wijven voor het postkantoor in grote stijve jassen (respectievelijk bruin en groen, de ene met een grijs wollen hoedje op). Ik ging het postkantoor in om iets te eten, en op de achterkant van de deur hingen een

heleboel kleine advertenties. FIETS TE KOOP, BIOLOGISCHE AARD-
APPELEN, KAMER TE HUUR.

KAMER TE HUUR. 45 POND PER WEEK. MEVR. MACLEOD, TIGH NA
MARA. TEL. 5763.
Wie had de plot bedacht? Wie had de plot bedacht? *Ik*. Ik liet dit
allemaal gebeuren. Alsof ik kon toveren. Ik heb de touwtjes in
handen.

De ouwe tang van het postkantoor wees me hoe de telefooncel
werkte en ik belde haar nummer. Net als de vorige keer een ver
weg klinkende stem, een poenerig accent, geen spoortje Schots.
Ik kon meteen komen om de kamer te bekijken. En zo liep ik
over de hoofdweg het dorp Ruanish uit, langs velden met schapen en koeien, tot ik bij een vrijstaand huis aan mijn linkerkant
kwam, met een omheinde voortuin met een wit hek. Het huis
van mijn moeder.

Kennelijk was ik bevooroordeeld geweest. Dat kwam door de stem
aan de telefoon. Deels stelde ik me haar al voor als dood, aangezien dat ongetwijfeld met haar zou gebeuren. Een krijtwit gezicht
met starende ogen. Maar ook – weet je, als *moeder*. Zoals in de boeken. Zacht bruin krulhaar en comfortabele kleren, handen vol met
meel omdat ze iets aan het bakken is. Misschien zelfs een schort.
Vrij lang en vrij dun, net als ik, ze zou vast op mij lijken.

Het zweet brak me uit, omdat ik nu in het zicht was van het huis
en niet meer terugkon, en opeens was ik ervan overtuigd dat ze
me zou herkennen. Ik had nog niet bedacht wat ik zou gaan doen.
Als ze bijvoorbeeld zou zeggen: 'De kamer is al verhuurd', of: 'Ik
ben van gedachten veranderd', of zelfs: 'Jij bent mijn verloren
gewaande dochter' – wat zou ik dan in godsnaam moeten doen?

De deur kwam tergend langzaam naar me toe gezwaaid, ik zat in
een carrousel die niet wilde stoppen en wilde daar niet zijn. Toen
ging hij open en was zij het niet. Het was een oude vrouw met

een knoetje en een plooirok en een gebreid vest, dus ik kon herademen. 'Hallo, ik kom naar de kamer kijken. Ik heb gebeld met mevrouw...'

'Goed hoor, kom maar binnen.' Ze sprak met de stem van aan de telefoon.

'Bent u...?'

'Phyllis MacLeod. Je bent zeker voor het eerst op het eiland, hè? Het is hier de hal door.'

Ik liep door een hal met donkere lambrisering achter de vrouw aan over wier hoofd ik heen kon kijken, haar haar was wit haar rug was krom ze slofte met haar pantoffels van schapenvacht over de vloer alsof ze iets aan haar benen mankeerde, zij was dus mijn moeder. Ze moest een jaar of vijftig zijn. Ze zag eruit als iemand van rond de zeventig. Haar ogen waren bruin en ze was niet dik, maar dat waren de enige twee dingen die we in de hele kosmos gemeen hadden.

Het rook in huis naar planten, niet naar bloemen, maar ik rook oude bladachtige geuren, kleffe gekookte bladeren, schimmelige gedroogde kruiden, misschien vreemde soorten thee. Er was een onderliggende geur van compost, een merkwaardige gecompliceerde geur die het stille huis helemaal vulde.

We deden wat we moesten doen: borgsom, sleutels, verwarming, beddengoed. De kamer was groot en licht, hij had een binnendeur en er was een eigen buitendeur, allebei van binnenuit afsluitbaar. Het was mogelijk op mezelf te zijn. Ik vermeed het haar aan te kijken. Ze stelde me geen vragen – niet hoe lang ik zou blijven, of waarom, alleen maar een week huur in het vooruit en het haardhout ligt in de schuur. Vervolgens wees ze me op de planken boven het bed. 'Denk je dat je die wilt gebruiken?' Ze lagen vol met stenen, keien en stukjes drijfhout.

'Dat denk ik niet.'

'Ik kan mijn zoon vragen of hij ze leeg wil ruimen. Hij had al die dingen mee moeten nemen. Laat het me weten als je van gedachten verandert.'

Op die manier ontdekte ik dat ik een broer had.

Ik had een stokoude en onherkenbare moeder, en een broer waar ik geen idee van had gehad. Maar ik was in het huis van mijn moeder. Het huis *van mijn moeder*. Daar was ze dan, even verderop in de hal, rondschuifelend in haar merkwaardig ruikende keuken. Zonder dat ze ook maar het flauwste idee had wie ik was. Ik was net zo onbekend voor haar als de ongeboren baby. Zoals ze ooit de macht over mij had gehad om me te dumpen, bij het vuil te zetten, zo lag het nu in mijn macht om haar te verpletteren.

Ik pakte mijn rugzak uit. De kleren- en ladekast waren anoniem leeg; mijn broer had grondig opgeruimd. Mijn niet-gezochte klojo van een broer, die er onnodig tussenkwam. *Nog nooit waren twee kinderen zo gelukkig geweest...* Ik vulde de ketel en zette hem aan, er stonden een potje met theezakjes en een pakje lang houdbare melk in de kleine gele koelkast. Onder het aanrecht een kastje met servies en een paar pannen en een houten met vilt bekleed dienblad met zwaar oud bestek. Geen tv, maar er was wel een fatsoenlijke radio. Evenals een elektrische kookplaat en een broodrooster. Als je genoeg mondvoorraad en een emmer had zou je dagen in die kamer kunnen bivakkeren. Jezelf erin opsluiten. Maar er was niets persoonlijks te vinden. Ik bekeek alles goed, snuffelde rond en keerde de hele boel om. Niets in het laatje van de tafel. Niets onder het het bed. Geen aanwijzingen, niets.

Ik lag op het bed doelloos wat in de matras te prikken met mijn balpen toen er op de deur werd geklopt. De buitendeur. Ik draaide hem van het slot en deed open. Er stond een man – een rommelig plattelandsachtig boers type, met een scheel oog. Hij knipperde te veel en sprak aarzelend – bijna stotterend. Lichte blauwe ogen. Inteelt van het eiland, was mijn diagnose. 'M-mijn moeder vroeg me of ik je de houtsch-schuur wilde laten zien.'

Zozo. Daar was zeker iets onverkwikkelijks te zien. 'Ik heet Nikki. Ben jij...?'

'Calum. Ik woon hier. Daar. Verderop – verderop aan de weg.'

Hij droeg een lange jas, hoewel het niet koud was, een lange gore jas, met een gerafelde zoom en gaten bij de ellebogen, en hij had een oude doorzakkende rugzak op zijn rug. Calum. Mijn broer. Het kind dat mijn moeder, in tegenstelling tot mij, wél had willen houden.

Eerste indruk van Calum: een gek. Te lang, te dun, ietwat krom, en zijn kleren hingen om zijn lijf alsof iemand een stok had aangekleed. Zijn nerveuze – zenuwpezerige – manier van stilstaan, zijn benen trillend, zijn vingers trommelend op een of ander innerlijk ritme. Hij deed me denken aan iets dat was opgekweekt in het donker, op een onnatuurlijke manier, zoals rabarber onder een bloempot: lang en bleek en doorgeschoten.

Ik heb veel te maken gehad met mensen die tussen wal en schip waren gevallen. Vraag: waarom lopen er zoveel malloten rond in kindertehuizen? Antwoord: 1) Kinderen die mensen niet willen hebben zijn per definitie malloten. 2) In een kindertehuis worden we vanzelf malloten. Niet dat Calum in een tehuis had gezeten. Nee. Hij was een malloot zonder het genot van een tehuis. Geen beste reclame voor twintig en nog wat jaren moederliefde. Hij stond daar maar stompzinnig naar zijn laarzen te staren.

'Goed. Waar is de houtschuur?'

Hij draaide zich zonder iets te zeggen of naar me te kijken om en zette koers naar de garage. Ik liep achter hem aan. Toen hij bij

de rand van het hobbelige grasveld kwam, bukte hij zich zo plotseling dat ik bijna over hem heen viel. Ik vloekte, maar hij keek
niet eens naar me. Hij klauwde met zijn lange vieze vingers in
de aarde en haalde er iets uit, waar hij de aarde af veegde. Hij ging
er helemaal in op, alsof ik niet bestond.

'Wat doe je?'

Hij draaide het om in zijn handpalm en hield het me toen voor.
Een stukje aardewerk waar niets bijzonders aan te zien was; toen
hij er met zijn duim over bleef wrijven, werden er gevlochten
blauwe bloemen op een modderig witte achtergrond zichtbaar.
Vijf centimeter van de rand van iemands ontbijtkom. Ik keek
ernaar en keek vervolgens naar hem – hij straalde van oor tot oor.
Hij was zo gek als een deur. Hij kwam langzaam overeind en
haalde de rugzak van zijn rug. Die was helemaal uitgezakt door
het gewicht van al de rammelende dingen die erin zaten. Plechtig
maakte hij de bandjes los en stopte de scherf erin. Langzaam deed
hij ze weer dicht en trok hem weer op zijn rug. Ik had een minuut
of tien staan wachten. Hij liep weer verder alsof er niets gebeurd
was.

De houtschuur is een soort garage, met dubbele deuren. Hij trok
er een open en ik zag stapels donker hout, bij de deur stond een
hakblok met een bijl, met zaagsel eromheen. Achterin was het
donker, er waren geen ramen. 'Ik h-haal het hout,' zei hij, zonder
me aan te kijken. 'Ik haal alles.' Hij leek tevreden met zichzelf.

'Goed hoor.'

'Uit de zee.'

'Is het dan niet nat?'

'Nat aan deze kant. Aan die kant droog.' Hij wees.

Opeens bewoog er iets in het donker aan de andere kant van de schuur, een gekrabbel. 'Zijn er ratten?'

Hij draaide zijn hoofd om, één oog rustte op mij eentje op het dak van het huis achter me hoe kon ze? Was zelfs dit te verkiezen boven mij? 'Dat is mijn vader.'

Ik staarde het donker in aan de andere kant van de schuur. Ik ontwaarde het donkere silhouet van de houtstapels tegen de achtermuur. Ik zag geen menselijke gestalte, ik zag niet de lichte plek van een gezicht. Hoe zat dat met die vader van hem? 'Komt hij tevoorschijn?'

Calum schudde snel zijn hoofd. Hij ging verder het duister van de schuur in en ik liep achter hem aan het daglicht uit; toen mijn ogen aan het donker gewend raakten kon ik stapels hout onderscheiden, deels in stukken gehakt, deels in blokken en planken en versplinterde pakkratten; het rook er vochtig en zilt, en het was er warmer dan buiten. Maar de vader zag ik niet. Calum, die lange vogelverschrikker, kwam terug uit het donker, het licht viel op zijn aardappelgezicht. Toen nam hij opeens een grote stap, kwam vlak naast me staan en stak zijn hand uit naar mijn hals. Ik sprong opzij en stootte tegen de deurpost – vloog naar buiten en rende de tuin door naar mijn open deur. Een gek een seksmaniak een stomme gevaarlijke idioot die hier rondzwierf en naar me graaide – *wat?* Hij had daar niet mogen zijn hij zou opgeborgen moeten worden. Het was niet te geloven. Er werd zachtjes op de buitendeur geklopt. Ik riep: 'Wat is er?'

'S-sorry als ik je bang heb gemaakt.' Sorry als hij me bang had gemaakt. De Addams Family. O, ik ben niet bang hoor, als een gek in een pikdonkere houtschuur naar mijn hals tast, op een eenzaam eiland waar niemand me kent. Geen enkel probleem. Ik vraag me af wat er met haar vorige huurder is gebeurd.

'Ga weg.' Ik stond achter de deur te luisteren en na een poosje hoorde ik zijn dreunende zware laarzen zich verwijderen door de tuin. Ik deed de deur op een kiertje open om te kijken of hij echt weg was, en ging vervolgens op de drempel een shagje zitten rollen. Van buitenaf ziet niemand je – er is een open tuin met struiken en daarachter, na een hek en een verbrokkelde muur, de zee.

Dus. Gratis cadeautje. Een verrassing bij elke bestelling. Een broer. En niet zomaar een oude broer, maar een achterlijke wellusteling. Een bijzondere broer die ze niet allemaal op een rijtje heeft; kwam er dan geen einde aan de gulheid van mijn moeder? Waarom zou je een baby dumpen die prima in orde leek en een kind met een handicap bij je houden?

Goed. Hem zou ik ook vermoorden. De zon scheen op het stoppelige gras en de vlakke, gerimpelde zee. Het was een kale, lelijke plek; zij was gek ze waren allebei gek ik zou er een einde aan maken. Broer. Vader. Kerngezin opgestart na de verwijdering van item één, het ongewenste kind. Van, waarschijnlijk, een andere vader. Een afwezige, niet-beschikbaar voor een huwelijk. Te oud. Te jong. Getrouwd met iemand anders. In de gevangenis. In de boeien geslagen. Dood. Familielid. Met de kinderen uit incestrelaties is altijd iets vreemds aan de hand. Zoals met Calum.

Opeens kwam hij terug, zijn hoofd omlaag gebogen, snel, hoe kan het toch dat je aan iemands manier van lopen kunt zien dat er iets niet in de haak is? Met een grote, smerige plastic zak in zijn handen. Hij was een luciferman, als ik zou blazen zou hij omvallen en me verdomme nooit meer de stuipen op het lijf kunnen jagen. Ik kwam overeind. Hij bleef midden op het grasveld staan. 'Ik h–heb wat groente voor je meegebracht.'

'Wat voor?'

'Aardappelen. Wortels en zo.' Hij kwam langzaam naar me toe, zette de zak voor me neer en maakte aanstalten om weer weg te lopen. Ik duwde de zak open met mijn voet – ik zag vuilgele uien en oranje wortels, een grote gronderige hoop groenten.

'Waar heb je die vandaan?'

'Heb ik verbouwd.' Hij stond me aan te gapen als een kind van drie.

'Wat wilde je nou?'

Hij bracht zijn hand omhoog en raakte zijn oorlel aan. 'Mooi.'

Ik voelde aan mijn oor. Ik had de zeesteroorbellen in. Kleine bungelende zilveren zeesterren met een groen steentje in het midden ik had ze uit een stenenwinkel in Hebden Bridge de steen was – opaal? Jade? Iets met rustgevende eigenschappen. Als je daarin gelooft, geloof je alles. 'Is dat waar je naar wilde kijken?'

'Mag niet graaien.'

Ik haakte een oorbel los en gaf hem aan hem, en hij liet hem tussen zijn skeletachtige duim en wijsvinger bungelen en tuurde ernaar zonder iets te zeggen. Uiteindelijk knikte hij en stak mij de oorbel weer toe.

'Ik ben blij dat je ze mooi vindt.'

Sarcasme was aan hem verspild. Hij ging op zijn hurken zitten als een uitgehongerde Afrikaanse boer en begon met zijn vingers door het gras te kammen. Ik hoefde zijn waardeloze groenten niet zijn bij wijze van bezigheidstherapie verbouwde groenten en ik wilde niet dat hij voor mijn deur kwam zitten. Misschien dacht hij dat het nog steeds zijn deur was. Zij had hem eruit getrapt – maar slechts een klein stukje verderop. Kwam ze niet van hem af? Ze was er goed in van mensen af te komen.

'Ik hou van r-roken.' Hij keek toe hoe ik er eentje rolde. Ik hield hem het shagje voor en hij pakte het aan en trok er gretig aan. 'Van haar mag het niet.'

'Roken? Van je moeder?'

Hij knikte. Natuurlijk. Ze zou zich waarschijnlijk zorgen maken om zijn gezondheid. Of de longen van een sloffende bazelende geestelijk gehandicapte wel schoon bleven. Dat snijdt hout.

'Dit was eerst mijn kamer.'

Heel goed. 'Waarom ben je eruit getrokken?'

'Ze houdt niet van mijn sch-schat.'

'Wat voor schat?'

Hij zwaaide met zijn shagje door de lucht. 'Weggehaald. Op Gerry's trailer, g-getrokken met de tractor.'

'Waarnaartoe?'

'Mijn huis.'

Ik wilde naar binnen gaan en een gesprek aanknopen met de oude feeks, ik wilde verdergaan met datgene waar ik voor gekomen was en niet worden afgeleid door deze aap.

'Hij is mooi. Ik zal hem je laten zien.'

Ik voelde in mijn zak mijn zakmes zat erin voor het geval ik het nodig had. Ik wist al wel dat hij niet echt gevaarlijk was – niet op de manier zoals ik in de houtschuur had gedacht; hij zou me niet bespringen, hij wilde alleen maar wat rondhangen en me voor de voeten lopen als een dom kind met een snotneus. 'Bij jou thuis?'

'In de tuin. Kom mee.' Hij stond op en gooide zijn peuk neer. Trapte hem zorgvuldig uit in het gras met zijn hak, pakte hem toen op en stopte hem in zijn zak. Ik stond ook op en liep achter hem aan, de tuin door en het smalle voetpad over dat van daaraf evenwijdig aan de kust liep, in de tegenovergestelde richting van het dorp.

Voor ons uit stond een kleine grijze prefab-bungalow, omringd door enorme hopen knolrapen of zoiets. Het leek me wintervoer voor vee. Toen we dichterbij kwamen, besefte ik dat die hopen geen knolrapen waren.

'Ik haal het uit zee.' Rondom zijn huis lagen hopen rotzooi, soort bij soort. Er was een berg met schoeisel – schoenen, laarzen, gympen; eentje met drijfhout; eentje met plastic – flessen, verpakkingen van etenswaren, drijvers, kratten, kapot speelgoed, piepschuim. Er was een kleiner bergje met ijzer en metaal, grotendeels oranje van de roest. Er was een voornamelijk zwarte rubberberg (voor het grootste deel banden maar ook wat duikspullen, waterslangen, stukken van rubberbootjes, reddingsbanden). Er waren vier heuveltjes met glas: ongekleurd, groen, bruin en blauw. Er was een stinkende, door gonzende vliegen omgeven berg met kleren en jute, en een roodachtige stapel met stukken baksteen en dakpan. Er was een stapel botten en fossielen. Als voedseloverschotten van de Europese Gemeenschap. Hij grijnsde van oor tot oor.

'Wat doe je daarmee?'

'Verzamelen.' Hij leek dit een afdoende antwoord te vinden.

'Maar gebruik je het ergens voor? Kun je het verkopen?'

Hij schudde zijn hoofd, zonder interesse voor de vraag, pakte een paar schoenen op die naar beneden waren gerold en stopte ze weer terug in de juiste hoop. 'D-duizend-en-zesenzeventig schoenen.'

'Zijn het allemaal enkele exemplaren?'

'Zesentwintig paren.'

Ik kwam naderbij en keek door het raam van zijn huisje. Het was een vuilnisbelt.

'Waarom? Waarom verzamel je ze?'

'De zee heeft ze hiernaartoe gebracht.' Zijn tuin lag achter, die was keurig ingericht met rechte rijen, kolen, uien en dergelijke – zo groot als een kleine akker. Hij was druk bezig zijn schat te controleren, in de zon rook die naar rottend textiel, het met zeewater doordrenkte leer van sandalen en laarzen was gebarsten en krulde om het was niets anders dan rotzooi, enorme bergen verrotte troep. Hij trok een laars uit de hoop en onderwierp die aan een nauwkeurige inspectie, draaide hem om om de zool te bestuderen.

'Ik zie je wel weer.' Hij keek niet eens op toen ik terugging naar mijn kamer. Een broer was niet per se noodzakelijk ik kon geen stomme idioot van een broer gebruiken die in mijn nek liep te hijgen.

8. Zeehonden

Vliegen opstijgen omhoogschieten *vliegen*. Vliegen opstijgen omhoogschieten vliegen. Ik moest mezelf in de lucht houden. Ik moest me op haar concentreren. Het huis was stil, maar ik wist zeker dat ze thuis was. Ik ging de hal in en spitste mijn oren. Aan mijn rechterkant voerde de trap omhoog en een donkere gang ernaast kwam uit op een deur die op een kier stond. Er scheen daglicht doorheen. De badkamer was tegenover me; links, aan de overkant van de hal, de voordeur en daarvoor nog een deur, die gesloten was. Ik liep erheen en luisterde – niets. Was de man nog steeds in de houtschuur? Zaten zij tweeën ergens stilletjes te luisteren hoe ik rondscharrelde? Ik ging de donkere gang naast de trap in, luisterde aan de deur (niets) en duwde hem verder open. Ik verwachtte dat er niemand zou zijn, maar ze zat verstijfd aan haar keukentafel met een oogdruppelaar in haar hand en kneep druppeltjes in een klein bruin flesje. Toen ze me zag, schudde ze even met haar hoofd en maakte hardop fluisterend het tellen van de druppels af: 'Dertien, veertien, *vijftien*.' Zorgvuldig schroefde ze het dopje op het flesje en deed het restant dat in de druppelaar zat in een witte kom.

'Wat is er?' vroeg ze ongeduldig, alsof ik haar stoorde bij een belangrijke bezigheid.

'Ik vroeg me af of u me kon vertellen waar ik boodschappen kan doen – eieren, melk. Is er een boerderij in de buurt?'

Voor haar op tafel lag een handgeschreven boek, waar ze telkens in keek. Instructies? Een recept? Ze had blauwe wallen onder haar ogen en een losse huid met plooien, in geen miljoen jaar zou ik haar hebben uitgekozen. Ze keek me niet aan maar concentreerde zich op het schudden van het flesje en schudde toen een schoteltje vol brosse dode bladeren leeg op de tafel voor haar en verkruimelde ze met een miniatuurdeegroller.

'Bij het postkantoor kun je alles krijgen. Waar je mijn kaartje hebt zien hangen.' Ze keek niet eens op.

'En verse vis? Kan ik die ergens...?'

'Neem me even niet kwalijk,' zei ze. 'Ik ben net bezig om...' Ze draaide zich snel om om de ketel van het vuur achter haar te pakken en een beetje kokend water in de witte kom te gieten. Ik stapte achteruit de hal in en trok de deur achter me dicht. Wat een bot wijf. 'Neem me even niet kwalijk. Ik heb je in geen negenentwintig jaar gezien en ik ben nu net druk bezig een heksenbrouwsel te maken, kom over nog negenentwintig jaar maar eens terug, wat dacht je daarvan?' Je verdient het wat je staat te gebeuren, dame.

Ze was mager en breekbaar ze zou makkelijk te grazen te nemen zijn maar waar had de vader zich verstopt? Hij was niet bij haar in de keuken. Boven? De deur uit?

Ik pakte mijn tas en ging via de achterdeur op weg naar de winkel – ik zag dat de deur van de houtschuur dicht was, zodat daar niemand meer kon zijn. Een magere grijze kat rende langs me heen door een kattenluikje de keuken in. Vlak achter de keuken lag een verwilderd uitziend tuintje met één enkele bloem, met dingen in potten die tussen dingen in de grond waren gepropt – schriele uitgegroeide planten die eruitzagen of ze een ziekte hadden. Buiten de keukendeur hingen bosjes verdroogde bladeren, en strengen oud zeewier en een tak met verschrompelde bessen.

Ik kocht thee, melk, brood, boter, eieren, bonen en koekjes. Toen ik terugkwam was het huis net zo stil als tevoren. Ik liep de hal door naar de wc – geen enkel geluid. Ik wist niet eens of ze boven of beneden waren; de keukendeur was dicht. Luisteren of ik hen kon horen bewegen was als luisteren in een leeg huis, en ik zette mezelf ertoe weer naar buiten te gaan, om een stukje te wandelen en plannen te maken.

Het was vijf uur. De lucht was nu betrokken, maar het was niet koud. Ik liep het weggetje af langs Calums vuilnisbelt, in de richting van het noorden van het eiland. Toen was er een pad naar links, dus sloeg ik dat in naar zee en probeerde langs de kustlijn te lopen. Die bestond uit lage zwarte rotsen – geen strand –, maar eindigde in een steil klif dat uitstak in de zee, en ik moest omhoogklauteren naar een veld. Ik liep maar door, maar er was geen pad. Het was een afgrijselijke wandeling – inhammen en zompige waterstroompjes en omheiningen van prikkeldraad en stukken met gaspeldoorn- en braamstruiken, je kon helemaal geen richting houden. Uiteindelijk sneed ik weer af naar het weggetje en volgde dat maar.

Plannen. De volgende keer dat ik haar zag – vanavond, waarschijnlijk, of anders morgen – zou ik haar vragen of ze me wilde helpen met mijn project. Haar uitnodigen voor een kopje thee, want ze was duidelijk niet in staat tot eenvoudige sociale vaardigheden zoals tussen de bedrijven door een praatje maken. Ik zou mijn voelhoorns uitsteken wat betreft het komen en gaan van de man. Ik moest weten wanneer zij alleen thuis zou zijn. Achter me kwam een auto aanrijden en ik moest in de berm gaan staan om hem erlangs te laten. De bestuurder was honderd jaar oud, minimaal; het hele eiland leek wel een bejaardentehuis. Toen de auto voorbij was hoorde ik voetstappen op het pad; Calum kwam achter me aan gerend, met een dwaze grijns op zijn gezicht, de antieke rugzak op zijn rug. Als een grote gretige hond die niet helemaal bij z'n verstand is. 'Aan de w-wandel?'

Nee. Ik zit mijn nagels te lakken – wat dacht je dan dat ik aan het doen ben, stommeling? Ik moest hem niet bij me in de buurt hebben. Zou het aangeboren zijn wat hij mankeerde? Had ik ook een paar van diezelfde foute genen? Zou ik ooit een kind kunnen krijgen dat net zo stompzinnig grijnsde als die malloot van een Calum? Alweer een fantastische erfenis van mama.

De weg splitste zich en hij nam het rechterpad. Toen bleef hij staan om op me te wachten.

'Wat is er daar?'

'J-je kunt de bergen zien. Op het vasteland.'

Hoe boeiend. Geweldig. Waar dacht hij dat ik vandaan kwam? Het eiland kwam me voor als een desolate plek. Er waren geen bomen, alleen maar hobbelige weilanden en stomme schapen die met hun gele ogen stonden te staren en er vervolgens in paniek vandoor gingen als je dicht bij ze kwam. Het weggetje voerde vagelijk de heuvel op, er waren geen huizen geen auto's geen mensen. Wauw! Er was een tractor! Ja, een rode tractor die geparkeerd stond voor een hek, iets opwindends hier Nikki, en Calum wees ernaar en zei iets onbegrijpelijks (Macpherson? Macintosh? MacBurger?), waarmee hij ongetwijfeld de eigenaar bedoelde, dus ik knikte en hij grijnsde om te laten merken hoe briljant hij volgens zichzelf was en we zwoegden omhoog over het grauwe weggetje. Het licht was moddergrijs en zelfs het groen van de velden was grijzig. Hij liep snel en zwaaide heen en weer als een kapot hek.

'Wat doet je vader?'

'Hij is verdronken.'

'Verdronken?'

Hij knikte.

'Maar... wanneer is hij dan verdronken?'

'Z-zeven jaar geleden.' Ik haalde hem in. Hij was volkomen onbekommerd en liep voort alsof het terrein van hem was.

'Maar je zei dat hij het was. In de houtshuur.'

Hij draaide zijn hoofd om en zijn goede oog keek me aan. 'Soms komt hij hier. Er liggen wat planken van zijn b-boot.'

'Is hij doodgegaan?'

'Ja, op zee.'

We liepen een poosje zwijgend verder. In gedachten ging ik de inhoud van de hal en de badkamer na. Geen mannenspullen in de badkamer; geen grote schoenen of jassen in de hal; geen geluid van zware voetstappen boven. Ze had niets gezegd over een echtgenoot, alleen over een zoon. Misschien was er nooit een vader geweest, misschien had hij hem wel helemaal uit zijn duim gezogen. Ik had de man in de houtschuur niet *gezien*, ik had alleen geluid gehoord. Ik had niets om aan af te meten hoe gek Calum precies was.

'Wat deed hij?'

'Visser.' Hij bleef abrupt staan en stapte in de ondiepe greppel aan de zijkant van het pad. Bukte zich en begon tussen de bramen en varens te rommelen. 'Glimt,' zei hij. Toen trok hij triomfantelijk een hele zijspiegel op een verdraaide metalen stang tevoorschijn en stopte die eerbiedig in zijn rugzak.

'Wat ga je daarmee doen?'

'Bewaren.' Hij rechtte zijn rug en liep weer verder. We gingen een hek door en een ruig veld over, het liep hellend af naar de zee beneden, de zee aan de oostkant. Die was niet anders dan de zee aan de westkant; gewoon even bruin en vlak en nat, geen golven geen schuim geen gouden stranden. Dikke lage grijze wolken hurkten neer op de heuvels van het vasteland in de verte – echt een troosteloos gezicht.

'Waarom zijn er geen golven?'
Hij keek me aan alsof ik degene was die niet goed bij zijn hoofd was. 'Grote golven.' Hij zong een liedje als een kinderversje: 'De Blauwe Mannen staan tot de borst/ met s-schuimgrijze gezichten./ Wie, o wie dorst/ zich te wagen/ in woelige baren,/ door de zee-engte van de Blauwe Mannen?'

Ik wist wel dat hij niet in staat was om te proberen indruk op me te maken maar desondanks ergerde ik me groen en geel; ik haat het als mensen die bepaalde dingen weten doen alsof ze niet kunnen geloven dat jij die niet weet. Waarom zou je aannemen dat er bepaalde godgegeven stomme dingen zijn die iedereen vanaf zijn geboorte al weet? Wat zijn *kyles*?

'Overst-steek.' Hij zwaaide met zijn arm naar de doorgang tussen het eiland en vasteland.

'Oké.'

'Gr-grote golven...' Hij bracht zijn hand tot boven zijn hoofd. 'Zo hoog.'

In zijn dromen zeker. De doorgang zag eruit als een plasje water in een sloot. Hij ging voor over het ongelijkmatige terrein, langs opwindende zaken als een rots die door de aarde heen stak en een zompig gedeelte waar we overheen moesten springen. Ik vond de kust maar niks. Een kiezelstrook, afhankelijk van het getij smal of breed – meer niet. We zagen niet eens zeemeeuwen, het leek wel voorbij het einde van de wereld. 'Moet je kijken.' Hij bleef stokstijf staan.

Ik keek. Niets te zien. Vlakke zee met lage bruine rotsen. 'Wat is er dan?'

Hij mompelde iets dat ik niet verstond en een steenklomp maakte zich los en viel in de zee. 'Zeehonden,' zei mijn geniale broer. Halfbroer. Er kwamen nog meer bruine klompen in beweging en gleden in het water. Hij grijnsde me toe alsof hij eigenhandig een fantastische vuurwerkshow voor me had georganiseerd. Ik stak mijn duim naar hem op. Geweldig! En we liepen verder omlaag naar het water. Als dat het hoogtepunt was – een bruine klomp die zich van honderd meter hoogte de zee in stortte – was ik er klaar voor om om te keren. We glibberden omlaag over de modderige rotsen naar zeeniveau, en toen ging hij op een kei zitten en nam behoedzaam zijn rugzak van zijn rug. Hij haalde er een grote oude geruite thermoskan uit en schonk met uiterste concentratie een bekertje vol.

'Maakt je moeder dat voor je klaar?'

Hij schudde zijn hoofd en gaf me het bekertje aan. Het was zoete thee, maar ik dronk die toch maar op, en rolde vervolgens voor ons allebei een shagje.

'Heeft je vader ze gevangen?'

Hij trok een onnozel gezicht.

'De zeehonden. Heeft hij die gevangen?'

'Hij nam – hij nam mensen mee om ze te bekijken. In zijn boot. De toeristen.' Hij had het beroerdste gebit dat ik ooit had gezien.

'Wat leuk.'

'Hij vertelde ze het verhaal en ze vonden het l-leuk.'

Ach, als ik toch betaald heb en hier moet blijven zitten met een idioot die uitstaart over een bruine poel die de zee moet voorstellen en van lauwe thee zit te nippen, kan ik net zo goed het hele amusementspakket nemen. 'Welk verhaal?'

'Van het zeehondenmeisje.' Hij staarde uit over de rotsen, met zijn mond een stukje open; je zou denken dat zijn moeder, als ze ook maar een zier om hem zou geven, wel met die arme sukkel naar de tandarts zou zijn gegaan.

'Ga verder.'

'Een paar pachters, die werden van hun land af gegooid. Ze gingen in hun boot de zeestraat op en die sloeg om, in een storm. Vlak bij de Zeehondenrots.' Hij zweeg en keek me aan.

'Is dat 'm?'

Hij schudde bloedserieus zijn hoofd. 'Ze zijn allemaal ver-verdronken, op de baby na. De baby werd opgenomen door de zeehonden.'

Natuurlijk, opgenomen door die lieve knuffelbare bontige besnorde zeehonden, en gevoed en gekieteld en geknuffeld en verzorgd, en de mamazeehond breide sokjes en de papazeehond ving een lekker visje voor bij de kleine z'n thee. Calum had zijn pogingen om zich te herinneren wat hij aan het vertellen was gestaakt. Het was alsof je zat te wachten tot verf droog was.

'Ze dronk melk bij een moeder met kleintjes. Ze leerde piepen en blaffen als een zeehond. Z-ze leerde duiken en zwemmen in plaats van lopen.'

'Ja, en hoe deed ze dat 's winters, als er ijs lag?'

Zijn goede oog sperde zich open in verbazing. 'Geen ijs hier. Ze ving vis en at die rauw, m-mensen zagen haar op de rotsen spelen met de zeehonden. Ze had lang haar, als een zeemeermin. De vissers probeerden dicht bij haar te komen, maar niemand lukte dat.'

'En het liep allemaal slecht af.'

Hij keek me een poosje dommig aan en begon toen een takje hei in stukjes te breken. Het was genoeg om me dankbaar te stemmen voor wat ik had – ik kon tenminste vliegen en vallen, in plaats van op mijn buik door het vuil te kruipen.

'Nou? Wat gebeurde er?'

'Z-ze is er nog steeds.'

Vast wel. Net als zijn vader in de houtschuur. Hij pakte zijn thermoskan en we liepen weer verder. Hij was niet van plan me te vertellen hoe het afliep. Ik zat trouwens helemaal niet op dat stomme verhaal te wachten, maar nu was hij beledigd en zei niets meer. Het gaf me een rotgevoel, alsof ik onaardig was tegen een stom dier. Maar waarom zou ik medelijden met hem moeten hebben? Waarom zou ík verdomme medelijden moeten hebben met hém?

We zwoegden in stilte voort. Kennelijk was hij wel *in staat* om te praten. Ik vroeg naar zijn mammie en zijn pappie en hun idyllische leventje op het eiland. Het was alsof je een kind voor je had; als hij eenmaal begon, wist hij niet meer van ophouden. Het bleek dat papa MacLeod een heleboel kreeftenfuiken had. Soms nam hij mannen met lange hengels mee om te gaan diepzeevissen; hij had ook schapen, die nu van Calum waren.

'Heb je zijn boot gekregen? Ga jíj nu tochtjes maken met toeristen?'

Hij keek me met een vreemd gezicht aan. 'De boot is gezonken. Kapotgegaan. Ik mag niet...'

'De zee op?'

'Bij het water komen. Calum niet.'

Nou, wat een fijne beschermende moeder dat ze zich zo druk maakte om het welzijn van haar zoon.

'Hij was b-boos.'

Op dat moment besefte ik dat ik hem kon krijgen waar ik hem hebben wilde. 'Hoezo?'

'Ze kregen ruzie en h-hij ging naar buiten en sloeg de deur dicht.'

'Wat was er gebeurd?'

Hij haalde zijn schouders op. 'Stukken van de boot spoelden aan op het strand.'

Toen ik mezelf weer binnenliet in mijn kamer brandde er licht in het huis. Ik deed mijn deur naar de hal op een kiertje open en kon het zachte gekabbel van een tv horen. Ze had zich ergens opgesloten om tv te kijken. De kamer aan het eind van de hal, het dichtst bij de voordeur – ik dacht dat ze daar zat.

Ik at bonen met toast en ijsbeerde en luisterde en hoorde elke beweging die ze maakte, en dat waren er niet veel. Om kwart over tien zette ze de tv uit en liep de hal door naar de keuken; daar bleef ze misschien een kwartier en vervolgens hoorde ik haar terugschuifelen door de hal. Ik rook een bittere, kruidige geur. Ze schoof de grendel voor de voordeur, deed beneden het licht uit en ging vervolgens langzaam de trap op; een paar treden kraakten. Ik kon haar boven horen rondlopen, hoorde het geluid van stromend water en van een wc die wordt doorgetrokken, ze had daar boven nog een badkamer. Het was duidelijk dat zij de enige was in huis. Het laatste geluid dat ik hoorde was om ongeveer kwart voor elf; daarna was ze stil, sliep ze de slaap der onwetenden, die nog niet weten wat hun te wachten staat. Ik noteerde de tijden. Een moordenaar moest op de hoogte zijn van al haar gangen, zou al haar gewoontes moeten kennen. Ik stelde me voor dat ik naar boven zou gaan als zij niet thuis was, ik zou in haar kamer zoeken naar sporen van mij. Het feit dat ze niet wist dat ik hier was, het feit dat ik haar in mijn macht had – dat was een lichamelijk genot. Ik zwol ervan, het gaf me een tintelend gevoel van aangename verwachting.

Ongeveer een uur nadat ze naar bed was gegaan sloop ik op mijn sokken de donkere hal in. De vloer was betegeld het was koud. Ik bleef onder aan de trap staan luisteren en ging vervolgens naar de tv-kamer. Toen ik de kruk omlaag had gedrukt zwaaide de deur vanzelf open. De vloer was van hout en warmer zodra ik erop stapte. Er lag wat gloeiende as in de haard. De zitkamer van mijn moeder. Ik deed de deur achter me dicht en wachtte. Maar mijn ogen konden niets onderscheiden in de inktzwarte duisternis en na een poosje deed ik het licht aan. Verdomme. Als ze me zou betrappen zou ik wel met haar afrekenen.

De kamer stond vol ouwe troep. Niet het soort kamer waarin ik ooit had gewoond. Ik heb zoiets wel gezien – in films, op tv - maar was er nooit in geweest. De muren waren overdekt met boeken, oude boeken met een harde kaft met omslagen van effen linnen, saaie blauwe en rode en stoffige zwarte. Op de vrije gedeelten tussen de boekenkasten hingen prenten, armetierige oude landkaarten en schilderijen van oude zeilboten, een grote sterrenkaart en tekeningen van planten en bladeren en dwarsdoorsneden van bloemen met kriebelige teksten erop. De meubels waren oud en pasten geen van alle bij elkaar, er stond een met verschoten rood fluweel beklede stoel met een heel rechte rug, afgerond als een muntstuk. Twee lange zwarthouten tafels met gedraaide en met snijwerk versierde poten. Zo'n bank met maar één armleuning, met een groezelig bloemenpatroon. De schoorsteenmantel stond overvol: kandelaars, een porseleinen herderinnetje, vellen papier, stenen, gedroogde bladeren en takjes in een pot, brede en lage bruine flessen met vloeistof, met etiketten in het Latijn, een beker met pijpen en stokjes erin, foto's in een zilveren lijstje. Foto's.

Zij toen ze zo'n twintig jaar jonger was naast een forse, stevig gebouwde man, kalm vanaf de foto naar buiten kijkend. Ze had een boeket in haar handen, het zag eruit als een trouwfoto hoewel ze een donkere jurk droeg. Zij met een kind in een tuin. Calum. Zij met een kind op een fiets. De man te midden van een groep poserende en grijnzende mensen op het dek van een boot. Hij hield een grote vis omhoog.

Familiekiekjes.

De stomme koe. Ik ging op de roodfluwelen stoel tegenover de blanco grijze tv zitten. De kamer stond vol troep als een antiekwinkel of zo'n kamer als ze in musea hebben, *karakteristiek interieur uit de jaren dertig.* Waar had ze het allemaal vandaan? Het leken wel spullen die in de loop van een heel leven waren verzameld. Spullen van ouders en grootouders. Het rechthoekige kleed op de geboende houten vloer was dun, het was versleten en gerafeld onder mijn voeten bij de plek voor de rode stoel. Maar het voelde niet armoedig het voelde stijlvol. Er stond een vitrinekastje met spulletjes die te pronk waren gezet: ragdun oud porselein dat nachtblauw en oranje was beschilderd, oude rozige wijnglazen en een bewerkte glazen decanteerkaraf, kleine kristallen glaasjes – allemaal boven op elkaar gepropt en waarschijnlijk honderden ponden waard.

Was MacLeod haar naam of die van haar man? Ik trok een boek van de plank. *De complete kruidengids* van Culpeper. Op het schutblad stond met de hand 'Phyllis Lovage' geschreven. Ik keek in een ander boek dat verderop stond – het was in het Italiaans – en toen in eentje uit de tegenoverliggende boekenkast, een boek over het determineren van geneeskrachtige planten. In allemaal stond haar naam. Het waren haar spullen. Toen ik het plantenboek dichtsloeg zag ik dat er iets bruins tussen de bladzijden uitstak; ik liet het boek openvallen in het midden en er viel een geplette bruine roos uit. Ik pakte hem op bij zijn dunne steel, die was bros en droog en onmogelijk plat. Ze bewaarde een dode roos.

Ik trok een van de laden onder de vitrinekast open. Die zat vol met papieren. Rekeningen, brieven, recepten. Ik begon te lezen in een brief van ene Anita, die haar bedankte voor haar lotion en zei dat haar huid er sterk op vooruit was gegaan. Er waren reçu's voor de verkoop van lammetjes; rekeningen voor schapen wassen, hypotheekgegevens. De onderste la was gevuld met breipatronen, echt overvol, zodat hij niet eens goed open kon. Tussen de patronen door lagen nog meer foto's, van Calum als peuter, met een bolle toet en een merkwaardige blik.

Ik ging op de grond naast de kast zitten. Al die spullen. Al dat *leven* van haar. Al dat verleden dat van haar was en niet van mij bij elkaar gegaard en opgepot alsof het iets *voorstelde*, alsof het iets te betekenen had, voor mij verborgen gehouden zodat ik er niet van zou weten of er geen deel aan zou hebben. Al die dingen die ze had gedaan en mensen die ze had gekend, allemaal behalve mij. Ik bezat één doos met spullen bij een bagagedepot met alleen maar rommel erin, goedkope paperbacks, een paar laarzen waar ik pijn van in mijn voeten kreeg en een stel polyester lakens.

Zij bezat boeken die al van jongs af aan aan haar hadden toebehoord; schilderijen, snuisterijen, foto's. Van mij bestaan geen andere foto's dan schoolfoto's, een klein gezichtje waar mensen overheen kijken als ze zoeken naar dat van hun eigen kinderen. Om foto's te hebben moet er eerst iemand zijn die naar je zou willen kijken. Het was te groot om te verwerken en het was te veel.

Op het bewerkte tafeltje naast de rode stoel stonden twee bruine apothekersflesjes met haar naam erop. Mooi zo, ze verdiende het om ziek te zijn. Ze verdiende het dat dit haar afhandig werd gemaakt al die aangroeisels waarmee ze zichzelf had omhangen alsof ze recht had op een soort geluk of betekenis. Wat had ze nou verdomme voor recht?

Als ze dood was zou het van mij zijn. Al deze spullen in dit huis. Van mij en van die dombo van een Calum. Wij waren haar erfgenamen. Ik trilde van woede. Het zou nooit van mij zijn. Ik zou nooit zo'n schoorsteenmantel hebben die in de loop der jaren geleidelijk aan was volgestouwd. Ik zou altijd onbenullig en onwerkelijk zijn en nergens door worden geruggensteund; niets zou mij ooit blijven aankleven.

Er groeide een verlangen in me een hoog en rood opvlammende lust om de kachelpook te pakken en die kamer die zelfgenoegzame knusse kamer van een heel leven lang in elkaar te hengsten. De glazen deurtjes van de vitrinekast aan gruzelementen te slaan het porselein aan barrels te meppen de glazen aan barrels te meppen de vazen en de bekers in de vorm van een mannetje aan barrels te meppen de oude prenten van de muur te harken en ze in stukken te laten vallen in hun lijsten, de kachelpook door de dunne bekleding van de chaise-longue en stoel te steken, de laden uit de kast te trekken en ze leeg te gooien op de grond de papieren en foto's en prullen door elkaar te trappen met de pook langs de schoorsteenmantel te raggen en alle pijpen en herderinnetjes te raken tot er alleen maar kleine scherven van over waren alles overhoop te gooien en alles kapot te slaan.

Dat zou ze verdienen.

★ ★ ★

Ik moest mezelf omhooghijsen en met stijve benen naar de deur lopen mijn mond was droog mijn tong was dik ik kon me bijna niet inhouden om om me heen te maaien en die kamer kort en klein te slaan. Ik dwong mezelf ertoe het licht uit te knippen en de deur dicht te doen en door de hal naar mijn eigen anonieme kamer te sluipen. Ik dwong mezelf ertoe op bed te gaan liggen en ik trok de dekens over me heen en viel vrijwel meteen in slaap.

9. Tafelrots

Ik werd pas om tien uur wakker, wat een goed voorteken was, een diepe stille slaap een teken van goedkeuring van mijn plan. Ik kon de dingen die ik weten wilde ontdekken via mijn simpele broer. Ik kon haar bespieden en informatie uit haar lospeuteren. Ik kon macht over haar krijgen en daarvan genieten.

De ochtend bracht ik door met een blok gelinieerd papier en een ringband voor mijn Open Universiteit-project. Zo kon ik als het nodig was doen alsof ik ermee bezig was; dus als ze het ooit in haar hoofd zou krijgen míj te bespieden (dat zou ze niet doen, het zelfgenoegzame wijf, het kwam niet eens in haar op dat ik gevaarlijk zou kunnen zijn) zou ze merken dat ik een goede reden had om daar te zijn.

Ze was eerst in de keuken, ik hoorde de radio, ze liep een paar keer door de hal maar ging het huis niet uit. Ik vond het leuk om naar haar te luisteren terwijl zij niet wist dat ik dat deed of waarom. Om halfeen kwam er iemand de voordeur binnen en sloeg die achter zich dicht. Calum. Hij riep: 'Hallo?', en zij liep langs mijn deur, ik hoorde haar iets zeggen over de modder aan zijn schoenen en dat er in de bijkeuken een nieuwe gloeilamp moest worden ingedraaid. Ze liepen allebei naar de keuken. Moeder en zoon, hoe schattig.

Zo te ruiken had ze een lekker maaltje voor hem klaargemaakt. Ik opende mijn achterdeur, ging zitten en rookte er eentje om de speldenprikken van woede die ik voelde te dempen. Stel je voor dat er iemand eten voor je klaarmaakt. Dat die dat voor jou doet, weet dat je zult komen en weet wat je lekker vindt. Wie heeft dat ooit voor mij gedaan? Zij had het gedaan toen hij klein was en ze deed het nu nog steeds. Ik had naar binnen moeten gaan en om maaltijden van vijftien jaar moeten vragen. Zoveel was ze me minstens verschuldigd.

Ik zette mezelf ertoe naar het dorp te gaan, ik ging met mezelf om zoals een leraar met een rumoerige klas tijdens het laatste les-uur, ik hield mezelf op het rechte spoor van omhoogschieten, zweven en vliegen, ik zou precies volgens plan te werk gaan en geen moeilijke of verstorende of ongelegen komende val maken. De pub was rond de lunch gesloten – centrum van de wereld als het eiland was –, dus kocht ik bij het postkantoor een pasteitje dat eruitzag alsof het al een keer gegeten was (op het nippertje; het ging om een uur dicht) en een paar boekjes met smoezelige oude foto's met een soort geschiedenis van het eiland. Nuttig voor de Open Universiteit. De ouwe tang die me hielp vroeg waar ik logeerde. Ze herinnerde me zich zeker van de vorige dag.

'Bij mevrouw MacLeod. Tigh Na Mara.'

'Ach, zo. Heb je daar al eerder gelogeerd?'

Ik schudde mijn hoofd.

'En hoe vind je het? Alles naar wens?' Ze was nieuwsgierig; ze suggereerde dat dat volgens haar wel eens niet zo zou kunnen zijn.

'Waarom vraagt u dat?'

'O, zomaar. Sommige mensen vinden haar alleen – een beetje apart. En Calum...'

'Calum is nogal merkwaardig.'

'Die jongen doet geen vlieg kwaad. Maar als je een ander adres zoekt, heb ik bij mij thuis nog wel een kamertje...'

'Nee, dank u. Ik weet nog niet precies hoe lang ik blijf.'

'Ach zo. Nou ja.' De vrouw begon vellen verschoten bruin papier uit te spreiden over de sinaasappels en de tomaten in de etalage; de felle zon stond erop.

'Is er ook een meneer MacLeod?' vroeg ik.

Ze keek me zijdelings aan. 'Vroeger wel.' Er viel een vreemd soort stilte.

'Wat is er gebeurd?' vroeg ik.

'Daar vraag je me wat,' zei ze bitter. Ze was klaar met het bruine papier, rechtte haar rug om me aan te kijken, en haar stem daalde tot een fluistering: 'Hij is in de klauwen van madam gevallen, en dat was dan dat.'

'Iemand heeft me verteld dat hij is verdronken.'

'Ja ja. Denk je nou echt dat de beste zeeman van het eiland zou verdrinken?' Ze deed de deur voor me open, liep met me mee naar buiten en sloot achter ons af. 'Ze heeft geen vrienden aan deze kant van Glasgow, en bij God, dat is de waarheid.' Haar stem herkreeg zijn normale volume. 'Nou, ik ga maar eens eten. Prettige dag.'

Ik ging op het bankje voor de pub zitten eten en keek in het boekje met oude foto's van mannen met stukken gereedschap die voor een enorme niet nader te benoemen machine stonden, en twee mannen met geweren die hen bewaakten. Volgens het bijschrift waren het Duitse krijgsgevangenen die werkten in de ijzermijn. Waren ze ooit weer thuisgekomen of waren ze er nog steeds, kleine oude mannetjes achter grijze vitrage, nog steeds gevangen ver van hun vaderland? Het leek me hier geen fijne plek om tegen je zin opgesloten te zitten.

Toen ik terugkwam bij het huis was het daar heel rustig. Calum was weg. Zij was in de keuken. Ik hoorde het gerammel van vaatwerk en schrapende geluiden. Ik was hier nu vierentwintig uur. Goed. Ik had ontdekt dat ze tijdenlang alleen zat en heksenbrouwsels brouwde. Het zou een fluitje van een cent zijn om een tijdstip te kiezen om het te doen zonder dat iemand haar de eerste uren zou vinden. 's Nachts. 's Nachts zou het beste zijn. Maar voordat ik het ging doen wilde ik haar eerst aan het praten krijgen. Ik wilde weten wat ze in vredesnaam in haar leven had uitgespookt dat zo belangrijk was dat ik er geen deel van had kunnen uitmaken.

De keukendeur ging open en ze kwam de hal door en liep de krakende trap op. Even piesen; kennelijk wilde ze de badkamer beneden aan mij laten. Ik stond achter mijn deur te wachten om haar quasi-toevallig tegen het lijf te lopen als ze weer naar beneden zou komen. Maar het bleef stil; ik keek strak naar mijn horloge en er verstreken tien minuten. Ik ging de hal in en liep tot halverwege de trap – de badkamerdeur boven stond open. Het stomme mens was naar bed gegaan.

Ik bleef nog vijf minuten op de trap staan wachten. Als ze een middagdutje deed zou het niet eenvoudig zijn om een praatje met haar te maken. Ik stond daar terwijl de hitte door me heen sloeg, mijn nagels maakten witte kerven in de muis van mijn hand, en ik probeerde te bedenken of ik er nu voor moest gaan of dat ik eerst moest afwachten tot ik haar te spreken zou krijgen. Als ze eenmaal dood was, zou ik niets meer kunnen achterhalen.

Het huis gonsde van stilte. Uiteindelijk ging ik weer naar buiten, iets anders viel er niet te doen; ik sloeg het pad in en liep maar wat, in de tegenovergestelde richting van het dorp. Langs de plek waar Calum en ik de vorige dag rechtsaf waren gegaan en toen rechtdoor waren gelopen. Aan mijn linkerkant boog de zee naar binnen naar de weg toe. Het was een ondiepe inham met kiezels. Op een zwarte uitstekende rots kon ik een gestalte zien staan. Calum weer. Schele Calum. Catatonische Calum. Met zijn rugzak op zijn rug als een ooievaar met een bult. Ik klauterde omlaag naar de baai. Hij stond uit te kijken over de zee. Toen ik naderbij kwam, hoorde ik dat hij in zichzelf stond te mompelen. Ik kwam dichterbij, totdat hij zich omdraaide en zelfs toen knikte hij alleen maar min of meer ter erkenning en ging toen weer staan staren en mompelen. Ik ging zitten op een rots. De zee was zo glad als een spiegel met een paar zwarte omhoogstekende rotsen. Op de verste stonden een paar van die zwarte vogels, aalscholvers. Er bewoog helemaal niets. De lucht was grijs en de zee was grijs en recht voor ons uit in de verte lag het grijze silhouet van een ander eiland. Het was een treurige aanblik. Ten slotte draaide Calum zich naar me om.

'Alles kits?' zei ik.

Hij knikte. Ik overwoog hem te vragen tegen wie hij het had gehad maar dan zou ik net zo gek zijn als hij.

'Ik kan geen pad vinden langs de kust. Is er wel een pad?'

'Nee. Je kunt wel verder, maar n-niet steeds langs de kust.'

Zover was ik ook al. Ik vroeg me af of hij de hele tijd nou maar wat rondliep. Kennelijk had hij geen werk. Als zijn vader een eilander was... 'Heb je hier veel familie?'

'Ik had een z-zus, ze is doodgegaan.'

Het duurde even voor ik iets kon uitbrengen. 'Wanneer?'

'Voordat ik werd geboren. Ze h–heette Susan.'

Kijk aan. Dat klopte zowaar. Ik staarde naar de aalscholvers en hoopte dat een van hen een duik zou gaan nemen of zou gaan tapdansen of iets anders zou gaan doen dat me enige afleiding zou bezorgen.

'Volgende week is ze jarig.'

Ik keek hem aan maar hij reageerde niet. Jazeker. Zo is het maar net. Mijn verjaardag. 2 Oktober. 'Wat doen jullie op haar verjaardag?'

'We eten taart en zingen.'

Stomme koe van een Phyllis MacLeod, monsterlijke valse koe. Ik moet niet vergeten adem te halen.

'Je mag het niet vergeten. Ook niet als b–baby's doodgaan.'

Uitstekend. Nu besef ik wat de kern van mijn problemen is. Al die jaren heb ik alle mogelijke moeite gedaan me voor te houden dat ik leefde. Dom van me. Ik ben dood. Dat verklaart alles. Dat verklaart waarom ik geen moeder of vader heb, of een thuis of een leven, want mensen die dood zijn hebben zulke dingen niet. Domme, domme ik. Ik sta op en loop over de rotsen naar de smalle, stenige kustlijn. Alleen maar omdat ik me wil bewegen. Hij komt achter me aan. Hij loopt met een stok, als een blinde.

'Wat is er?'

'Niets.'

'Wil je w–wat thee?'

'Nee.'

Hij doet zijn rugzak af. 'Kijk eens wat ik vanmorgen heb gev...'

'Flikker op! Flikker op, idioot, en laat me met rust!' Ik klauter weg over de stenen en laat hem met open mond staan. Vliegen vangend in zijn onnozele smoel. Er bestaat niets anders dan mijn voeten die woedend voortknarsen en het gekabbel en gezuig van de zee aan de stenen. Waar gaat dit in godsnaam over? Snel ben ik weer op het pad.

Als hij op de hoogte is van het feit dat hij een zuster heeft, wist zijn vader daar dan ook van? Betekent dat dat zijn vader mijn vader is?

Ik liep snel en blindelings de weg over – en overwoog haar zitkamer binnen te gaan. Ik had er vaak aan gedacht hoe ik mezelf aan haar bekend zou maken, maar nu, met de echte vrouw en haar echte kamer voor ogen, kon ik me voorstellen hoe het in werkelijkheid zou zijn. Nou ja, niet precies, want ze kon diverse dingen doen, ze had allerlei mogelijkheden, zoals me geloven of niet geloven, of doen alsof ze me geloofde terwijl ze me in werkelijkheid niet echt geloofde; maar ik zou er binnenvallen zonder te kloppen. (Waarom mij eerst wegdoen en dan verdriet veinzen? Als ze er spijt van had dat ze me in de steek had gelaten, waarom was ze me dan niet gaan zoeken?)

Ze zou haar hoofd met een ruk opheffen van haar boek alsof ze blind was en haar bril afzetten en in haar ogen wrijven. Misschien had ze zelfs wel geslapen.

'Ik wil met je praten.'

'Dat merk ik, ja.' Ze zou haar bril zorgvuldig opvouwen, hem op het tafeltje bij haar elleboog leggen. Ik zou in de bolle roodfluwelen stoel gaan zitten, mijn rug recht, en zou haar aankijken. Alsof we een toneelstukje opvoerden.

'Ik moet je iets vertellen.'

Haar hand zou nerveus naar haar bril schieten en dan terugvallen, ze zou me met samengeknepen ogen scherp opnemen. 'Calum?'

'Nee.' Ze zou opgelucht zijn. Ha, ze zou geen idee hebben.

Ik heb het duizenden keren en op duizenden manieren gerepeteerd in mijn dromen en als ik wakker was, en het doet er niet toe of ik het repeteer of herhaal omdat wat ik ook zeg – welk van tevoren bedacht zinnetje er ook over mijn lippen komt in die muffe, volgepropte kamer van haar – het dezelfde uitwerking zal hebben: de vingernagel onder een hoekje van het masker, het begin van het lospellen. En als dat eenmaal begint, is er geen houden meer aan; hoe dan ook, op welke manier we het ook doen, het komt telkens op hetzelfde neer: het masker scheurt of glijdt of valt of splijt of glipt makkelijk af, met in alle gevallen hetzelfde resultaat: ze wordt ontmaskerd. Of ze me nou ontkent of me toelaat, of ze nou een ingewikkeld kasteel van leugens bouwt of de waarheid onmiddellijk toegeeft bij de eerste dreun.

Ik had er flink de pas in maar werd me er opeens van bewust dat ik het koud had. Het was geen wind het was een wig van koude lucht zoals wanneer je in zee zwemt en in een gedeelte van het water komt dat opeens veel kouder is. Toen ik opkeek, zag ik dat de zee en de rotsen achter een mistbank waren verdwenen.

Zij beweert dat ik dood ben. Dus kan ze me braaf gedenken zonder het ongemak dat het had betekend als ze me had gehouden. *Waarom?* Het pad voor me verdween. Letterlijk. De mist – nevel, wolk, wat dan ook – was wit en dicht genoeg om hem te kunnen aanraken; hij vlijde zich koud tegen mijn gezicht, bleef in mijn keel steken en maakte me aan het hoesten. Hij kwam tot vlak voor mijn ogen, zodat ik niets meer van mijn omgeving kon zien. Ik bleef staan. De kilte om me heen deed me huiveren. Ik deed één stap naar voren, maar kon mijn voet niet zien. Ik zag mijn eigen benen niet. De verdwijning van alles maakte me duizelig. Het was doodstil.

Ze bakt een taart!

Ik kon me niet herinneren hoe dicht ik bij de rand van het pad was. Ik schuifelde een paar stappen opzij en besefte toen dat ik niet eens zeker wist of er wel een heg was – of een greppel – of zelfs een steile afgrond vanaf een rots naar de zee. Ik had niet gekeken. Ik draaide me langzaam om op de plek waar ik stond en verloor daarbij bijna mijn evenwicht. Niets dan dikke witte mist. Typerend voor het eiland waarschijnlijk. Iets verrukkelijk karakteristieks; er komt mist opzetten vanuit zee. Wolk daalt neer vanuit de hemel. Hoera voor de natuur.

Ik ging ervan uit dat het tijdelijk was, zoals een storing op tv. Dat de mist wel minder dicht zou worden of op zou trekken. Maar de minuten kropen voorbij en er gebeurde niets. Mijn ogen begonnen te branden van het turen. Mijn benen begonnen pijn te doen van het staan. Ik draaide me weer rond. Niets. Ik deed een paar stappen, maar het had geen enkele zin. Ik had geen idee waar het pad begon of ophield, waar de bochten waren, naar welke kant ik met mijn gezicht stond, of ik dicht bij de kust was of er ver vandaan. Het enige wat ik kon doen was het uitzitten. Ik ging voorzichtig zitten en bevoelde het oppervlak van het pad om me heen. Een grove grindweg. De mist leek zo mogelijk nog dichter te worden – niet dat er nog minder zicht was (dat kon niet, je zag al bijna niets meer) maar in die zin dat hij minder wit was, hij liet minder licht door. Ik spitste mijn oren of ik de zee kon horen maar er was niets.

Opeens hoorde of voelde ik een geluid. Getik. Voelde het aan het oppervlak van de weg en hoorde het omfloerst in mijn oren. Bijna meteen werd ik aangeraakt door iets onzichtbaars en hield het tikken op. Ik slaakte een kreet.

'N-Nikki?'

'Calum!' Ik krabbelde overeind. Hij was een donkere gestalte. Zijn arm greep de mijne. 'Hoe wist je de weg?'

Zijn lichaamloze stem klonk op uit de mist, hij tikte op de grond met zijn stok. 'Je ging de weg op.'

Hij keek naar me. Nu was ik bij nul komma nul zicht alleen met een achterlijke tegen wie ik zojuist had gezegd dat hij kon oplazeren. 'Waar ga je heen?'

'Naar huis. Hou m-mijn arm maar vast.'

'Maar je ziet niks...'

'Ik weet de weg.' Hij haakte zijn linkerarm door mijn rechter en draaide me half om.

'Ik weet niet eens welke kant ik op kijk.'

'Het is in orde – h-hier.' Hij tikte met zijn stok om te voelen waar de berm was – en we gingen samen op weg de onzichtbare wereld in.

De tocht duurde uren. Van tijd tot tijd hief hij zijn stok op en sloeg naar links en naar rechts, waarbij hij een heg of een hard stenen muurtje of een scherp klinkend hek raakte. Het was alsof de rest van de wereld helemaal verdwenen was en niet eens een schaduw had achtergelaten, nog geen fluistering van een geluid. Er was niets dan dichte witheid en wij die daardoorheen banjerden. Eén keer bleef hij staan en zei: 'Roken?' Ik rolde blindelings een paar shagjes en we bleven onze witte rook de dichte witte lucht in staan blazen.

'Ik wilde net gaan zitten om te wachten tot het weer optrok.'

'Het wordt koud.'

Ja, inderdaad. Ik rilde al. 'Hoe lang gaat het nog duren?'

'Vanavond. Misschien morgen.'

Terwijl hij met zijn stok rondmaaide op zoek naar muren of bochten liet ik zijn arm los en ik was volkomen hulpeloos. Ik zou geen stap hebben durven zetten. Toen hij al tikkend naar me terugkwam en met zijn uitgestoken arm tegen de mijne stootte (uitgestrekt, smekend) voelde ik alleen maar opluchting. Hij had me naar de rand van een klif kunnen brengen: mama's kleine jongen had me aan de haaien kunnen voeren.

'Heb je het k-koud?'

'Een beetje.'

Hij bleef staan en liet mijn arm los. Zijn rugzak stootte tegen mijn schouders toen hij hem afdeed. 'Ik heb een extra trui.' Hij gaf hem me aan, hij voelde grof en los aan en rook naar zeewier toen ik hem over mijn hoofd trok, maar zo had ik er een laagje warmte bij. Hij stak zijn arm uit en we gingen weer verder. 'Je was boos...'

'Laat maar. Het heeft niets te betekenen.' Er viel een stilte.

'H-heb je de Tafelrots gezien?'

'Watte?'

'Tafelrots.'

'Om eerlijk te zijn heb ik vrij weinig gezien.' Door dichte mist vlak voor je ogen verlies je je gevoel voor evenwicht. Je wilt je er voorwaarts in storten. De mist werd onbetwistbaar donkerder. Hij werd blauw. Het moest al avond zijn.

'Het is een vlakke rots, gelijk met de zee. Bij eb kun je ernaar-toe lopen.'

'Wat leuk.' Het was heel makkelijk om hem het zwijgen op te leggen. Ik voelde me er niet lekker bij zoals ik aan zijn arm hing en we in stompzinnig stilzwijgen voortploeterden door de ondoorzichtige lucht. 'Ga je er graag heen?'

'Er is een verhaal over. Over de T-tafelrots. Mijn vader heeft het me verteld.' Alles was beter dan je te concentreren op de donker wordende blauwe dichtheid, het duizelingwekkende verlies van zicht en van de wereld. Zijn stem was evenzeer iets om me aan vast te houden als zijn arm. Een draad om ons eruit te leiden.

'Vertel het me eens.'

'Bij vloed lijkt hij op het water te drijven. Als een v-vlot. Maar als het stormt slaan de golven eroverheen – dan staat hij onder.' Ik probeerde me de Tafelrots voor te stellen. Het is een warm, plat oppervlak op een zonnige dag. 'Een hele tijd geleden woon-de er een visser met zijn vrouw. In een h-hutje boven op de klif-fen. Vlak boven die baai.' Dus er waren kliffen. Ik had al gedacht dat ik in de buurt van kliffen was. 'Op een dag, toen de visser uit varen was met zijn boot, voelde de v-vrouw zich niet lekker. Ze had een baby in haar buik en het werd tijd dat die geboren werd.' Zijn stem was uitleggerig, welwillend, alsof ik misschien van der-gelijke zaken niet op de hoogte was. Toen realiseerde ik me dat het misschien de toon was waarop zijn vader hém het verhaal had verteld.

'Ze ging naar beneden naar het strand en d-daar kreeg ze de baby. Het kind was niet van haar man. Ze droeg het over het grind en legde het op de Tafelrots. Toen ging ze l-langzaam terug naar het huisje om eten te maken voor haar man.'

Ik stelde me haar voor. Hoe ze rondstommelde door het kale kleine hutje, zwoegend de zwarte ketel op het vuur zette, met haar duizeligmakende gewicht tegen de tafel leunde terwijl ze brood sneed. Hoe ze de vis zat schoon te maken voordat ze hem in de pan deed; hoe ze star naar zijn melkachtige oog keek alsof ze nog nooit van haar leven een vis had gezien.

'Na het eten, het is een mooie, r-rustige avond, gaat de visser naar beneden om zijn netten uit te spreiden. Hij hoort een soort ge- mauw. Is het de kreet van de zeemeeuwen? Is het een loeiend kalf? Of is het de wind die k-kreunt over de rotsen? Dan ziet hij op de Tafelrots iets kleins en naakts. Het wordt vloed maar hij neemt niet de moeite zijn laarzen en broek uit te doen. Hij waadt naar de rots en pakt het kind. Hij draagt het het rotspad op en het huisje binnen, drijfnat. Hij h-houdt zijn vrouw het kind voor.

"Kijk eens wat ik op de Tafelrots heb gevonden. Een geschenk van de zee! We moeten voor haar zorgen, vrouw, alsof ze ons eigen kind was." En de vrouw pakt het kind van haar man aan en knikt. Ze legt het aan de borst.'

'Is dat het einde?' Ik wilde niet dat het al afgelopen was.

'Ja.'

De mist was nu zwart, hij was nachtblauw geweest maar kleurde zwart. Maar niet als gewone duisternis want hij was verstikkend, koud aan je gezicht. Alsof je onder dikke koude lakens lag en er iemand op je bed zit. Ik dacht aan de Tafelrots. Ik werd in het pikkedonker voortgeleid over een pad dat de rand van een klif had kunnen zijn, of de afgrond van mijnschachten, god mocht weten wat of waar het was, ik luisterde naar het verhaal en ik liet mijn gedachten erover gaan. Zoals je een muntje om- en omdraait in je zak, zoals je met een lucifer speelt en er het vuil mee onder je nagels vandaan peutert. Ik vertelde het voor mezelf opnieuw.

Misschien is de echtgenoot een domme man, wreed en gevaarlijk. Misschien slaat hij zijn vrouw wel. En de man van wie zij hield, die haar weg had kunnen halen, is verdronken. Wanneer ze is bevallen laat ze het kind achter op de Tafelrots omdat ze het niet over haar hart kan verkrijgen het te doden. Ze denkt dat de opkomende vloed het wel weg zal nemen, het naar de echte vader zal brengen. Hoewel ze alles verborgen heeft weten te houden, haar ochtendmisselijkheid door vroeg het bed uit te gaan en vers water voor hem te gaan halen uit de bron, haar buik en borsten door strakke zwachtels te dragen, hoewel ze zelfs elke maand haar maandverbanden heeft uitgespoeld en opgehangen zodat hij ze kan zien – ondanks dat alles is ze één ding vergeten. Ze is vergeten dat de Tafelrots bij vloed niet onder water komt te staan.

Wanneer hij na het eten de deur uit gaat ruimt ze zijn bord op maar moet ze steun zoeken bij de deurpost, omdat de pijn steekt in haar buik. Terwijl ze daar een beetje staat te hijgen, kijkt ze over de rand van het klif uit over zee. Daar is de Tafelrots. Er ligt een stipje, niet groter dan een meeuw, in het midden. En een man waadt door het water, en steekt zijn armen uit om het kind te pakken.

Een duizelingwekkend moment lang denkt ze dat ze zal vallen. Dat ze ter plekke neer zal storten op de grond, het donker binnenlaat in haar hoofd.

Maar ze gaat aan tafel zitten en bidt, en hoort zijn zware laarzen knerpend het rotspad op komen, buiten adem van het snelle lopen en de inspanning.

Als ze zijn gezicht ziet weet ze het. Opluchting spoelt over haar heen en de melk schiet toe in haar borsten zodat ze haar armen over elkaar moet slaan en stijf tegen zich aan moet drukken om te voorkomen dat hij op de grond drupt. Hij heeft geen idee. Het komt niet in zijn hoofd op dat ze ongehoorzaam zou kunnen zijn geweest, of dat een ander haar zou kunnen hebben begeerd. Het komt niet in zijn hoofd op dat het kind van haar is. Het kind is van hém, omdat hij het heeft gevonden, en zij, zijn slavin, zal zijn kind gaan verzorgen. Ze pakt het zonder iets te zeggen van hem aan, buigt haar hoofd om de tranen die in haar ogen branden te verbergen. Ze weet dat ze meer krijgt dan ze verdient. Een man, een huis, een kind.

Na nog een uur of wat begon Calum met zijn stok naar rechts te zwaaien en even later klak-klak-klakte hij tegen een omheining. Hij liet me los om het hek open te doen en ik bleef staan denken dat ik nog steeds geen idee zou hebben gehad hoe ik zonder hem thuis had moeten komen, ook al stonden we er niet meer dan vijf meter vandaan. Het hek piepte en hij pakte mijn hand weer en ik hoorde de doffe dreun van een deur die wijd open werd gerukt.

'Calum! Calum!' Haar stem klonk ver weg en gedempt door de mist maar je kon wel horen dat ze bezorgd klonk. Hij trok me naar het geluid toe en een gelig licht doorboorde de duisternis. We begaven ons naar de deur; ze was een vaag silhouet in de deuropening omgeven door een mistig licht. Vanuit het licht schoot ze op ons toe en sloeg haar armen om hem heen.

'Ik heb de cottage gebeld, Mudie had je niet gezien. Waar zat je?' Toen zag ze volgens mij dat ik er ook was, want ze zweeg en wenkte ons allebei naar binnen en deed de deur dicht. De mist was zelfs doorgedrongen tot in de hal, want het licht was nevelig en diffuus en hing in de lucht als stoom. Pas toen had ik door dat we waren teruggekeerd in haar huis, dat we finaal langs het zijne heen moesten zijn gelopen. 'Het is halftien,' tierde ze. 'Ik was gek van de...'

'Het kwam p-plotseling opzetten.'

'Waar zat je? Wat was je aan het doen?'

Hij deed zijn jas uit en het drong tot me door hoe nat we waren.
'Bij de Flessenhals.'
'De Flessenhals? Hoezo?'

Calum gaf geen antwoord en de stilte leek lang te duren. 'Ik was aan het wandelen,' zei ik, 'en kwam Calum daar tegen. Waar ik geluk mee had, want anders had ik nooit alleen de weg terug kunnen vinden...' Ze luisterde niet naar me.

'Waarom was je boven bij de Flessenhals?' vroeg ze Calum. 'Ik had je gezegd dat je naar Mudie moest gaan om eieren. Wat spookte je bij de Flessenhals uit?'

Hij haalde zijn schouders op. 'Ik w-was op weg naar Mudie.'

Het zag er niet naar uit dat ze daar genoegen mee nam. 'Waarom heb je niet gezegd waar je heen ging? Ik wist dat er mist zou komen, ik had je kunnen zeggen...'

We liepen naar de keuken en Calum ging zitten dus deed ik dat ook maar, ik viel bijna om. Ze ging in de weer met de ketel. 'Voortaan vertel je me waar je heen gaat, Calum. Altijd. Hoor je me? Want anders laat ik je niet gaan. Het is niet veilig – en we hebben geen eieren voor het ontbijt.'

'Mij kwam het goed uit,' zei ik langzaam. Ik had het gevoel dat ik droomde, ik was er helemaal wazig van. 'Calum heeft me gered.' Zij had geweten dat het zou gaan misten.

Ze keek om alsof ze vergeten was dat ik bestond (alweer). 'O, ja. Fijn voor je. Thee? Zal ik er een druppeltje whisky in doen?'

We zeiden allebei ja.

'Eten. Je hebt niets te eten gehad. Er staat wat soep op het fornuis.' Een grote zwarte pan met iets diks en donkers erin, dat naar behoren stond te dampen. Ze bleef maar tegen hem tekeergaan en het was of ik lucht was. Ik was amper aanwezig, de mist had mijn hoofd gevuld met dichte flarden en de Tafelrots lag daar vlak en stevig te midden van de gruwelijke onstoffelijkheid, een veilige plek die ik niet kon bereiken omdat hij ook dreef, ronddreef als een vlot.

Mijn moeder maakte avondeten en drankjes voor het slapengaan voor mij en mijn broer, en stuurde ons naar bed. Ze maakte zelfs warme kruiken. Ze zei dat hij boven in de extra kamer moest gaan slapen en hij maakte geen bezwaar.

10. Een dochter

Ik sliep diep. Toen ik wakker werd stroomde er zonlicht door het raam naar binnen omdat ik de gordijnen niet dicht had gedaan en de kamer met zijn witte muren en blauwe tapijt schitterde van het licht. Ik dacht terug aan de vorige dag en aan hoe Calum me had gered, en ik besefte dat ik die dag ook zou vliegen en glijden.

Ik maakte thee en toast en ging op mijn drempel in de warme zon zitten. Ik dacht aan hoe ik in de keuken was geweest met mijn broer en mijn moeder. Hoe ze om hem heen had gehangen als een wesp rond zoetigheid; hoe ze, zelfs toen haar handen de ketel aan het vullen waren of in een pan roerden, hem steeds in de gaten hield. Toen ze ons allebei had bediend ging ze aan het hoofd van de tafel zitten met een glaasje whisky, ze zag er meelijwekkend en breekbaar uit. Ze was van streek omdat hij niet had gedaan wat ze hem had gezegd. Ze was ziek. Haar gezicht was bleek, alsof ze nooit buiten kwam, met grote donkere wallen onder haar ogen. Ze bewoog zich langzaam, haar handen trilden, ze was mager en broos en uitgedroogd. Ze was afschuwelijk, zoals de Oude Man van de Zee, ze had zich met knokige klauwen aan Calum vastgeklampt.

Calum hield zijn goede oog op zijn eten en drinken gericht, hij hief zijn gezicht niet op om haar aan te kijken. Ik voelde dat ze wilde dat hij dat zou doen, alsof ze een kind was dat om aandacht bedelde.

Alsof ik haar met die gedachte had opgeroepen kwam ze met een wasmand naar buiten.

'Goedemorgen!' riep ik. Vrolijk. Naar mijn moeder. Ze knikte alleen maar en begon langzaam dingen op te hangen (broeken, van Calum). Dus liep ik naar haar toe.

'Kan ik helpen? Ik vind het leuk om was op te hangen.' Ooit woonde ik in een huis waar ze de was ophingen. Ik woonde er maar drie maanden, in de zomer, maar ze hadden een tuin en een waslijn. In de tijd dat ik daar was hing ik het wasgoed aan de lijn en ik dacht: op een dag zal ik dit ook doen, ik zal mijn eigen tuin en mijn eigen waslijn hebben en ik zal in de zon staan en het ophangen, en niet naar de wasserette gaan of de droger van iemand anders gebruiken waar de knop af valt en de filter vol met pluizen zit, en ik zal teruglopen mijn huis in en uit het raam kijken en mijn wasgoed zal dansen in de zon. Ze zeiden dat ik daar weg moest omdat door mij de telefoonrekeningen zo hoog waren. Maar in werkelijkheid wilden ze dat ik vertrok omdat ze uit elkaar gingen en het gênant voor ze was als ik in de buurt was terwijl zij ruziemaakten. Maar hoe dan ook, toen ze eenmaal hadden gezegd dat ik over een week ergens anders naartoe zou gaan, zorgde ik inderdaad voor een hoge telefoonrekening, ik belde naar de centrale bibliotheek in New York en een museum in Australië; ik belde de tijdmelding en liet de hoorn acht uur van de haak liggen terwijl zij op hun werk waren.

Ze zei geen ja en geen nee, dus pakte ik een paar knijpers en een trui. Ze bewoog zich heel traag, schudde langzaam elk kledingstuk uit, reikte langzaam naar de knijpers. Ze was ziek.

'Ik wilde u vragen of u me wat raad kunt geven – of hulp. Ziet u, ik ben bezig met die cursus van de Open Universiteit.' Ze zei niets en hield ook niet op met kleren ophangen, dus ik legde uit dat ik meer over de geschiedenis van het eiland wilde weten.

'Ik kan je niet goed helpen.'

'Maar u bent vast van een heleboel dingen op de hoogte. U bent hier al – hoeveel jaar?'

'De mensen zijn hier nogal gesloten.' Ze pakte de knijperzak van de lijn en legde hem in de lege wasmand. Ze wilde teruglopen naar het huis. 'Er bestaat een boekje over de geschiedenis van het eiland, je kunt het kopen bij het postkantoor. Voor de toeristen.' Ze liep naar binnen en deed de deur dicht.

Ze nam niet de moeite te glimlachen. Zou het niet normaal zijn als je, wanneer er iemand in je huis woont, toch een klein beetje interesse zou tonen? Dat je zou zeggen: 'Een cursus van de Open Universiteit, hoe ben je daar zo toe gekomen?', of dat je een kruimeltje vriendelijkheid zou aanbieden in de vorm van de een of andere anekdote? Het kwam niet eens in haar op om me zo gul tegemoet te treden als je zou doen *tegenover een vreemde.* Ik had iets dat haar afstootte. Hetzelfde iets waardoor ze me negenentwintig jaar geleden in een doos had gedumpt. En zelfs dát erkende ze niet eens, laat staan dat ze mij erkende.

Of was ze een snob? Dacht ze dat iedereen die een cursus moest doen, die niet grootgebracht was met een kamer vol mooie boeken en alles wat daarbij hoort een *loser* was? Waaróm was ik niet grootgebracht met een kamer vol mooie boeken? Welk systeem van discriminatie was er aan het werk geweest toen ze had besloten dat dat er voor mijn superintelligente broer wel in zat en voor mij niet?

Ik ging terug naar mijn kamer en maakte het bed op. Als ze niet met me wilde praten, zou ik het snel doen. Niet rond blijven hangen om me door dat rotwijf te laten beledigen. Ze was *niets.* Geschiedenis. Ik zou nog een keer met Calum praten. Hem uithoren, me op de hoogte stellen van haar gewoontes – en haar dan te grazen nemen.

★ ★ ★

Toen ik mijn achterdeur opendeed, leunde ze tegen de schuur. Ze verroerde zich niet en was nergens mee bezig, ze leunde daar alleen maar, gebogen, en staarde naar haar voeten. Ik deed de deur verder open en ze bleef in dezelfde houding staan. Even dacht ik: ze is overleden, ze is de pijp uit, ze is verdomme doodgegaan voordat ik haar heb kunnen vermoorden, maar toen realiseerde ik me dat ze dan omgevallen zou zijn. Ik liep naar buiten, van dichtbij was haar gezicht wit en bezweet. 'Is alles goed met u?'

'Kun je me het huis in helpen?' Ik gaf haar een arm en we hobbelden naar de dichtstbijzijnde deur (de mijne). Ik liet haar plaatsnemen.

'Wat is er aan de hand?'

Haar stem was zwak en hijgerig. 'Ik heb pijn. Maar het is in orde.'

'Wilt u iets hebben?'

Ze schudde haar hoofd.

'Een kopje thee?' Ik zette toch maar de ketel op. Geleidelijk aan rechtte ze haar rug en ontspande ze zich. Ze was vel over been. 'Zal ik de dokter laten komen?'

'Nee. Er staat... in de keuken... een fles boven het aanrecht.'

Ik liep de hal door naar haar keuken. Er stond iets donkerroods en anijzigs op het vuur te koken, het vertrek hing vol damp. Ik zette het gas uit en pakte de medicijnfles van de plank boven het aanrecht. Op het etiket stoond een handgeschreven Latijnse tekst. Ze pakte de fles uit mijn hand en terwijl ik zocht naar een lepel nam ze een paar slokken.

'Dankjewel.'

★ ★ ★

Ik zette thee voor ons en ging aan de andere kant van het kleine tafeltje zitten.

'Het spijt me. Calum is het hout vergeten. Hij is vroeg de deur uit...'

O, nou spijt het ons ineens, hè? Het stuk vuil waar we eerder geen tijd voor hadden om tegen te praten heeft dus toch nog enig nut. Mooi zo. Ze was in mijn handen gevallen en ik zou een en al charme zijn, ik zou mezelf zo slijmerig zo zalvend in haar aandacht aanbevelen dat ze me bekentenissen zou gaan doen zonder te weten wat ze deed. Het lot stond aan mijn kant.

'Calum was gisteravond een uitstekende gids. Hij kent de weg vanbinnen en vanbuiten.'

'Angus heeft hem alle paden en verstopplekken laten zien.'

'Was hij Calums vader?'

'Calum beschouwt Angus als zijn vader.' Ze legde haar hand op tafel, alsof ze uit haar stoel overeind wilde komen, maar zag daar toen van af. 'Hij is een beste jongen, maar hij leeft in een droom.'

'Wilt u dat ik u naar bed breng?' Waarom zou ik haar in vredesnaam moeten helpen? Het zou komisch zijn als ik het voor elkaar kreeg dat ze me zou gaan mogen, nietwaar? Als ik vriendelijk en behulpzaam was en als ze mijn aanwezigheid op prijs zou gaan stellen; het zou komisch zijn wanneer ik haar dan vertelde wat ik zou gaan doen.

'Ik wacht wel tot Calum terugkomt, hij kan een vuur voor me aanmaken.' Het was warm, het was niet nodig om vuur te maken. 'Wilde je uitgaan? Ik wil je niet ophouden.'

O, vast niet. 'Ik heb geen haast.'

114

Het was goed voor haar dat ze niet wegkon; dat maakte haar beleefder, bijna menselijk. 'Calum kan je net zoveel vertellen als ieder ander. Over het eiland. Alleen kan hij waarheid en verdichtsel niet uit elkaar houden.'

'Calum?'

'Angus heeft hem ermee overvoerd. Vikingen. Elfjes. De open plekken in het bos – het zit allemaal ergens in zijn hoofd.'

'En recente geschiedenis, die kent u vast ook wel. Wanneer bent u naar het eiland gekomen?'

Ze keek me aan en achter haar gezichtsuitdrukking, in de diepten van haar gezicht, lag een onaangenaam soort glimlach. Ze was ziek, ze was *wit*, maar in haar ogen kon ik iets afschuwelijks, iets boosaardigs ontwaren, dat ze in zichzelf lachte en zich verlustigde en triomfantelijk was. Haar witte zieke oudedamesgezicht was een masker waarachter ze iets krachtigs en ongetemds verborg.

Op dat moment besefte ik dat ze het wist. Mijn maag trok zich samen en ik moest bijna kotsen. Ze keek naar me, ik kon het niet verbergen. Ze wist het. Ze wist wie ik was. En om redenen die alleen haar bekend waren zou ze dat niet toegeven.

Ik liep naar het aanrecht om een glas water te halen. Ik wilde haar mijn rug toedraaien. Ik wilde niet dat ze mijn gezicht kon zien. Ik realiseerde me dat er een logica was – een holderdebolder van logische gevolgen die naar buiten komen rollen als munten uit een fruitautomaat als je de jackpot wint. Ik had tijd nodig om de betekenis te doorgronden van het feit dat ze op de hoogte was, dat zíj aan de touwtjes trok terwijl ik dacht dat ik... Maar ze wilde me niet laten nadenken. 'Ik had een vakantiehuisje gehuurd. Ik wilde dat Calum een fijne zomer zou hebben. Toen leerde ik Angus kennen.'

'Maar was Calums vader niet...?'

'Calums vader was getrouwd. Hij woonde in Italië.'

Mijn hoofd barstte uit elkaar van de inzichten, van het plotselinge licht dat erin begon te schijnen. Als zij het had geweten sinds ik op het eiland was aangekomen, sinds ik haar had gebeld uit de telefooncel; als het haar opzet was geweest dat Calum, toen ik uit wandelen ging en de mist kwam opzetten, ver uit de buurt moest zijn van elke plek waar hij me had kunnen helpen... Maar ze zat daar maar te praten (om welke reden dan ook, die ik daar ter plekke niet kon doorgronden, of dat nu kwam doordat ik er geen chocola van kon maken wist ik niet) dus ging ik verder – 'Woonde u toen bij uw familie?'

'Ik had het contact met mijn familie verloren.'

Wat zegt ze nou? Dat er geen contact zou moeten zijn tussen ouder en kind? Wil ze me waarschuwen? 'Hoezo dat?' flapte ik er uiteindelijk uit.

'Zij zouden Calum niet hebben geaccepteerd.'

Ik kon de boosaardige gloed weer in haar ogen zien, ze voerde iets in haar schild ze speelde met me ze wist dingen die ik niet wist, ik moest naar adem happen om mijn volgende vraag te stellen:'U bedoelt dat ze een buitenechtelijk kind niet goedkeurden?'

'Nee.' Ze keek me aan. Ik begon te blozen, mijn gezicht leek wel een oven, onmogelijk het te verbloemen. Ze moest weten dat ik het wist. Ze bleef me maar aankijken.'Ze keurden het niet goed. Voordat ik Calum kreeg had ik een dochtertje gehad.'

Mijn hart maakte een sprongetje in mijn ribbenkast, het benam me de adem.'Een dochtertje?'

'Mijn moeder was heel strikt in die dingen. Zij geloofde niet in seks voor het huwelijk.' Ze zei het met een soort huiverende sneer waarvan ik niet wist of die voor mij bedoeld was. Ze leek te wachten tot ik iets zou zeggen.

'Ik begrijp het.' Waarom kwam ze er niet mee op de proppen? Heel voorzichtig, omdat mijn lippen en tong dik en onhandelbaar waren geworden, moppelde ik: 'Woont uw dochter ook op het eiland?' Voor de draad ermee. Je weet wie ik ben – oké, laten we dan nu het gesprek hebben, laten we ophouden met dit stomme *spelletje*.

'Nee,' zei ze. 'Ze is gestorven.'

11. Een scherp mes

Er belde iemand aan. Het geluid echode door de hal en stierf weg, en toen klepperde wie het ook was met de brievenbus.

'Zal ik gaan?'

Mijn moeder knikte. Door het glas-in-loodraam kon ik twee hoofden zien; toen ik de deur opendeed zagen ze er onwaarschijnlijk uit: twee vrouwen van in de dertig, een dikke en een dunne. De dikke had een wijde slobberbroek en Doc Martens-laarzen aan. De dunne was helemaal in het zwart.

'Hallo,' zei de dikke. Zorgvuldig neutraal accent. 'Wij zijn op zoek naar Calum MacLeod.'

Nou, die jongen heeft zijn geheimen. 'Hij is niet thuis. Willen jullie zijn moeder spreken?'

Ze keken elkaar even aan en knikten, en ik noodde hen binnen. Ze liepen achter me aan door de hal naar mijn kamer, waar Phyllis nog steeds aan tafel zat. Ik was ervan uitgegaan dat ze hen zou kennen, maar ze bleven onhandig in de deuropening staan en deden een poging zich voor te stellen. Ik moest hen eerst naar binnen werken voordat ik zelf naar binnen kon.

'Ik ben Sally en dit is Ruby.' De dikke had de vriendelijk-praktische stijl die hoort bij de volleerde hoofdzuster die alle ins en outs kent, het soort stem van de middenklasse waar de intonatie uit is gehaald zodat hij vlak en ondramatisch klinkt. Er bestaat immers een type mens dat vreselijk vlak praat, alsof drama op zich een misdaad zou zijn en alles moet worden afgevlakt tot een basislijn, wellicht in het belang van de democratie.

Ze is overleden had ze gezegd. Ze – ik – is overleden.

De dikke voerde de hele tijd het woord. Ze gingen een vegetarisch eetcafé in het dorp openen. Ze waren op zoek naar biologisch verbouwde groenten. Iemand had hun verteld dat Calum MacLeod...

'Ja,' zei Phyllis. 'Hij zou jullie groenten kunnen leveren. Hij brengt ze altijd naar het postkantoor, maar hij zou ze ook direct aan jullie kunnen verkopen.'

'Dat zou fijn zijn,' zei Sally. 'Zou hij ze kunnen komen brengen?'

Phyllis knikte. De magere keek naar haar metgezel. Toen die haar mond opendeed leek elk woord zorgvuldig omgeven door een ruimte. Alsof ze eigenlijk iets heel ergs zei – obsceniteiten riep – en een geluidstechnicus zorgvuldig deze onschuldig lijkende woorden met haar lipbewegingen had gesynchroniseerd. Ze was volkomen krankjorem. 'Kweekt hij ook kruiden?'

'Ik kweek kruiden,' zei Phyllis. 'Achter het huis.' Ze wees door het raam.

'Dat is geweldig,' zei Sally.

'Mogen we even kijken?' vroeg Ruby zorgvuldig.

Phyllis hees zich overeind. Haar gezicht was minder bleek dan tevoren. Ze ging hen langzaam voor door de hal en ze lieten mij alleen.

Waarom zou ze me vertellen dat ik dood was? Ze manipuleerde de zaak naar een conclusie die ik niet kon doorgronden. Ze wilde me laten zien dat zij mij nog steeds een stap voor was. Ik dacht dat ik naar het eiland was gekomen om de controle over mijn leven terug te pakken van de vrouw die het had gesaboteerd. Maar ik vergiste me. Zij was nog steeds de auteur van mijn verhaal.

Het werd me duidelijk dat ik nóóit de controle had gehad. Ik had gedacht dat het mijn beslissing was om haar te gaan zoeken, om naar het eiland te komen. Maar was dat idee niet – net als alle andere ideeën in mijn leven – een reactie geweest op haar? Zij had een doolhof gebouwd en ik stommelde erin rond, elke keer dat ik een nieuwe bocht om ging dacht ik dat ik mijn eigen pad koos, maar zij was degene die het hele gesloten klotesysteem had bedacht, zij had me erin gevangen als een rat. Ik kon niets kiezen buiten wat zij voor me had bedacht omdat ik me dat niet eens kon *voorstellen*.

Ik dacht terug aan mijn reis naar het eiland. Mijn gereserveerde treinkaartje, de trein die ik had gemist. De storm waardoor de veerboten niet hadden kunnen uitvaren. Ze was dus toch niet onfeilbaar.

Ik ging op mijn drempel zitten kettingroken. Ik kon flarden van hun gesprek in de kruidentuin opvangen – de weldadige eigenschappen van thee van zwartebessenbladeren en teunisbloemolie, de geruststellende diepe klanken van de dikke, de door de geluidstechnicus gecontroleerde van de magere. Wat zou ze hebben gezegd als zij niet waren gekomen? Ze waren belachelijk, alsof opeens iemand de knop van een andere zender had ingedrukt, ze kwamen uit een ander programma. De zon scheen nog steeds stralend, als de hoofdverlichting van een toneeldecor. Stralend en vals. De kwestie van de storm lag ingewikkeld, je kon het op twee manieren zien. Ofwel ze had niet gewild dat ik haar vond, ze had dat niet in mijn hoofd geplant, maar ze was er desondanks wel van op de hoogte (tot in de kleinste details, de datum op mijn ticket), dus ze zorgde ervoor dat het toen ik aankwam stormde in de hoop dat het me zou ontmoedigen of dat ik erin zou verzuipen. Het enige detail dat ze niet had voorzien was dat ik de trein zou missen en een dag later dan gepland zou aankomen.

Ofwel ze had het idee van de zoektocht wél in mijn hoofd geplaatst, ze wilde dat ik haar vond, zodat ze me van dichtbij kon blijven kwellen in plaats van uit de verte zoals in vroegere jaren van mijn leven; en omdat ze me kende zoals ze me kende, als haar creatie, wíst ze dat ik mijn trein zou missen, en de storm diende alleen maar om mij duidelijk te maken wie de baas was, een dreiging waarvoor ik natuurlijk te blind en onwetend en te *zelfingenomen* was om er de eerste dagen überhaupt over na te denken, terwijl ik nog steeds glorieerde in de misvatting dat ik zelf had gekozen voor wat ik deed.

Op beide manieren had zij de touwtjes in handen. Zij had de touwtjes in handen en vertelde me dat ik dood was. Wat een dreiging of een belofte was, of – waarschijnlijker – allebei.

Goed. Nog maar één ding te doen. Haar vermoorden. Een einde aan de hele toestand maken – vanavond –, het gewoon doen. Niets is afgezaagder dan films waarin de schurk de held te pakken krijgt en dan zijn plannen gaat staan uitleggen, zijn levensgeschiedenis en zijn filosofie, terwijl de gevangene naar een manier zoekt om te ontsnappen. Het gewoon doen.

Ik bekeek het blad met bestek. Ik had me altijd voorgesteld dat ik zou gaan steken, maar er was geen mes bij dat zich daartoe leende. Een nieuw broodmes met kartels en een afgeronde punt – nutteloos; en een groentemesje met houten handvat dat ongeveer even scherp was als mijn tandenborstel. Ik knipte mijn Zwitserse zakmes open maar ik wist dat ik er niets aan zou hebben; het lemmet is maar vijf centimeter lang, het zou niet diep genoeg gaan. Het zou prima zijn voor de hals maar op andere plekken zou het geen vitale organen kunnen raken. Wat is de beste plek om iemand te steken? Is dat de reden dat messteken altijd *uitzinnige aanvallen* zijn – waarbij de arme moordenaar overal gaten prikt omdat hij wanhopig zoekt naar een plek die fataal is? Aan het zakmes had ik trouwens toch niets omdat het mijn eigendom was. Het moest iets zijn dat iedereen in het huis ter hand had kunnen nemen. Iets uit haar keuken.

Ik liep naar de binnendeur en legde mijn oor te luisteren. Diepe stilte. De groentevrouwen waren vertrokken, ik had op een goed moment Calums stem gehoord maar nu leek ook hij verdwenen. Ze was ziek – toen ik haar naar mijn kamer bracht was ze niet in staat geweest om zonder hulp te lopen. Haar blauwogige zoontje had haar zeker naar bed gebracht. Maar als hij nu eens in haar tv-kamer zat en zo meteen de hal door zou sluipen om een kop thee voor haar te zetten? Het stomme ouwe wijf.

Haar verstikken. Vanavond. Als ze eenmaal sliep zou het eenvoudig zijn. Een kussen op haar hoofd drukken en er met mijn volle gewicht op duwen. Ze zou een beetje tegenspartelen, maar ik was sterker. Kijk maar hoe makkelijk de Chief Jack Nicholson had laten stikken in *One Flew over the Cuckoo's Nest*. Fluitje van een cent.

Maar ik hield niet van het wachten dat daarbij te pas kwam. Dat ik daar dan op dat kussen moest staan blijven duwen. Zou het niet vreselijk jammer zijn als je dat vijf minuten volhield, het kussen weghaalde en vervolgens ontdekte dat ze je doodleuk lag aan te grijnzen? Met een mes bracht je tenminste duidelijke schade aan – een paar gaten prikken, het bloed laten stromen, en je hebt het voor mekaar.

Wurgen? Maar voordat ik daartoe kon overgaan zou ik dan eerst iets moeten hebben wat ik om haar hals kon slaan. En als ze nou wakker werd terwijl ik een sjaal om haar nek deed?

Ik zou haar van de trap kunnen duwen.

Hopeloos. En ze zou weten dat ik het had gedaan. Ze zou weg-kruipen met een gebroken enkel en mij er de schuld van geven.

Dat is de reden waarom er vuurwapens bestaan. Zodat je de klus naar behoren kunt klaren.

Ik kom weer uit bij een mes. Dat moet het worden. Ze verdient het – ik wil haar niet heel ik wil haar aan stukken gescheurd en gesneden, ik wil dat ze pijn heeft. Steken geeft haar de tijd om te beseffen wat er aan de hand is maar niet genoeg tijd om zich te verdedigen. Waarom zou ik haar zachtjes versmoren in haar slaap? Ze moet voelen dat ik haar doorboor.

Goed. Ik doe mijn deur open. Niets. Ik deed mijn gymschoenen uit en liep stilletjes naar de tv-kamer. De deur stond op een kier. Het was doodstil. Ik duwde hem iets verder open – de kamer was leeg. Mooi zo. Ze lag in bed. Ik ging terug langs mijn eigen deur naar de keuken. Die stomme deur zat dicht, toch? Potdicht. Ofwel ze was daar binnen, ofwel ze lag in bed. Goed. Als ze daar was zou ik iets komen lenen. Wat? Een mes.

Jazeker. Een scherp mes. Opeens zat ik er helemaal in. Kalm, soe-peltjes, ik weet waar ik mee bezig ben, ik ben niet bang van haar ik stijg op schiet omhoog glijd. Ik wil graag een scherp mes lenen om een vis schoon te maken. Mijn hand pakte de ronde deur-greep vast, maar die draaide niet. Ik veegde hem af aan mijn T-shirt en probeerde het nogmaals. De keuken was leeg.

Er was iets theatraal aan het druppelen; op tafel stond een omge-keerde kruk met een mousselinen doek tussen de poten gebon-den, die doorzakte onder het natte gewicht van een of ander smerig groen slijmerig goedje dat eruitzag als gekookte liguster. De vloeistof in de kom was helder en fel gifgroen.

Ik liep snel naar de kast; op het blad stonden een vijzel en stamper en zo'n precisieweegschaaltje als scheikundigen hebben. Er stond een hele rij bruine apothekersflessen zonder etiket, ik pakte er een tje op – er zat wit poeder in. Misschien was ze wel een drugsbaron. Opeens hoorde ik een gerucht achter me. Ik gaf bijna een gil. Ik draaide me nog net op tijd om om de staart van de grijze kat door het kattenluikje te zien verdwijnen. Ik had hem niet opgemerkt. Ik zette mezelf ertoe me langzaam weer naar de kast om te draaien, mijn handen tot vuisten gebald tegen het trillen. In de rechterla lucifers, kaarsen, pakjes zaad, thermometers, injectiespuiten, een oogdruppelaar, lancetten en doekjes. In de linker bestek. Goed. Ik haalde er een paar keukenmessen uit. Het ene was oud en zwaar en had een bevlekt lemmet, het was door het slijpen afgesleten tot een sikkelvorm. Ik drukte met mijn duim op de snijkant en dat liet een roestkleurige indruk achter. Het andere was klein en scherp, maar had eveneens een gebogen uiteinde. Moderne messenontwerpers staan niet aan de kant van mensen die ermee willen steken, of wel soms? Een gat in de markt, zou ik zeggen: mooi puntige messen. Er lag een messenslijper in de la – ik pakte hem op. Goed. Pak het mes en de messenslijper. Doe het vanavond.

Maar als ze nou opstond om thee te zetten en de messen miste?

Geen punt. Calum had ze kunnen lenen. Als ze zover kwam om te denken dat ik ze had weggepakt, had ze iets om zich zorgen over te maken. Goed. Ik sloot de la en ging terug naar mijn kamer. De eerste keer dat ik het mes door de slijper haalde klonk dat heel hard; ik zette de radio aan en sleep het mes bij 'Common People' van Pulp. Net als ik.

Toen ik klaar was was het vlijmscherp. Ik voelde eraan met mijn duim en haalde mijn huid open, er welde bloed op. Mooi. Het *zag eruit* als een moordwapen, het was groot en voorzien van een zwart heft en bevlekt, misschien was het al eens eerder voor een dergelijk karwei gebruikt. Ik legde het onder de rand van het kleed voor mijn bed.

★ ★ ★

De avond was lang en langzaam. De lucht was loodgrijs, ik keek toe hoe het donker werd. Ik had naar buiten kunnen gaan, maar ik wilde haar bewegingen horen. Ze ging twee keer naar de badkamer en om kwart over acht kwam ze naar beneden de keuken in en slofte daar ongeveer een uur rond. Ik rook toast en sterkere geuren van het ligustersap. Er klonk gerammel van vaatwerk. Haar kat kwam aanlopen en ging buiten op mijn vensterbank zitten, ik tikte tegen het glas om hem weg te jagen. Dat stomme beest, om mij te bespioneren. Uiteindelijk ging ze krakend de trap weer op. Ik wierp een blik in een paar boeken die ik had meegebracht maar ik kon niet lezen, ik wilde me niet door een verhaal mee laten slepen, ik moest mijn aandacht bij haar houden.

Het zou heel eenvoudig zijn. Wachten tot halftwaalf, als ze in haar eerste diepe slaap is; naar boven sluipen, naar binnen sluipen, bepalen waar haar nek was, toesteken. Diverse malen.

Maar als het nou te donker was om iets te zien? Ik had geen zaklantaarn. Ik wist niet hoe dik haar gordijnen waren, of ze het natuurlijke licht dat er nog was helemaal buitensloten.

Goed. Ik zou het licht in de badkamer boven aandoen. Niets aan. Ze was mager en broos, van een zuchtje wind zou ze al omvallen. Het was *simpel*.

Naderhand zou ik mijn vingerafdrukken met het beddengoed van de deurgreep vegen, het mes bij het lichaam laten liggen, naar de badkamer gaan, mijn handen wassen, het licht uitdoen en dan als een haas naar beneden. De voordeur van het slot doen en mijn vingerafdrukken eraf vegen en naar bed gaan.

Vrij en luchthartig. De slaap der gewrokenen slapen – niet te vroeg wakker worden bij de kwalijke geluiden van die slimme Calum die het lijk van zijn mammie ontdekt. Hem helpen te achterhalen wat er is gebeurd – deur opengelaten, moordenaar komt naar binnen – stap voor stap – moordenaar zoekt in de keukenla en vindt mes – moordenaar sluipt naar boven – enzovoort, tot: moordenaar maakt zich uit de voeten. Dat deed me eraan denken dat ik de messenslijper moest terugleggen in de keuken.

Motief? Ik wilde iets meepikken om een motief voor te wenden maar ik kon niet bedenken waar ik het verdomme moest laten. Buiten? Het gewoon naar buiten gooien alsof de moordenaar bang was geworden en het had laten vallen? Ik besloot het van het moment af te laten hangen. Ik wist niet eens wat ze daar boven allemaal voor spullen had. Als er een sieradenkistje op een toilettafel stond zou ik dat in een kussensloop kunnen stoppen en het mee de tuin in kunnen nemen. Het misschien in de greppel langs de weg donderen.

Negen minuten over elf. Ik ijsbeerde door mijn kamer en haalde diep adem; ik was een atleet voor een wedstrijd. Verloor alle waaroms of waarvoors nu uit het oog, alleen maar het karwei zelf, het goed doen, toeslaan in haar hals. Maar als het mes nou op tegenstand stuitte? Als ik een bot raakte – dat kon. Of erger nog: als het brak? Wat als het zo oud en dun was van het slijpen dat het vast kwam te zitten in een van haar taaie, touwachtige zenuwen, en brak? Ik stopte het Zwitserse zakmes in de zak van mijn spijkerbroek, voor het geval dat.

Kwart over elf. Het is een klus. Een klus die je moet zien te klaren. Je weet niet meer waarom, je moet het alleen maar voor elkaar zien te krijgen voordat er iets anders kan gebeuren, je moet het uit de weg ruimen.

En als ze nou wakker was?

Geen punt. Ze ligt op haar rug in bed, je hebt het voordeel van de verrassing. Gewoon op haar springen.

Zeventien minuten over elf. En als ze nou een wapen heeft?

Niet waarschijnlijk.

Wat als ze een alarm heeft?

Dan kun je het nog steeds doen en haar kamer uit zijn voordat er iemand naar het huis toe komt.

Zeven minuten voor halftwaalf. En wat als ze nou niet dood is?

Je moet ervoor zorgen dat ze dat wel is. Blijven doorgaan. Als het moet gewoon haar stomme kop van haar romp hakken.

Eén minuut voor halftwaalf. Waarom halftwaalf? Waarom niet twaalf uur? Of tussen drie en vier in de vroege ochtend, wanneer ieders energiepeil het laagst is? Om halfvier zou ze geen enkele tegenstand bieden.

Ja, maar mijn energiepeil is dan ook op z'n laagst. En ik blijf voor dat wijf niet de hele nacht op. Geen sprake van.

Goed. Vooruit met de geit. Mes in rechterhand – oefenen in neerwaartse steken. Beide handen om het heft voor standvastigheid en kracht. Goed. Open de deur – blote voeten door de hal – voetafdrukken! Terug de kamer in, deur dichtdoen, bedlampje aanknippen, sokken aantrekken. Deur openen, knielen, voetafdrukken wegvegen met handdoek. Tweede poging. De hal door en de trap op, langzaam, langzaam, ergens kraakt hier een tree – de vijfde. Nee, de zesde. Stap stap stap stap en verder omhoog. Goed. Het is donker hier boven. Terug over de overloop. Eerste deur rechts staat half open. Badkamer. Moet het licht aan? Ik tast met mijn linkerhand rond om aan het lichtkoordje te trekken, als ik geluid hoor. Ruisen en kraken. Een lichte plof. Een voetstap. Ze is op. Ze loopt naar haar slaapkamerdeur. Fuck fuck fuck fuck fuck. Ik trek me verder terug in de deuropening van de badkamer. Doe het als ze naar de deur komt. Bespring haar. Sla haar...

★ ★ ★

Ze komt de overloop op. *Langs* de deur. De trap af. *Shit.* Ik heb mijn slaapkamerdeur open laten staan. Verlamd blijf ik in de donkere deuropening staan wachten, hoor haar trage stappen bij het eind van de trap komen en de gang door naar de keuken drentelen. Halftwaalf 's nachts en zij gaat naar de keuken. Wat nu? Mijn deur staat open. Ze zal weten dat ik niet in mijn kamer ben. Dus zal ze naar me uitkijken. Mijn hart hamert mijn handen trillen. Nu teruggaan naar beneden, terwijl zij in de keuken is. Hier weg zien te komen. Ik dwing mezelf ertoe de donkere overloop op te gaan – er schijnt een beetje licht van de hallamp die ze heeft aangedaan. Ik dwing mezelf ertoe de trap af te gaan – de zesde tree kraakt – dwing mezelf langzamer te lopen en te tellen. Geluid van de keukendeur die opengaat. Ik steek het mes in mijn mouw en klem er mijn hand omheen. Beneden komen voordat zij... Ik tref haar op de onderste tree. Ze heeft een glas vuil gekleurde vloeistof in haar hand. Ze kijkt me aan en zegt niets.

'Ik... Ik hoorde iets... Ik geloof dat ik ergens wakker van ben geworden.' Ze gaat opzij zodat ik omlaag kan komen. Vervolgens gaat ze simpelweg naar boven, waarbij ze mij volkomen negeert. Ik sta in mijn donkere deuropening met het lemmet van het mes kietelend tegen mijn pols en zij sjouwt langzaam de trap op met haar rug naar me toe. Mij *tartend.* Ik glip mijn kamer binnen. Doe de deur dicht en draai hem op slot. Zak zachtjes neer op de grond. Laat mijn mouw los en laat het mes op het tapijt glijden. Er zit een kerf op mijn pols waar het in mijn huid heeft gesneden.

Ze wist precies wat ik van plan was.

Ik verstop het mes weer. Die stomme slijper stond nog op de tafel. Ik stop hem in een sok onder mijn kleren in de kast. Hij moet maar een andere keer terug naar de keuken. Het huis was doodstil – uiteraard. En zo zou het ook blijven tot ik zou besluiten nogmaals naar boven te gaan, als ze rechtop zittend op me zou wachten. Ik zou net zo goed kunnen roepen om te laten weten dat ik eraan kwam.

Ik sloeg mijn dekbed om me heen en ging op bed zitten. Goed, het is een duel. Ik tegen haar. Dit was een waarschuwingsschot.

12. Stierenrots

Ik sliep maar een paar uur, toen ging ik liggen nadenken en kijken hoe het licht werd. Toen ik opstond was het zonnig en helder, met een pasgewassen frisheid in de lucht en een lichtblauwe
hemel. De lucht was wijd en het land was klein; in het zuiden
kon ik de bergen van Skye zien, met een gazige sjaal van paarse
wolken om de toppen. Het was een opgeruimde, optimistische
ochtend, wat vrijwel onmiddellijk werd versterkt door een korte V van vijf ganzen die naar het zuiden vlogen. Een vinkje van
vogels. Een goed teken. Ik had de diepten van Calums kennis nog
niet gepeild. Ik zette koers naar zijn huis.

Hij was buiten in zijn tuin aan het spitten. Toen hij me zag,
grijnsde hij als een uitgesneden pompoengezicht. 'Kijk eens wat
ik gisteravond heb gevonden?' Zijn rugzak stond aan de rand van
een groentebed. Hij maakte hem open en haalde er een klein,
groezelig, plat voorwerp uit van een centimeter of tien lang.

'Wat is dat?' Het was streperig doordat er ribbels vuil op zaten.

'Een kam. Een vikingenkam.' Hij pakte hem weer van me aan en
wreef met zijn duim over de bovenkant. Onder het vuil was de
kam geelgrijs. Een paar van de tanden waren afgebroken.

'Vikingen? Hoe weet je dat?'

Hij knikte, erg met zichzelf ingenomen. 'V-van mijn vader.'

130

'Je zou hem moeten schoonmaken, dan kun je zien...'

Hij besteedde geen aandacht aan me, maar stopte het ding weer in zijn rugzak en hees die op zijn rug. 'Schat,' zei hij. Zijn slechte oog keek naar rechts, naar de lucht, maar met zijn goede keek hij me recht aan. 'Ik ga lijsterbessen plukken voor mijn moeder. G-ga je mee?'

'Waar dan?'

'Durris. Het is eb, we kunnen oversteken.'

'Goed.' Hoe zou ik haar te slim af kunnen zijn? Hoe kon ik haar bij verrassing overvallen?

Hij legde zijn hark weg, pakte zijn stok en we sloegen het pad in. We spraken erover dat een vikingenkam – als dat het was, wat ik betwijfelde – iets heel ouds was en dat hij hem misschien naar een museum kon brengen. Bleek dat hij niet wist wat een museum was. Wat wel iets zei over het beschavingspeil van zijn moeder. Toen ik het uitlegde werd hij heel enthousiast.

'Maar hoe kan het nou dat je nog nooit naar een museum bent geweest? Is er soms geen museum op Skye?'

'Ik kan het eiland niet af.'

'Hoezo niet?'

'Het is g-gevaarlijk.'

'Hoezo?'

Daar had hij geen antwoord op.

'Gaat *zij* er wel eens af?'

'Naar het ziekenhuis. Soms.'

'Wanneer ben jij voor het laatst op het vasteland geweest?'

Hij dacht een poosje zwijgend na. 'Grote school toen ik elf was, een w-week.'

'Een week! Wat gebeurde er daarna?'

'Mijn moeder – zij gaf me les.'

'Waarom liet ze je niet meer naar school gaan?'

Hij grijnsde. 'Hoofd in de wolken Calum. Hoofd in de wolken.' Hij begon met zijn laars naar iets te graven dat op het pad lag. Vervolgens knielde hij neer, maakte zijn rugzak open en haalde er een plantenschepje uit. Hij krabbelde een poosje naar iets op het pad, stak het blad van zijn schepje eronder en wrikte een vuistgrote kei omhoog.

'Wat is dat?'

Hij draaide hem om en inspecteerde hem. 'Dacht dat het een fossiel was.' Hij kwam overeind en gooide de steen naar de zee.

Uiteindelijk waren we langs de Flessenhals gekomen, de smalle punt van het eiland, en Calum wees naar de Tafelrots. Het leek een laag, smal geval, ik kon niet geloven dat de vloed er niet overheen zou komen. We liepen verder en het pad voerde ons weer dichter naar het zeeniveau. Het land links van ons was vlak en dor. Het was een vreemde kale plek, met bleke rotsen die zich in grote platte vlakken zo lang als een voetbalveld of nog verder uitstrekten voor ze bij de zee kwamen. Op zee kon ik in de verte een rotsachtig eiland ontwaren, heel steil en hoog oprijzend.

'Bidplek,' zei Calum. Hij ging het pad af en liep over het korte gras tot hij bij de kale rots kwam. Het leek wel plaveisel. 'Hier kwamen ze samen om te bidden. Voordat er een kerk was.'

Het was er verdomde naargeestig.

'Daar was het k-klooster.'

'Dáár?'

Hij wees naar de verre rotsen. 'Je kunt de r-ruïne van de muur nog zien.'

Dat was waar. Wat ik had aangezien voor een steile rots was in werkelijkheid een hoge zwartstenen muur. Op de uit zee stekende rots hadden ze een bouwsel neergezet, het klooster had als een aalscholver op het randje gezeten. 'En kwamen ze hierheen om de eilanders te bekeren?'

Hij schudde zijn hoofd. 'Je kunt er niet op of af. Alleen bij eb. Soms w-wekenlang niet. Daarom hebben ze het daar ook gebouwd.'

Dus ze konden er niet op of af. Zal best. We liepen naar de rand van de platte stenen. De zee was kalm maar onder aan de rots van het klooster hing een bruisende witte nevel.

'Mensen kwamen hier op zondag naartoe voor de mis.' Hij knielde neer op de rots die uitkeek op zee, een belachelijk gezicht met zijn rugzak nog op zijn rug. Het klooster lag ruim een halve kilometer verderop.

'Daar zouden ze toch niets van kunnen verstaan?'

Hij verroerde zich niet.

'De monniken konden de eilanders niet zien en de eilanders

konden de monniken niet horen, en ze zongen wel samen de mis?'

De Grote Bron van Kennis van de Eilandgeschiedenis knikte. Je ziet het al voor je, nietwaar: vrome inboorlingen die hun gebeden mompelen terwijl aan de andere kant van het water monniken met hun blote kloten vunzige liedjes zingen en zich bezeiken van het lachen. Calum leek, als een echte zoon van het eiland, te bidden, dus ik liet hem zijn gang gaan en dwaalde over de natuurlijke bestrating. Zou het niet fijn zijn om Calum te zijn? Om te kunnen geloven dat de mensen hier bij het laatste klokgelui allemaal gezellig bij elkaar kwamen, hun hoofd vol met het gezang van de monniken dat over de golven aan kwam drijven? Ze konden hun gezichten niet zien en konden hun stemmen niet horen, maar toch bleven ze precies synchroon. Wat heerlijk om zo simpel te zijn.

Toen hij me had ingehaald liepen we zwijgend verder, naar het noorden. Het werd nog veel naargeestiger: alleen maar rotsen met hier en daar een polletje gras, geen bomen of struiken. De rots was nu zwart, hij stak nat en slijmerig op uit de zee, overdekt met slierten zeewier als met vet platgestreken sprieten haar op een kale kop. Als het vloed was, moest hij wel helemaal onder water staan. We volgden niet langer een spoor we zochten ons een weg over glibberige zwarte rotsen met poelen water in de gaten en weerzinwekkende rode plekken van iets wat eruitzag als rauwe lever. Twee keer struikelde ik bijna, het was stompzinnig gevaarlijk.

'De k-kinderen moesten hieroverheen om bij school te komen.'

'Hebben hier mensen gewoond?' Het leek geen aanbevelenswaardige plek, tenzij je een vogel was. Of een homp rauwe lever.

'Zes gezinnen. Ze wilden dat er een brug kwam maar... Als de school uit was en het was vloed moesten ze gewoon wachten.'

Het spoor ging steil omhoog naar het laatste stuk van het eiland, een grazige richel op. Van bovenaf keek je neer op een ruime vallei, waar de ruïnes van een paar huisjes stonden, en drie bomen vol felrode bessen. De daken van de huisjes waren verdwenen maar de muren en lateien en deurstijlen waren er nog.

'Zie je?' Hij kwam naast me staan en keek ook omlaag. Je zou nooit hebben geweten dat ze daar waren als je niet op de verste richel was geklommen.

'Het is net een fort.' Hij holde de helling af naar de dichtstbijzijnde ruïne, liep eromheen en klopte op de bovenkant van de muur. Ik sloeg hem gade. Hij ging naar de volgende en deed daar hetzelfde, als een bijgelovig kind dat op weg van school naar huis tegen hekken tikt die geluk moeten brengen of blaadjes van heggen af trekt. Hij werkte ze allemaal af, met die rotsvaste overtuiging die je altijd bij gekken ziet. Toen bukte hij zich, deed zijn rugzak af en begon aan iets op de grond te krabben. Ik liep naar hem toe.

'Wat heb je daar?'

'Deel van een sch-schaal. Kijk.' Hij hield het omhoog alsof het de kroonjuwelen waren. Het was de zoveelste scherf blauw aardewerk. Hij veegde het vuil er zorgvuldig met zijn vingers af en stopte hem toen in zijn rugzak. Vervolgens begon hij aan iets dat eronder lag.

'Hoe lang blijft dit pad onder water als het vloed is?'

'We kunnen hier nog een uur of twee blijven.' Hij stak zijn schepje onder de rand van het voorwerp en viste een stuk oud metaal op, dat eruitzag als de achterkant van een wekker. Hij deed het in zijn rugzak en kwam overeind. 'K-kom mee naar de Stierenrots kijken.'

* * *

We doorkruisten de vallei en klommen aan de andere kant omhoog. Toen we bovenaan kwamen, blies de wind ons in het gezicht. De lucht was betrokken maar het was nog steeds helder, bijna alsof de zee licht gaf. Voor ons uit groeide rietachtig gras en kale rotsen liepen door tot aan de zee beneden. Aan de horizon zag ik de nevelige omtrekken van twee lage eilanden. Opeens kreeg je een echt gevoel van ruimte. 'Stierenrots!' Hij wees naar een bultige zwarte rots in het zilvergrijze water, vlak voor de kust. Ernaast lagen twee kleinere.

Calum ging zitten en klopte op het gras; hij haalde zijn thermoskan uit zijn rugzak. Ik rolde voor ons allebei een shagje. Ik zou alles wat er over haar maar te weten viel achterhalen. Ik zou haar zwakke plek opsporen. 'Je moeder maakte zich gisteravond erge zorgen om je.'

Hij staarde naar de Stierenrots. 'Ze maakt zich altijd zorgen.'

'Hoe bedoel je?'

Voorzichtig schonk hij thee in en hij gaf het bekertje aan mij. 'Zij wil dat ik thuisblijf. Z-ze zei ga het houtwerk schilderen maar dat is helemaal niet nodig.'

'Je gaat er elke dag langs, hè?'

'Om te eten. Ik g-ga er elke dag heen.' Hij had een steen in zijn hand en begon ermee op een pol gras te slaan – bam bam bam. 'Een keer toen het mistte pakte ze mijn laarzen weg.'

'Je laarzen?'

'Ik ging op mijn sokken terug naar mijn huis en pakte twee laarzen van de stapel. Ze waren stijf van het zout, ik kreeg h-heel erge blaren.' Hij bleef maar op het kapotte gras slaan, terwijl hij gelukzalig in zichzelf grijnsde.

Zozo, Calum de rebelse tiener. Calum de woeste vernieler. De wind die ons vanuit zee in het gezicht blies was warm en zacht, hij maakte golven op het rietgras als een haardroger. Ik nipte van mijn naar plastic smakende thee en de akelige gedachte dat zij op de hoogte was raakte op de achtergrond. Oké, ze wist dat ik haar dochter was. Oké, ze speelde spelletjes met me. Maar als ze zich aan Calum kon ergeren, was ze geen *god*. Er was geen reden waarom ik niet de overhand over haar zou kunnen krijgen, en behoorlijk snel ook.

'Weet je hoe het zit met de Stierenrots?'

Natuurlijk, iedereen kent dat verhaal al bij zijn geboorte. 'Nee, Calum.'

'Ernaast ligt de Koe. En het Kalf.'

'Wat leuk.'

Deze woorden werden met stilte ontvangen. De rots leek inderdaad wel wat op een stier, met zijn zware gebogen schouders en een taps toelopend achterlijf.

'Ga verder, Calum, vertel het me maar.'

'Ooit was het een stier. Hij was van een heks die hier woonde.' Lange stilte; rondom de zwarte Stier rees en daalde de zee loom aan het oppervlak, dat niet werd doorbroken – een luie zee van kwik.

'Ga door.'

'Op het v-vasteland was een koning en hij was de vader van een tweeling maar ze waren... Hun moeder was zijn zuster. Het was verkeerd. Er waren stormen, de oogsten mislukten allemaal en er werden geen v-vissen gevangen. De mensen van zijn land wer-

den mager en arm en kregen honger. Toen kwamen zijn raadslieden bij elkaar en ze zeiden dat de zondige tweeling g-gedood
moest worden.'

Alweer incest. Nee. Er is van incest nog geen sprake geweest. Er
vond overspel plaats bij de Tafelrots, maar geen incest. En een
baby erbij naar behoefte. Nu waren er twee. Als Angus mijn vader
was geweest zou hij míj verhalen hebben verteld. Ik vind het leuk
als je de omtrekken van een verhaal kent, als de eerste paar zinnen een schets in de lucht lijken aan te geven, die geleidelijk aan
wordt ingevuld. Ik was bang dat Calum misschien iets zou over-
slaan.

'De moeder van de tweeling verstopte zich met hen, ze legde hen
in haar bed zodat ze veilig waren. Maar de raadslieden bonsden
op de deur en haalden alles overhoop om de baby's te vinden, en
ze grepen de eerste en gooiden hem zo het vuur in. Toen gingen
ze de andere zoeken maar een goede man – ' Calum zweeg even,
'die een... een...'

'Tovenaar was?'

'Druïde. Die zei dat hij de baby mee zou nemen naar een ander
land en dat de vloek dan werd opgeheven. En dat deed hij. Hij
bracht hem hiernaartoe. Hier, naar dit strand, en hij gaf hem aan
een oude heks die op de hele wereld niets anders bezat dan haar
aardappelveldje en drie stuks wit vee, de stier, de koe en het kalf.'
Hij praatte een paar zinnen van zijn vader na, als iemand die zich
over ruw terrein heen werkt en opeens op een veelbetreden en
bekend pad uitkomt. Je kon de andere stem door de zijne heen
horen komen. 'En zij beloofde hem dat ze voor de jongen zou
zorgen alsof het haar eigen kind was. Dus de volgende dag zette
ze hem op de rug van haar grote witte stier en leidde de stier de
zee in om de jongen te w-wassen. En een jaar lang deed ze dat
elke dag: de baby op de rug van de stier zetten en hem baden in
de zee. En precies op de dag dat er een heel jaar om was werd de

stier zwart – pikzwart – en ging hij er in zijn eentje vandoor de zee in. En de jongen werd groot en sterk en slim, zonder dat hij ook maar ergens een vlekje had, zodat ze hem op een goede dag vanaf het vasteland kwamen halen om daarheen te gaan en koning te worden.'

'Wat een stierlijk vervelend verhaal. Stier-lijk.'

Calum had woordspelingen niet snel door. Hij zei: 'Watte?'

'Waarom zou de stier het vuil moeten krijgen?'

'Het is een dier.' Hij draaide het bekertje weer op de thermoskan en kwam overeind. 'De lijsterbes.'

Die was ik vergeten. 'Hebben we daar nog tijd voor?'

'Het is zo geplukt.' Hij liep weer omlaag naar de vervallen huisjes. Alle drie de bomen waren onvolgroeid en misvormd, met takken die naar het vasteland wezen. Calum gaf me een plastic tas uit zijn rugzak aan en begon de schermen rode besjes van een boom te trekken.

'Waar dienen ze voor? Ze zien er giftig uit.' Ik begon ook te plukken.

'Ze maakt er jam van. Goed voor je.'

'Hoe weet ze dat?'

'Z-ze kent alle planten. Ze kan alles maken.'

'Medicijnen, bedoel je?'

'Goede en s-slechte.'

Ja hoor, Calum. 'Wat heb je nou aan slechte medicijnen?'

Hij schudde raadselachtig zijn hoofd. 'N-niet aankomen Calum, daar kun je dood van gaan.'

'Ze probeert je alleen maar bang te maken.'

'N-nee.' Hij was zo verontwaardigd dat hij ophield met plukken en me aankeek, zijn zak bungelend in zijn linkerhand. 'Ze heeft s-speciaal medicijn gemaakt voor mijn aanvallen.'

'Aanvallen?'

Hij knikte. 'Ik had bijna elke maand a-aanvallen, ze heeft een speciaal medicijn gemaakt van Canadese den.'

'O ja? Ben je daar beter van geworden?'

Hij knikte gewichtig en ging verder met plukken. 'Als je er te veel van drinkt ga je dood.'

Ik herinnerde me de oogdruppelaar en het schoteltje dode bladeren. 'Maakt ze ook medicijnen voor andere mensen?'

'Ja. Ze weet alles.'

Helaas was dat waar. Maar zou gif minder voorspelbaar zijn dan dat ik met mijn mes achter de badkamerdeur zou staan? Ik dacht weer aan wat ik hem had willen vragen. 'Calum, krijgt je moeder vaak bezoek?'

'Nee.'

'Nooit?'

Hij snoof. 'Alleen ik.' Alleen hij. De rest van de tijd was ze alleen.

Dus zelfs als het me een tijdje kostte om korte metten met haar te maken, kon ze geen hulp verwachten.

De bessen lieten met groepjes tegelijk los. 'Is het niet erg dat de steeltjes er nog aan zitten?'

'Ze z-zeeft ze.' We werkten een poosje zwijgend verder en toen zei hij triomfantelijk: 'Snap je? Ze weet wat de goede en wat de s-slechte zijn.'

'Waar heb je het over?'

'Het gif in de zaadjes. Snap je? Ze heeft het me verteld.' Hij kwam naar me toe met wat bessen in zijn hand, fijngedrukt tussen een groezelige duim en wijsvinger om me de gele zaadjes die erin zaten te laten zien. 'Ze kookt ze, dan z-zeeft ze het en blijven alle zaadjes achter in de zeef.'

'Zijn de zaadjes giftig?'

'Ja. Het is t-tijd om te gaan.'

Hoe zou ik haar zover kunnen krijgen dat ze een heleboel lijsterbeszaad zou eten? Niet bepaald makkelijk om dat ergens in te verstoppen.

We gingen met natte voeten terug naar Aysaar, het begon al vloed te worden. Ik dacht na over vergif. 'Bewaart ze het in de keuken?'

'Wat?'

'Jouw speciale medicijn. Canadese den.'

'Op de b-bovenste plank in de bijkeuken.'

'Hoeveel geeft ze je ervan?'

'Met een klein beetje doe je heel lang,' zei hij op opzegtoon, als een pratende parkiet.

'Hoeveel, Calum?'

'Een halve theelepel per week.'

Waarschijnlijk was hij over zijn aanvallen heen gegroeid. Kruidenmiddeltjes – wat een onzin. Maar er zou niet veel voor nodig zijn om haar uit de weg te ruimen. Ze had er gisteren al halfdood uitgezien toen ik haar van de schuur naar binnen bracht. Opeens herinnerde ik me dat ze haar medicijnfles van me had aangepakt, de dop had losgedraaid zonder ook maar even te kijken – hem aan haar lippen had gezet en haar hoofd achterover had gebogen. Zoals een alcoholist zijn drank naar binnen giet.

Het werd me op een presenteerblaadje aangereikt wat me te doen stond. Nu kwamen we ergens.

Calum ging haar de lijsterbesbessen brengen. Ik ging in mijn kamer zitten lezen. Ik begon in *A Thousand Acres* van Jane Smiley; ik ging er helemaal in op, tot ik merkte dat ik trilde van de honger. Ik maakte een paar boterhammen en spitste mijn oren of ik bij de ouwe koe beweging hoorde. Ze was in de keuken, haar radio stond aan – en toen ik de buitendeur opendeed om een sigaret te roken lag haar kat languit op de drempel alsof het huis van hem was. Ik gaf hem een schop en bleef er een paar uur zitten tot het te donker was geworden om te lezen. Om tien uur had ik het boek uit, waarna ik een poosje ijsbeerde en naar haar luisterde. Om tien voor halfelf kroop ze naar de keuken, om één minuut over half deed ze het licht in de hal uit en ging krakend de trap op.

Ik kon maar beter meteen naar de keuken gaan – misschien maakte ze er wel een gewoonte van om om halftwaalf op te staan. Ik wachtte tot ze klaar was in de badkamer boven en ik haar slaapkamerdeur dicht hoorde gaan, waarna ik snel naar de keuken ging. Ik deed het licht aan en sloot de deur. Haar medicijnfles stond op zijn plek boven het aanrecht, en de deur van de bijkeuken stond een paar centimeter open. Op de bovenste twee planken stonden rijen flessen; ik haalde een stoel en ging erop staan om ze beter te kunnen zien. Calum had helemaal gelijk. Op de bovenste plank zag ik in de hoek vier flessen met het opschrift CONIUM MACULATUM CANADESE DEN/VOORZICHTIG. Ik pakte de achterste en liep naar het aanrecht. Doorgaan nu, niet nadenken, gewoon doen. Haar eigen medicijnfles was halfvol. Ik goot de inhoud door de gootsteen en vulde de fles tot hetzelfde peil uit de fles met Canadese den. Ik zette haar medicijnfles weer op zijn plek en borg de fles met Canadese den achter de andere in de bijkeuken. Zette de stoel weg en deed de deur van de bijkeuken dicht. Het goedje dat ik door de gootsteen had gespoeld gaf een vieze lucht af – ik liep terug om de kraan open te draaien en herinnerde me nog net op tijd hoeveel lawaai de leidingen maakten. Goot de ketel leeg om het medicijn weg te spoelen, en was al met al binnen tien minuten weer terug op mijn kamer.

Mooi.

Ik bleef een poosje achter de deur staan luisteren, maar het was doodstil. Ze zou wel helderziend moeten zijn om te weten wat ik had gedaan. Wat ze misschien ook wel was, maar aan de andere kant: als ze niet aan haar medicijn dacht voordat ze het nodig had, als ze het niet nodig had totdat ze er zo beroerd aan toe was als ze gisteren was geweest – dan was er geen enkele reden waarom ze niet eerst een halve fles Canadese den naar binnen zou gieten voordat ze in de gaten kreeg wat ze deed.

Ik voelde me goed. Ik maakte me klaar om te gaan slapen.

13. Enthousiastelingen

Ik viel al snel in slaap en werd om twee uur met een schok wakker. Ik kreeg opeens een voorgevoel dat ze naar mijn kamer zou komen om mij te vermoorden. Ze had natuurlijk reservesleutels van allebei mijn deuren. Op de buitendeur zat een grendel, die ik ervoor deed. Ik liet allebei de sleutels in het slot zitten, half omgedraaid zodat je er van de andere kant geen sleutel in zou kunnen steken. En ik schoof de grote fauteuil voor de deur naar de hal. Midden in de nacht deuren blokkeren en luisteren of je voetstappen hoorde leek op Angst hebben, maar Angst geldt het onbekende. Terwijl ik me nu alleen maar tegen haar indekte. Ik wist wie ze was en hoe ze eruitzag, had haar magere armen en benen gezien, haar gerimpelde handen, haar glinsterende wetende ogen. Een gevecht zou makkelijk zijn zolang ik erop voorbereid was; het enige waar ik voor moest oppassen was dat ze me zou overvallen. (En een deel van me wist wel dat ze me niet *zelf* zou aanvallen; ze zou er wel voor zorgen dat er iets anders gebeurde, iets waardoor het mijn eigen schuld zou lijken, zoals wanneer ik per ongeluk van een klif zou storten of werd overreden door de tractor van het eiland.) Maar toch voelde het goed om me in mijn kamer te barricaderen. Toen ik daarmee klaar was viel ik weer in slaap. Ik lag niet langer met gespitste oren wakker.

's Ochtends regende het pijpenstelen. Ik lag een hele poos in de schemering in bed te luisteren naar de druppels die tegen het raam tikten en lette op of ik haar hoorde. Ik hoorde de trap niet kraken. Uiteindelijk stond ik op en zette de badkraan aan, wat me het excuus gaf om een paar keer door de hal op en neer te lopen. Ze was niet op. Het was koud en donker, alsof de nacht vergeten was op te houden, maar het was al negen uur 's ochtends. Waarom was ze niet op? Was het mogelijk dat ze 's nachts al wakker was geworden omdat ze zich niet lekker voelde, dat ze naar beneden was gestommeld, naar de keuken, haar fles met medicijn had gepakt en die naar binnen had gegoten? Ik liep naar de keukendeur en luisterde. Niets.

Ik moest geduld hebben tot Calum kwam. Het zou al te makkelijk zijn als ze al dood was. Veel te makkelijk. Ik sloot mezelf op in de badkamer.

Het is een ouderwetse kuip van wit email, heel diep en met gele vlekken van de druppelende kraan. Stel je voor dat je altijd in hetzelfde bad zou baden. Stel je voor dat je in je hele jeugd de vorm van één bad zou kennen. Het houten handdoekenrekje stond een beetje wankel op zijn poten, donkergroen geverfd; de wastafel met de ouderwetse lampetkan en -kom; de tandenborstelbeker van gewolkt en broos oud plastic. De grote witte handdoek, kriebelig van het wassen en drogen aan de lijn, aan één kant gerafeld waar de zoom los was gegaan. Een krullerig 'PM' in roze in een hoek geborduurd. Stel je voor om dingen *op te gebruiken*. Of dat je spullen zou hebben die niemand nog heeft gebruikt. Stel je de levensduur van een bezitting als een handdoek voor. Zou ze ze gekregen hebben als huwelijkscadeau? Alle flessen en potten en tubes op de plank waren van haar of van Calum; het waren geen restjes van mensen die vorige maand waren verhuisd en die ze alweer waren vergeten. Niemand anders zou haar parfum gebruiken (ik gebruikte het), ze zou het mooie flesje badschuim in het zicht laten staan (een kerstcadeautje van Calum?). Stel je voor dat je een badkamer zou schoonmaken en tegen jezelf zou zeggen: 'Mijn badkamer ziet er mooi en glanzend uit.'

Na mijn bad stak ik het vuur aan. Het huis voelde verlaten. Het begon me onmogelijk voor te komen dat ze echt dood zou kunnen zijn. Ik ijsbeerde door mijn kamer terwijl ik wachtte tot

Calum kwam eten. Ik kon niets doen voordat hij haar had gevonden. De minuten kropen voorbij.

Hij kwam om twaalf uur en ging naar de keuken; na een poosje sjokte hij naar boven. En toen hoorde ik haar stem – ze leefde. Een gebrom dat heel snel luider werd tot ze tegen hem schreeuwde. Zijn antwoorden klonken laag en rommelend. Ik legde mijn oor tegen de muur, tegen de leiding – opende de deur en stak mijn hoofd naar buiten –, het was nog steeds moeilijk te verstaan. Had ze de Canadese den ontdekt? Gaf zij hem de schuld? Er volgde een lange, diepe uitbarsting van Calum en toen een harde klap. Ik hoorde hem de trap af bonken. Ik trok mijn eigen deur open en gebaarde hem binnen te komen.

'Wat is er aan de hand?'

Hij haalde zijn schouders op. 'Ze is kwaad.'

Goeie hemel, ja. 'Waarover?'

Maar hij had mijn oorbellen op de schoorsteenmantel zien liggen, pakte ze op, tuurde ernaar en draaide ze om en om om ze te inspecteren. Hij liet er een vallen en zocht er een poosje naar in de haard.

'*Calum.*'

'Ze is gewoon kwaad.'

'Heeft ze iets genomen... iets wat ze niet zou moeten innemen?'

Hij keek me merkwaardig aan.

'Wat mankeert haar in vredesnaam?'

Hij keek even naar de binnendeur alsof hij dacht dat ze ons zou

146

kunnen verstaan. 'Kanker.' Ik had niet verwacht dat hij dat zou zeggen. Hij wachtte een paar seconden en vervolgde toen: 'En ze heeft altijd... Z-ze...'

'Ja?'

Hij keek weer naar de deur. 'Laat maar.'

'Ze ligt op bed.'

'We m-moeten naar buiten.'

'Het regent dat het giet.'

Hij gaf geen antwoord, liep alleen weer naar de deuropening.

'Ik heb geen zin om naar buiten te gaan.'

'Kunnen hier niet praten.' Hij dacht dat het mogelijk was aan haar invloed te ontsnappen door afstand tussen haar en hemzelf te scheppen. Ik kwam in de verleiding om hem te vertellen op welke afstand ik mijn leven had doorgebracht en dat haar klauwafdrukken desondanks overal in zaten. Ik trok mijn jasje aan en ging achter hem aan, maar hij bleef staan toen ik de deur op slot deed.

'Regenjas?'

'Dit is het enige wat ik heb.'

'Ik heb er n-nog een bij mij thuis.' Hij ging voorop; bij de hoek van de tuin deed iets me achteromkijken. Voor het raam op de bovenverdieping bewoog iets. Ze sloeg ons vanuit haar slaapkamer gade. Keek waar we heen gingen.

Ik liep achter Calum aan. Zijn haar zat in de war, met een platte plek waar hij erop had geslapen, als bij een kind van drie. 'Kijk, de regen stopt.'

'Waar is ze kwaad over?'

'Z-ze vond het niet leuk dat ik ging verhuizen.'

'En verder?'

'H-het was mijn fout. Ik had het niet tegen haar gezegd.' Ik liep achter hem aan naar zijn huisje. Etenswaren, kleren, bergen rommel uit de zee, zakken aardappelen en uien, modder, vuile vaat, vodden; op de tafel een berg stenen die leken op de stenen op de plank boven mijn bed, en een pakje vishaken en een heleboel vislijn en een schepje en overal gebruikte mokken. Hij wist precies waar de regenjas was; hij pakte een kartonnen doos vol oude mestzakken van een stoel in de hoek, begraven onder een paar dekenachtige lappen die over de stoel lagen. De doos was groen en blauw met een etiket STORM erop, hij zag er keurig uit.

'Die heb ik afgelopen z-zomer gevonden. Te kort. Neem jij hem maar.' Er stond een grote emmer vol as aan één kant van de haard, en aan de andere kant een stapel drijfhout. Niet in kant-en-klare stukken gehakt, zoals bij zijn moeder thuis, maar in grote hompen waar je je mee naar de haard zou moeten worstelen. Op de koude as op de stookplaat lag een zootje dorre oude kranten. Hij zag me ernaar kijken en grijnsde.

'V-vijf vissen vanochtend.' Naast de stoel die bij de haard stond lag een theekastje ondersteboven, met daarop een vuil kopje bord mes vork, een half brood en een bakje Flora, een pot met messen en voorwerpen van metaal erin, die, nam ik aan, waarschijnlijk verband hielden met vissen. Er lag een geopend blikje metaalpoets en een berg van dat roze bijbehorende poetsspul, een schoteltje vol knopen, een vuile kam, een bergje door de zee gladgeschuurde kiezels en schelpen, lucifers, twee aanstekers, het klokhuis van een appel en een zaadcatalogus.

Hij was klaar om te gaan, hij liep naar de deur. Ik voelde opeens een golf van heimwee naar mijn kamer, mijn eerste echte kamer, de kamer waar ik toen ik zeventien was zo'n zwijnenstal van had gemaakt. Ik herinnerde me hoe het daar had geroken en hoe het eruit had gezien: zo volgepropt met spullen overal dat het wel mijn nest leek, mijn buitenbekleding. Ik ben nadien nooit meer zo met een kamer omgegaan. Sinds dat stomme wijf opruiming had gehouden. Ik heb sindsdien ook nooit meer zo'n kamer *gezien*; o ja, ik heb in allerlei soorten smerige, onopgeruimde hokken gewoond, maar die waren zo geworden door vandalisme of uit verlangen iemands spullen overhoop te gooien, of omdat de kamer van niemand was (zitkamers in huizen met meerdere bewoners, smerige zielloze zwijnenstallen); niet doordat er dag en nacht iemand woonde en geleidelijk aan lagen van mooie of nuttige dingen verzamelde waarvan hij precies weet waar ze liggen en waar verder niemand binnenkomt of zegt dat je het moet veranderen en je kunt de sigarettenaansteker of de pen of het mes zó vinden en je bent er zo thuis als in je eigen vel je eigen hoofd je eigen ronde ingerichte wereld.

'Ik vind je kamer mooi.'

Hij keek om zich heen. 'Zij komt hier niet. Ze... Ze zei vroeger altijd dat ik moest opruimen.'

Dat kon ik me goed voorstellen. Alles in laden gepropt. De stofzuiger die bonkte in de kille hal voor mijn deur. 'Laten we gaan.'

'Ik zal je laten zien waar de b-boot binnenkwam om ze weg te halen.'

'Ze?'

'De pachters. Om het land vrij te maken voor schapen en herten.'

Ik was hier niet voor een lesje geschiedenis. Elke kant die we op gingen, zou goed zijn. We zetten koers naar het noorden en sloegen toen af naar rechts langs een onverhard pad dat steeg en langs de onderkant van de berg liep; de top ging schuil achter wolken.

'Ik neem je mee daarnaartoe als het b-beter weer is.'

Het pad was voor mij al steil en ruig genoeg. Ik had er moeite mee hem bij te houden. 'Je was aan het vertellen. Had je haar niet gezegd wanneer je ging verhuizen?'

'Ik wist dat ze zou proberen me tegen te houden en ik... ik...'

'Wat zei ze dan?'

'Ze probeerde zichzelf dood te maken.'

Ik bleef staan en hij bleef staan, en keek me met zijn goede oog aan. We gingen op een afgebrokkeld stenen muurtje zitten en ik rolde twee shagjes. De regen was weggetrokken, maar het waaide stevig. 'Hoe dat zo?'

'Z-ze wilde niet dat ik ging verhuizen.'

Ik was onder de indruk van zijn harteloosheid. Maar het sloeg nergens op. Waarom zou ze proberen zelfmoord te plegen? Als ze daarin was geslaagd, zou ze uiteraard mijn plannen hebben doorkruist, maar het leek wel erg vergezocht dat ze dat zou doen om mij te dwarsbomen. Het zou heel amusant zijn geweest, denk ik, om zich voor te stellen dat ik tijd en moeite deed om haar te volgen tot op het eiland, alleen maar om te ontdekken dat ze zichzelf om zeep had gebracht. Daar had ze zich rot om kunnen lachen. Als ze niet dood was geweest. Maar ze was niet dood. Wat betekende dat ze dat waarschijnlijk nooit van plan was geweest.

'Wat gebeurde er?'

'Ze dacht dat ik alleen maar de spullen wegbracht – de spullen die zij rommel vond. Maar ik ruimde mijn kamer leeg. Ze begon te huilen maar ik g-ging gewoon... Ik ging gewoon weg.'

De onderrand van de wolk steeg iets verder omhoog om de berg en maakte net een boomkruin vrij, waarbij een uitstekende rots werd onthuld; hij onthulde een hoger gelegen strook vaste materie achter de mist. 'Ik had geen lakens, dus na de thee ging ik terug. Ik dacht dat ze naar het nieuws zou zitten te kijken en het niet zou merken als ik binnenkwam. Om de lakens van mijn bed te halen.'

'Vond je haar toen?'

'A-alle deuren waren open. Het was stil, geen tv. Ik keek in de zitkamer en ze was...'

'Wat had ze genomen?'

'Iets dat ze zelf had gemaakt. Een van haar bruine flessen. Ze moesten ermee naar de drogist om het te onderzoeken.'

'Ze moet hebben geweten dat je terug zou komen.' Wat was erop tegen om tot de avond te wachten en zichzelf rond bedtijd te vergiftigen, als ze zo graag dood had gewild? Wat was erop tegen om er rekening mee te houden dat het een paar uur zou duren voordat het gif zou werken? Ze *wilde* levend gevonden worden, om hem een beroerd gevoel te geven.

'Wat heb je gedaan?'

'De d-dokter gebeld. De helikopter deed er zestien minuten over.'

'Dus ze hebben haar naar het ziekenhuis gebracht en haar leeggepompt en haar weer naar huis gestuurd.' We bleven in stilte naar de mist kijken, die heel langzaam optrok boven de berg, zoals een goochelaar heel, heel langzaam een doek van iets aftrekt dat hij uit het niets tevoorschijn heeft getoverd. Een meisje op de gesloten afdeling had zelfmoord gepleegd toen ze haar eenzame opsluiting hadden gegeven. Ze probeerde zich met haar onderbroek te verhangen aan het raam; ze trok de onderbroek met één been aan, sloeg hem om een tralie en wilde haar hoofd door het andere beengat steken, maar de broek scheurde onder haar gewicht. Dus toen iemand na het eten vergat haar bord te komen ophalen, gooide ze het kapot en sneed met de scherven haar polsen door. Ze brak met haar voet een scherpe scherf af en zaagde daarmee haar ader door. Toen ze haar 's ochtends aantroffen, was ze zo goed als dood. Ze wisten haar weer tot leven te brengen. Zij was *van plan* geweest zelfmoord te plegen. Wat die ouwe teef had gedaan was bedoeld om Calum naar zich toe te trekken, niet om zich het leven te benemen. 'Een kreet om hulp.'

'Nu heeft ze van die tabletten – antid-depressiva. Maar ze maakt haar eigen medicijn, ze zegt dat dat beter is...'

'Gaat ze dood?'

Hij keek me onnozel aan.

'De kanker. Zal ze daar dood aan gaan?'

Calums goede oog draaide zich naar me toe en keek vervolgens weg. Hij liep weer het pad op. Kon hij het zich niet voorstellen? We volgden een spoor door een aanplant van sparren, ze waren groot en donker, hun gebogen takken deinden in de wind en besproeiden ons met druppels. Een baby die hier werd gedumpt zou geen schijn van kans hebben. Je kon tussen de rechte rijen van de bomen door kijken en zag de ene stam na de andere oplossen in de duisternis. Het veld in het licht aan het eind van het spoor was felgroen, toen we er aankwamen leek het onwerkelijk.

'Hier hebben drieëntwintig families gewoond,' zei Calum. Het was er kaal, vol hobbels en heuveltjes die afliepen naar de zee en uitkeken op de steile naakte heuvels van het vasteland. Hij hurkte neer en begon met zijn vingers door het lange natte gras te kammen.

'Mooi.'

Hij onderzocht een paar stenen en scherven en stopte er een paar in zijn rugzak. 'Het gras groeit anders, op de ruïnes.'

Het was leeg, leger dan leeg. Die drieëntwintig families van hem konden me niet veel schelen, maar ik begon onder de indruk te raken van zijn enthousiasme. Mensen die enthousiast zijn hebben iets heel aantrekkelijks. Waar halen ze dat enthousiasme vandaan?

Ik bedoel, ik snap wel dat de wereld een fascinerende plek is vol met van alles en nog wat, en ik zou bijvoorbeeld helemaal uit mijn dak kunnen gaan van Indiase miniaturen of jazz. Maar dat gebeurt niet. Het is een gebrek (het zoveelste). Ofwel het zijn enthousiastelingen die graag in een groep zitten en ze horen bij een club vogelaars/fietsers/wedergeboren christenen – ofwel het zijn eenzame enthousiastelingen zoals Calum. De eenzame types zijn de besten, omdat die puur zijn, ze zijn niet enthousiast om ergens bij te horen, maar omdat ze echt krankzinnig zijn. Uit authentieke liefde voor zeventiende-eeuwse snuifdozen. Ik zou graag ergens een passie voor hebben, een hobby hebben, een obsessie: taarten versieren, tapdansen, vormsnoeien. Maar die heb ik niet. Wat ons Verworpenen een prima prooi maakt voor alle groepsenthousiastelingen. We gaan met dingen meedoen omdat we erbij willen horen. We veinzen enthousiasme, we zweren dat zwart wit is om maar deel uit te maken van *enige* toverkring. Cathy

G., uit mijn groep in het Underwood-huis, ging op haar zeventiende bij de Scientology-beweging en Billy Josephs sloot zich aan bij een groep evangelisten die hem na een paar maanden bij zich namen in hun toevluchtsoord in Noord-Virginia. We zagen hem nooit meer terug. Ik ben niet in de val van de religie getrapt (ondanks verwoede pogingen daartoe van de Hara Krishna's, die me op straat kilometers achternalopen, zoals honden achter een loopse teef aan lopen, ze *weten* het als je ontvankelijk bent), maar ik ben wel naar een soort boerderij gegaan. Die had geen naam waar we het over eens konden worden, tot Peter hem in de laatste weken 'Stalingrad' ging noemen, en die naam bleef omdat ze het graag zo wilden, het was niet waar maar ze wilden graag dat dat wel zo was. Stom om ergens bij te gaan. Ja. Idealistische mensen die samenwerken en samen de opbrengst delen die elkaar of het land niet gebruiken. In je *dromen*. Gerald was de enige die niet gestoord was en die er nog iets van bakte; in feite was hij waarschijnlijk de enige echte enthousiasteling. Als hij niet zo enthousiast was geweest, waren we vast niet zover gekomen dat we op een echte boerderij zaten. Er was een hoop geld mee gemoeid en het grootste deel daarvan moest wel van Gerald afkomstig zijn geweest want ik heb er geen cent in gestoken en kan me niet voorstellen dat veel van de anderen dat hadden gedaan. Maar het ging niet alleen om het geld. Op de wekelijkse vergadering was Gerald degene met de ideeën en kwam hij met voorstellen, en wij anderen deden ons best intelligent over te komen en er een poosje over te praten en er vervolgens in toe te stemmen. En vervolgens voerde Gerald ze door.

Uiteraard werkte het niet. Door toedoen van mensen zoals ik? Ik had een oogje op Gerald. Ik wist dat er niets van zou komen omdat hij te chic voor me was, en bovendien maakte hij zich er meer druk om of het op de boerderij wel goed liep en wilde hij niet dat mensen alles verpestten met hun persoonlijke relaties, hij wilde van ons dat we 'allereerst het grote plaatje op de rails kregen'. Dat klonk heilig, maar mensen stellen van tijd tot tijd toch prijs op een intrige of een stevige beurt, en juist omdat hij dat met gefronste wenkbrauwen aanzag tierden dat soort dingen des te weliger. In de zomer was het er geweldig, er liepen een heleboel mensen rond, we verbouwden groenten en maaiden het hooi en droogden het en we hielden geiten en melkten ze en maakten kaas en we hielden kippen en in de herfst oogstten we de appels. Een week plukken en kratten inpakken en die naar de weg slepen – we waren er trots op, lachten, dronken van onze eigen prestatie.

In de herfst gingen steeds meer mensen terug naar andere plekken, ander werk, en werd de groep kleiner en gespannener en akeliger, en de karweitjes die Gerald op het weekrooster zette waren dingen als 'Kippenhok schoonmaken en desinfecteren, buitenkant insmeren met creosoot' en 'Hek repareren en rotte palen in veld naast grote weg vervangen' en 'Houthakken'. En de week daarna stonden die klussen nog steeds op de lijst. Ik deed altijd dingen, ik deed dingen niet, maar ik koos niet dat soort klussen omdat het te koud was en de hele dag zou hebben gekost. Hij begon mensen voor karweitjes aan te wijzen, verdeelde ze tussen ons, maar daar kregen we mot over. 'Het moet werken omdat mensen zelf *willen* dat het werkt' was het belangrijkste punt waar herrie over ontstond. En Gerald werd de taakmeester. Vervolgens de schuldmeester. Wij zaten bijvoorbeeld in de keuken en dan beende hij over het erf met een rol prikkeldraad op zijn schouder en een tang. Hij kwam pas na het avondeten weer thuis, at alleen en viel aan tafel in slaap.

Tegen nieuwjaar voelde het niet goed. Ik wist dat ik over niet al te lange tijd zou vertrekken. Mensen die samenwonen en elkaar respecteren en het land respecteren en samen de opbrengst delen kwam neer op: je kunt vanavond niet bij het vuur zitten voordat je wat hout hebt gehakt, en alleen mensen die extra kunnen betalen voor wijn mogen die drinken, omdat het geld van de appels nu allemaal op is en we de rekening van het elektriciteitsbedrijf nog moeten betalen. We werden geacht alles wat we hadden te delen. Waarom waren sommige mensen dan toch nog in staat te *betalen* voor wijn?

★ ★ ★

En toen zei Gerald dat we allemaal naar buiten moesten komen om de boomgaard te helpen snoeien. Nu, in januari, we konden daar niet tot de lente mee wachten. Iedereen moest komen meehelpen omdat elke boom ongeveer een uur tijd vergde en één iemand het onmogelijk allemaal in zijn eentje zou kunnen doen – en zolang het groeiseizoen nog niet was aangebroken moesten ze bovendien bespoten worden tegen luis. En Liz zei dat ze door de kou last van astma kreeg, dus zou zij wel voor ons allemaal koken, en Rich zei dat hij zijn agent beloofd had voor Pasen nog vier songs te schrijven en dat het hem speet maar dat dat eerst moest, en Geri zei dat ze hoogtevrees had en niet op een ladder durfde en of Gerald soms wilde dat ze haar nek brak, en Si zei dat hij er helemaal niets voor voelde om met dit weer de hele dag buiten te gaan werken, en Peter zei: goed, hij zou het doen, maar hij kwam pas om drie uur 's middags zijn nest uit, en Sandy en Karen zeiden dat ze bij hun moeder op bezoek moesten omdat het zo slecht ging met haar angina en ze beloofd hadden voor Kerstmis te komen. En Gillie vroeg wie er dan in godsnaam voor de kinderen moest zorgen, of moesten twee- en driejarigen soms ook bij temperaturen onder het vriespunt meehelpen met bomen snoeien? En ik zei niets (waarom zou ik ook?) en 's ochtends kwam Gerald smekend mijn kamer in.

'Alsjeblieft, Nikki, kom me helpen – je weet hoe goed het dit jaar met de appels is gegaan, je weet hoe hard we die oogst en dat geld nodig hebben – *alsjeblieft*', en omdat hij een beroep deed op mijn schuldgevoel ging ik mee (hoewel ik weet dat hij bij Sandy hetzelfde had geprobeerd en dat zij had gezegd dat hij het kon schudden, dat deze manier van leven te maken had met bijdragen wat je bij kon dragen, niet met dag en nacht aan je kop gezeurd te worden), en wij tweeën brachten een bitterkoude dag door met de ladder voor elkaar vasthouden in een snijdende wind en appeltakken wegknippen, en we deden anderhalve rij, zodat er nog vierhonderd bomen te gaan waren. En op de terugweg naar het huis (ik had het zo koud dat ik toen ik de snoeischaar liet vallen ik mijn vingers niet kon buigen om hem weer op te rapen) zei ik: 'Als die klootzakken ons morgen niet helpen draai ik ze de nek om.'

Gerald zei: 'Ik heb erover nagedacht. Het is mijn schuld – het komt doordat ik de verantwoordelijkheid op me neem. We moeten de appels de appels laten en de oogst maar laten mislukken. Dan snapt iedereen volgende winter wel dat snoeien belangrijk is. Ze moeten *willen* dat het werkt.'

En ik zei (ik was goed nijdig, ik was bevroren tot op het bot): 'Hoe kon je nou zo stom zijn? Als de appeloogst mislukt zijn ze volgend jaar januari niet eens meer *hier*, ze trekken allemaal aan hun stutten en denken er verder niet eens meer over na', en hij gaf geen antwoord en ik keek naar hem en de tranen liepen hem over de wangen.

Toen ik de volgende ochtend wakker werd zag ik hem door het raam in de stromende regen in zijn eentje met de ladder naar de boomgaard lopen. En ik stond op, pakte mijn rugzak en vertrok. Aan mijn enthousiasme had het verdomme nooit gelegen, dus waarom zou ik me er schuldig over voelen dat het niet was gelukt? Ik zou de appelbomen wel gesnoeid hebben. Ik zou dag en nacht appelbomen gesnoeid hebben als het alleen om Gerald en mij was gegaan. Maar ik was niet zo gek om ze te gaan snoeien om dat stelletje eikels er de komende herfst van te laten profiteren.

Later ging Gerald naar India. Toen de boerderij weer in bezit was genomen. Dat is wat er gebeurt met politieke enthousiastelingen. Ze trekken mensen aan zoals ik en we schijten op hen. Je kunt beter zijn zoals Calum. Met een enthousiasme dat alleen van jouzelf is. Zijn moeder kon wel klagen over zijn troep, maar ze kon zijn obsessie niet uitroeien. De schat en de verhalen, die waren voor hem allemaal echt, en zijn realiteit was niet afhankelijk van de bijdrage van iemand anders.

★ ★ ★

Calum scharrelde als een dier dat zijn territorium opnieuw in bezit neemt over en om de heuveltjes. Toen hij klaar was kwam hij weer naar me toe en spreidde zijn regenjas uit tegen een heuveltje. Het regende niet meer maar het was vochtig, de lucht hing laag en was grauw. Ik vroeg me bezorgd af of ze dood zou kunnen gaan voordat ik haar had vermoord. Ik nam naast hem plaats. 'Wanneer gaat ze naar het ziekenhuis?'

Zijn goede oog dwaalde van mijn gezicht naar mijn hals en hij stak zijn hand uit.

'Wat is er?' Ik kreeg er de zenuwen van zoals hij dat deed.

'Ketting?' Ik was vergeten dat ik die omhad – goedkope Indiase kralen. Ik deed hem af en liet het snoer in een groene krul op zijn groezelige handpalm vallen. Hij bracht hem tot vlak voor zijn ogen om hem te onderzoeken.

'Calum. Moet ze vaak weg om behandeld te worden?'

'Ze maakt zichzelf beter. Ze weet hoe dat moet.' Hij gaf me mijn ketting weer terug.

Vast wel. De eerste kruidenkuur tegen kanker. Het was mooi dat ze ziek was ik was blij dat ze leed maar ik moest in actie komen voordat de natuur haar had weggevaagd. Ik kon niet wachten tot ze een slok Canadese den nam. Goed. Ik zou het die avond zeker gaan doen; of ze er nu van op de hoogte was of niet. Ook als ze wakker was en door het huis liep was ik nog steeds sterker dan zij. Die eerste nacht had ik haar moeten neersteken toen ze de trap op ging – het was alleen het idee dat ze ervan wist waardoor ik van mijn stuk was gebracht.

Calum wilde over de ruïnes praten. 'Dit was het dorp. Drie-entwintig huizen, zie je?'

'Ik zie het.'

'Ze verbouwden zelf al hun voedsel, haver en gerst en blad-groenten, zei mijn vader. En de mannen gingen vissen en ze hiel-den schapen die meer op kleine geiten leken. D-de vrouwen moesten de wol spinnen en weven, dan verkochten de mannen die op het vasteland.'

Net waar ik op zat te wachten: een lesje geschiedenis.

'Weet je waarom ze zijn weggegaan?' zei hij.

'Nee, waarom?'

'De landheer wilde al het land hebben om er beesten op te laten grazen. Hij wilde zoveel schapen als hij k-kon krijgen – geen kleine schapen maar van die grote, die zo groot zijn als koeien en die niet op kunnen staan als ze zijn omgevallen. Die komen niet hiervandaan.'

'Waarom wilde hij dat?'

'Om meer winst te maken.'

Ik liet hem verder vertellen. Maar ik wilde hem de hele tijd onderbreken. Ik ben dol op verhalen maar niet die hartbreken-de verhalen die je al duizend keer hebt gehoord. Niet die van het soort waarin het gewoon van kwaad tot erger gaat. Wat heb je daaraan? O, die slechte landheer en o, die arme boer. Waarom bestaat er geen verhaal over een arme onderdrukte landheer die alle mogelijke moeite doet om het zijn pachters naar de zin te maken? Die wil dat ze moderniseren en ophouden met al dat stomme spinnen en weven omdat het textiel dat ze weven gro-ve jeukstof is die niemand wil kopen? Hij wil dat ze goeie stevi-ge schapen fokken waar een beetje vlees aan zit dat ze kunnen verkopen op de markt. Maar de boeren zijn niet zo snugger dat

159

ze iets anders willen doen dan hun ouders en grootouders al die tijd hebben gedaan. Als het land niet winstgevender gemaakt kan worden kan de landheer het zich niet permitteren het in bezit te houden omdat het nog steeds even weinig opbrengt als toen het van zijn grootvader was, maar hij moet over die erfenis wel successierechten betalen. Hij heeft al de helft van zijn land moeten verkopen en het dak van zijn huis (oké, landgoed) lekt en de oogst van vorig jaar was niks en hij kan het zich gewoon niet permitteren om het eiland te houden als het niet wat meer gaat opleveren. De boeren zijn een suf stelletje en weten niet wat ze moeten met die grote schapen of wanneer moeder de vrouw niet aan haar weefgetouw zou zitten, dus blijven ze op de oude voet verdergaan en de extra centen die de landheer heeft geïnvesteerd in vijftig grote schapen die ze kunnen vetmesten zijn weggegooid geld omdat ze de kliffen niet omheinen en de grote schapen bij storm geen beschutting bieden en ze ze in de winter niet bij willen voeden.

'Het loont de moeite,' pleit de landheer. 'Als je ze in de winter hooi geeft, zijn ze in de lente op de markt per stuk een florijn meer waard.'

Maar die stompzinnige ouwe boeren zien dat niet zitten. Dus lijdt de landheer in een zeker jaar een spectaculair verlies met het eiland en stort zijn dak in. Hij moet het eiland verkopen en het wordt gekocht door de boosaardige landheer X. Die weet dat het meer zou kunnen opleveren als hij die stomme nutteloze boeren de laan uit zou sturen en er vier competente herders neer zou zetten die kunnen zorgen voor een eiland vol met grote schapen.

Nou? Wat is daar mis mee? Wie zou er dan fout zitten?

Calum ging helemaal op in zijn verhaal. Dakbalken. Die onschuldige pachters bezaten weinig tot niets. Niet het land dat ze bebouwden, niet de grond waar hun huizen op stonden, en zelfs niet de stenen en daken van hun eigen huis. *Desondanks* waren de dakbalken van hen.

Hoezo? Waarom?

Calum wist het niet – maar hij weet wel dat de pachters van oudsher niet het recht hadden om op het eiland bomen te kappen (omdat alles wat daar ook maar even op leek eigendom van de landheer was). Zij (of hun ouders, of hun ouders ouders, of een of andere ouwe en schurftige viking van dertig generaties terug) importeerden, stalen of kochten de dakbalken, waarzonder het onmogelijk was een huisje te bouwen, van ergens aan de andere kant van de zee – hoogstwaarschijnlijk Noorwegen. Dus toen de rentmeester en zijn mannen naar het dorp kwamen dat dit vroeger was (zoals we allemaal vanaf het begin van het verhaal al wisten dat zou gebeuren), en de dorpelingen vertelden dat ze weg moesten, zeiden sommige mannen dat ze niet zonder hun dakbalken zouden vertrekken. Radeloze vrouwen huilden en trokken zich de haren uit het hoofd, kinderen die niet wisten waar ze het zoeken moesten renden schreeuwend rond, dappere mannen holden terug naar hun brandende huizen om er de weefgetouwen met het weefsel er nog op uit te slepen, en de rentmeester en zijn mannen vernielden alle huisjes. En toen de dakbalken naar beneden kwamen, sleepten de pachters ze verkoold en versplinterd door de brandende troep en gooiden ze over de rotsen heen in zee.

Van het hele stel voer niet iedereen op een lekkend schip naar Australië of Canada, ze stapten in hun eigen kleine vissersbootjes met hun dakbalken vastgebonden met touwen hobbelend over het water erachteraan, en ze roeiden naar Durris, een steil, rotsachtig eilandje in het noorden; de vorige dag hadden Calum en ik nog in die nederzetting rondgewandeld. De landheer had daar geen plannen mee, omdat je er geen vee of schapen kon houden, of er haver of iets anders nuttigs kon verbouwen omdat het niet meer was dan een armzalige kale steenwoestenij die werd gegeseld door de wind. En daar herbouwden die arme ontembare pachters hun huizen weer op, op de enige beschutte plek die er was, en ze gebruikten de oude verkoolde dakbalken weer en rotsblokken waar het daar vol mee lag. Ze plantten drie lijsterbessen omwille van de magie, en gingen vissen en aten vis, en hielden zich in leven en verhandelden van tijd tot tijd vis voor andere soorten voedsel. Of (als de schaapherders het druk hadden) gingen van tijd tot tijd op strooptocht naar Aysaar en vingen een konijn, een hert, een groot vlezig schaap.

Toen kwam de Grote Oorlog, en de mannen van het rotsige Durris, wier regering niets voor hen gedaan had, niet zorgde voor gezondsheidszorg of straatverlichting of zelfs maar een straat, laat staan een brug naar het grote eiland, werden opgeroepen om te gaan vechten voor koning en vaderland. Wat ze ook deden.

En toen ze terugkwamen uit de Grote Oorlog (sommigen kwamen naar het kale rotsige eiland terug uit de velden vol modder en bloed), hadden ze er genoeg van. En ze stapten in hun bootjes en roeiden naar het zuiden van Aysaar, waar het land het vruchtbaarst is en waar de ontrekken van de smalle akkers van hun voorouders nog zichtbaar waren onder het oppervlak, en ze spitten de aarde om en plantten er gewassen: haver, gerst, aardappelen, bladgroenten. Ze bouwden een hutje en elke avond bleven er twee man op wacht staan om de gewassen te bewaken, terwijl de anderen terugroeiden naar de steile rots die ze hun thuis noemden. Ze hielden niets verborgen en stalen niets, ze verbouwden gewoon voedsel op het vruchtbare land dat was vrijgemaakt en bebouwd door hun voorvaderen.

Ik wist natuurlijk wel dat het verhaal slecht zou aflopen omdat dat met zulke verhalen vol heroïek altijd zo is. Calum de Man met Hersens *hield hen in ere* omdat ze slachtoffers waren. Als ik de loopgraven had overleefd zou ik regelrecht zijn teruggegaan naar mijn oude huis op het grote eiland en zou ik die reuzenschapen uit de weg hebben geruimd en zijn gaan barbecuen. En ik zou de bomen van de landheer hebben gekapt om voor nieuwe dakbalken te zorgen en ik zou een heleboel nieuwe huizen hebben gebouwd, een Barratt-landgoed. Ik zou de armen en benen van die stomme herders hebben vastgebonden en ze in een boot hebben gezet zonder roeiriemen. En als er iemand achter me aan zou komen zou ik hebben gezegd dat ik een oorlogsheld was met *shellshock* en zou ik hebben geweigerd orders op te volgen van iemand anders dan mijn generaal.

Waarom waren ze zo kruiperig godvrezend fatsoenlijk en nederig? Waarom maakten ze geen stampij?

Calum kwam aan het eind van zijn zielige verhaal. De politie kwam van het vasteland en verzocht hun te vertrekken. Van Skye kwam een stel pachters hen helpen zich teweer te stellen tegen de politie. De mannen *weigerden* te vertrekken (zonder geweld te gebruiken) en de politie moest hen met harde hand verwijderen en zette ze in boten naar het vasteland, en legde hun ten laste dat ze zich op verboden terrein bevonden en zich tegen arrestatie hadden verzet.

Het eind was helemaal niet bevredigend. Toen de zaak voorkwam bij de rechter kwamen ze ervanaf door een vormfout, dus ze werden schuldig noch onschuldig bevonden. En toen ze terug waren gingen ze precies zo door als ze tevoren hadden gedaan: ze boerden op Aysaar en roeiden naar hun rotseilandje om te slapen, en de politie kon zich er niet druk meer om maken en ook de landheer niet want hij ging dood en uiteindelijk kwam het eiland in bezit van het ministerie van Landbouw en Visserij, en de *volgende* generatie, de kinderen van de soldaten uit de Grote Oorlog, werd verteld dat ze als ze wilden weer huisjes op Aysaar konden kopen. Maar aangezien de meesten van hen schoon genoeg hadden van rotseilandjes en zee en vis en niets meer van die hele verrotte geschiedenis wilden weten, beproefden ze hun geluk op het vasteland en lieten ze de dakbalken van hun voorouders wegrotten op het rotsige eiland waar zelfs vakantiegangers niet eens naartoe wilden.

'Heel verdrietig,' zei ik tegen Calum. Hij keek me volkomen verdwaasd aan.

'Verdrietig. Het was een stelletje *losers*. Waarom vochten ze niet terug? Waar waren ze mee bezig om in de loopgraven volkomen onschuldige Duitse boeren om zeep te helpen en die smerige kwaaie landheren in leven te laten?'

Mijn slimme broer bleef met zijn mond op halfzeven zitten, zijn ogen naar oost en naar west. Waar was ik verdomme mee bezig om hier in een druipnat veld naar geschiedenislessen te gaan zitten luisteren? Ik was een heel eind uit koers geraakt. Ik stond op en rende terug het bos in.

Ik kon hem me na horen roepen. 'Nikki! Ni-ikki!'

'Sodemieter op. Sodemieter op, verdomme!'

Ik kwetste hem. Waarom niet? Daar ben ik immers goed in. Om dingen te verzieken. Een verziekt mens verziekt dingen.

14. Moeders zwakke plek

Toen ik eenmaal het bos door was en hoger was gekomen, keek ik achterom naar het verlaten dorp. Ik kon hem zien zitten, neergehurkt, waarschijnlijk zat hij ergens naar te spitten. Op zoek naar schatten. Dát deed hij, bedacht ik: hij had zo verrekte weinig een eigen leven dat hij alleen maar de rommel van andere levens kon verzamelen en verhalen over geesten kon vertellen.

Toen ik terugkwam kon ik de Bron des Levens horen in haar keuken. De Vetcontroleur (alleen zij was mager); de aartsmanipulator. Ik liep regelrecht naar de keuken, klopte aan en vroeg of ik wat melk kon lenen. Ze was deeg aan het kneden – dat deed ze echt, haar handen zaten onder de bloem en ze zei dat ik het zelf maar uit de koelkast moest pakken. Ze was *steak-and-kidney pie* aan het maken voor Calum.

'Maakt u elke dag eten voor hem klaar?'

'Als je hem zijn gang zou laten gaan zou hij alleen brood met kaas eten.' Ze lachte even. Dacht ze dat ik dat leuk zou vinden? Terwijl ik bleef staan ging ze verder met rollen en snijden. Ik merkte op dat er een mooie rij potjes met rode jam op de kast stond. Dus die giftige lijsterbeszaadjes lagen zeker in een papperige massa te wachten op de composthoop. Ik zou ze later wel gaan zoeken.

'Wat mankeert hem precies?'

'Niets. Niets. Hij is alleen maar een beetje anders.'

'Kan hij geen werk krijgen?'

'Er is niet veel te doen op het eiland.'

'Het is hier fijn om 's zomers te zwemmen, niet?' Ik wilde haar zover zien te krijgen dat ze haar zelfbeheersing verloor. Ze goot een steelpannetje met vlees en jus leeg op de korst van deeg. Ze concentreerde zich erop alsof ze me niet had gehoord. 'Houdt hij van zwemmen?' jende ik door.

'O, Calum kan niet zwemmen.' Ze begon de randen van het deeg met water in te kwasten, spreidde vervolgens het deegdeksel over de pastei en drukte de randen samen. Ze schonk de pastei negenennegentig procent van haar aandacht.

'Hoezo niet?'

'Het is geen goed idee.' Ze brak een ei in een kommetje, klopte het los met een vork en begon de bovenkant van de pastei ermee in te smeren.

'Maar hij vist wel.'

'Niet vanuit een boot.'

'Waarom gebruikt hij geen boot?'

Ze gaf geen antwoord.

'Vindt u niet dat zijn leefwereld een beetje beperkt is?'

Ze legde de deegkwast neer. 'Hij komt en hij gaat zoals hij wil. Er wordt eten voor hem klaargemaakt en er wordt voor hem gezorgd.' Ze pakte de pastei om hem in de oven te zetten.

'Dat is niet veel meer dan je voor een hond zou doen.'

Er viel een korte stilte terwijl zij me aanstaarde en ik wachtte tot ze het zou begeven.

'Ik ben blij dat je langs bent gekomen,' zei ze. 'Ik wilde met je praten over je kamer.'

'Mijn kamer?'

'Ja. Ik heb hem binnenkort nodig. Ik zou graag willen dat je ergens anders heen ging.'

'Waar hebt u hem voor nodig?'

Ze deed de oven open, zette de pastei erin en sloot het deurtje. 'Ik zeg je de huur op.'

'Waarom?'

'Ik geloof niet dat ik op die vraag antwoord hoef te geven.'

'Wat heb ik gedaan? Wat heb ik verkeerd gedaan?'

'Calum raakt van slag als er iemand in zijn oude kamer is.'

'Hij vond het leuk om met me te praten...'

'Ik zou je dankbaar zijn als je hem voortaan met rust zou willen laten. Hij is niet gewend aan jonge vrouwen.'

Ze draaide zich om naar het aanrecht en draaide de kraan open. Ik had het gevoel of mijn hoofd zou barsten. Ik rende naar mijn kamer voordat ik tegen die vuile teef zou gaan schreeuwen en tieren.

Ze wilde me bij Calum vandaan hebben. Ze wist dat Calum haar zwakke plek was. Calum was de enige die haar kon kwetsen of bedonderen, dus moesten Calum en ik worden gescheiden. Het was zonneklaar. En ik had haar in de kaart gespeeld (alweer) door ruzie met hem te maken. Ik was te stom geweest om te beseffen dat we haar alleen samen konden verslaan.

Calum. Calum en ik moesten samenwerken. Samen hadden we een kans.

Ik holde van het huis weg; rende terug over de weg waarlangs ik was gekomen, naar het pad langs de ijzermijn en omlaag naar het druipende bos. Ik zweette en hapte naar adem, teruggaan en het bijleggen met Calum. Teruggaan naar Calum en hem aan mijn kant zien te krijgen. Die arme sukkel ervan zien te overtuigen dat ik nooit 'Sodemieter op!' had geroepen.

Na een poosje moest ik mijn pas vertragen. Er bewoog iets in de greppel naast het pad – mijn ogen hechtten zich eraan vast voordat ik besefte wat het was. Zwart. Een kraai, die pikte aan iets doods. Geen kraai, alsjeblieft, geen kraai. Ik draaide mijn hoofd af en liep snel verder, en hij vloog niet op langs me heen, hij dwong me niet naar hem te kijken, ik hoopte dat ik ervanaf was.

Ik ging het stille bos binnen – toen ik eruit kwam was Calum niet bij het spookdorp. Ik liep over het kale hobbelige veld en het geluid van lachen dreef naar me toe – flarden spottend gelach. Het kwam van de andere kant – de zeekant van het veld. Ik liep naar de rand en keek omlaag. Het liep daar een meter of dertig steil naar beneden, naar een rotsige kustlijn en de vlakke zee. Calum was op de rotsen en er waren drie mannen bij hem – ze zaten languit op de rotsen. Toen ik bleef kijken gooide de ene een blikje naar de andere, en hij gooide mis; het blikje raakte een rotsblok en barstte open in een fontein van wit schuim.

'Lul!' Degene die mis had gegooid stond op en ging een ander blikje halen. Hij was jong – ze waren allemaal vrij jong, niet ouder dan twintig. Calum dronk ook, ik zag hoe hij zijn hoofd achteroverboog en het blikje leeggdronk. Vrienden van Calum?

Links van me was een steil, smal paadje, dat zigzaggend langs de afgrond liep, hier en daar waren treden uitgehakt in het steen. Ik begon omlaag te klauteren. Een van de jongeren keek naar me op en floot. 'Is dat je vriendin?' riep hij tegen Calum. Hij sprak niet met een plaatselijk accent. Calum trok het lipje van een nieuw blikje los en de drank spatte in zijn gezicht. Ze lachten zich een ongeluk. Ze waren vervelend, overlopend van ongerichte energie. Ik kwam beneden en riep.

'Calum. Het is tijd om te gaan.'

'Hij gaat ons zijn schat laten zien,' zei er eentje, met dun en vettig bruinhaar. 'Neem een biertje.'

'Nee, bedankt. Calum?'

'Hé, kalm nou even! Hij is verdomme de eerste die we tegenkomen sinds we van de veerboot zijn. Hij wil ons een rondleiding geven.'

'Wat doen jullie hier?'

'Een dagje uit, hè.' De anderen lachten.

'Wat heb je daar in die tas?' vroeg de grootste aan Calum. Hij was dik en droeg een strak zwart T-shirt. Calum was alleen maar bezig met zijn blikje. Hij zwaaide met zijn arm naar de rugzak en Spuuglok trapte hem naar zijn maat, zodat ze erin konden kijken. Dikbuik kieperde er het stuk drijfhout, de oude bruine fles, de tegelscherf en de berg stenen uit die Calum tot dusverre had verzameld.

'Wauw! *Tussen kunst en kitsch!*' Degene die nog niets had gezegd, met opgeschoren haar en puistjes rond zijn mond. 'Gooi die fles eens op.' Het was duidelijk wat er zou gaan gebeuren en ik zei: 'Niet doen.' Dikbuik keek me aan en gooide hem toch, hij viel aan Skinheads voeten in scherven.

'Ooo, had ik maar naar mevrouwtje geluisterd,' zei Spuuglok, Calum krabbelde naar ons toe en begon de grootste glasscherven op te rapen.

'Calum, laat liggen, straks snijd je in je handen. Laten we gaan.'

'Ben je zijn zus?' vroeg Skinhead. 'Heb je zin om iets met ons te gaan drinken?'

'Nee.' De eerste ter wereld die mij voor de zus van mijn broer aanzag.

De andere twee begonnen te lachen en toen schudden ze weer met hun blikjes en spoten elkaar nat. Ze gooiden Calum nog een blikje toe, die het opving en opentrok.

'Calum, ik ga. Kom je?'

'Haahaa!' Dikbuik sloeg dubbel van de lach en Skinhead stond op en schokte met zijn kruis naar me. 'Ik kom, mevrouwtje! Ik kom! Ah! Ah! Ah!' Ze waren niet gevaarlijk, ze waren alleen maar een stelletje stomme eikels.

'Is dit jullie beste strand?' vroeg Spuuglok. Calum noch ik zei iets; de skinhead zei: 'Wat een droomeiland, hè?'

'Een tropisch paradijs, man,' zei Spuuglok. 'Gelukkig dat die rukker op Skye ons erover vertelde...'

'Ja,' zei Dikbuik. 'Hoe zit het met de palmen en kokosnoten en die grote golven op het gouden zand...?' Hij gebaarde naar het strand van grijzige stenen en de vlakke bruinige zee.

'Is het leuk om in deze klotezooi te wonen?' vroeg Skinhead.

'H-H-Het is geen...'

Dikbuik schudde met zijn blikje en sproeide ermee in Calums gezicht. 'H-h-hou je bek jij.' De anderen lachten.

'Geen kl-klotezooi,' ging Calum door, en hij veegde zijn gezicht af.

'Jawel,' zei Skinhead. 'Het is allemaal klote. Wat is hier te doen?'

'Naaien,' mompelde Dikbuik, en ze keken elkaar aan.

'Doen jullie dat?' vroeg Skinhead aan Calum. 'Naai je je zuster?' Hij wendde zich tot de anderen. 'Zo worden malloten als hij geboren!' Ze lachten alle drie, maar Calum stond op, zijn mond ging open en dicht.

'Ga je ons die schat nog laten zien?'

'Jullie m-moeten niet...' begon Calum.

'Z-z-zuig aan mijn lul, Mister Hersendood,' zei Skinhead, en de andere twee bulderden van het lachen en Skinhead boog zijn hoofd achterover om zijn blikje leeg te drinken. En Calum sloeg hem.

Vanaf het moment dat ik hen allemaal bij elkaar had gezien, wist ik dat dit zou gebeuren, maar het ging andersom. 'Calum! Calum!'

'Hou die stomme King Kong in bedwang!' riep Spuuglok. Hij

maakte zich uit de voeten over de rotsen, hij wilde geen matpartij. Skinhead trapte en mepte naar Calum en Calum schudde hem heen en weer.

'Laat los klootzak, stomme opgeblazen aap.' Skinhead huilde en Calums gezicht was wijd als een grijns en hij hield met zijn ene hand Skinhead vast en bracht de andere naar achteren om hem een poeier te verkopen en Dikbuik schreeuwde: 'Leg hem om, Gaz, Gaz! Leg hem om!', en Calum gaf hem een mep en hij ging neer. Dikbuik sprong op hem af om hem te helpen, maar Calum veegde hen opzij en ging weer op Gaz af. Hij brulde, hij brulde echt, als een dilettant in een horrorfilm.

'Calum! Calum! Nee!' Hij was helemaal over de rooie, hij knipperde niet eens met zijn ogen, hij graaide alleen maar naar Gaz, die op zijn kont over de rotsen klauterde om weg te komen. Aan de rand van het beeld kwam Spuuglok terug met een splinterige plank. Hij probeerde achter Calum te komen. Niets kon Calum tegenhouden, zoveel had ik wel in de gaten. Ik sprong achter hem en pakte zijn arm vast net toen hij die omhoogbracht om nog een hengst uit te delen. En hij nam niet meer notitie van me dan van een vlieg, hij ging gewoon door met slaan met mij aan zijn arm, en ik viel languit aan zijn voeten. Ik was even de kluts kwijt, ik kon wel horen, maar ik kon een poosje niets zien. Calum moet zijn gestopt om naar mij te kijken, want zij kregen de tijd om ervandoor te gaan. Ik hoorde hun zich terugtrekkende stemmen verwensingen en bedreigingen roepen. Ik krabbelde overeind, ik kon bloed op mijn lip proeven, mijn wang was gevoelloos. Calum stond me alleen maar hijgend aan te staren.

'Stomme idioot, moet je nou zien wat je hebt gedaan.'

Calum ging zitten. 'Sorry.'

'Sorry! Sorry! Je zag toch wel dat dat achterlijke idioten waren, waarom heb je ze laten...'

'Ik werd kwaad.'

Daar moest ik bijna om lachen. Ik kwam overeind en ging naast hem zitten, ik was duizelig.

'Het spijt me. D-doet het pijn?'

'Natuurlijk doet het pijn, verdomme. Waarom hield je niet op?'

'Ik w-werd alleen... Ik werd alleen zo...' Hij hapte naar lucht, alsof zijn gestotter vastzat in zijn keel. Opeens boog hij zich opzij en kotste. Hij bleef een hele tijd hoesten en proesten, en toen hij eindelijk zijn hoofd weer ophief huilde hij. Het stonk, het was alleen maar het bier.

'Hou op. Ik ben er beroerder aan toe dan jij, ík zou moeten huilen. Kom op, ga weg bij die smeerboel.' Ik pakte zijn hand en leidde hem wat verder het strand op. We moesten allebei weer gaan zitten. 'Calum. Hou op...'

'Z-ze had me gezegd dat ik niet moest d-drinken. En nu heb ik jou pijn gedaan...'

'Met mij is het prima in orde. Laten we naar huis gaan.'

Hand in hand klauterden we weer het klif op terug naar het pad. Na een tijdje bleef hij sniffend staan. 'Hij zei dat ik mijn zus n-naai...'

'Hij kletste uit zijn nek. Het was een klootzak.'

'Ik h-heb niemand g-genaaid.'

'Nee. Het is goed.'

We liepen een poosje in stilte voort en toen zei hij: 'Ik zou best wel iemand willen n-naaien.' Ik liet zijn hand los. Mijn hoofd spleet in tweeën ik kon mijn jukbeen nu bij elke stap horen rammelen, ik had er schoon en schoon genoeg van.

'Hou je mond. Praat niet over zulke dingen.'

Hij hield zijn mond, maar toen ik van opzij naar hem keek zag ik dat hij weer huilde, in stilte. 'Hou op.'

'Je v-vindt me niet aardig.'

'Hoe kan iemand je nou aardig vinden als je je zo stom gedraagt?' Ik was zo duizelig dat ik mijn ene voet amper voor de andere kreeg. Mijn oog was gaan kloppen. Tegen de tijd dat we terug waren bij het huis leidde hij me en zag ik met mijn linkeroog niet meer scherp. Hij liep met me de voordeur binnen en ik ging zitten op de stoel naast de telefoon. Mijn hoofd hamerde. Hij riep en zijn moeder kwam de keuken uit geschuifeld. Ze wisselden een paar woorden die ik niet kon volgen ik kon niet eens opkijken, de hal leek zich te vullen met een donkere mist die almaar donkerder werd. Ik kon nog wel haar stem horen ik deed alle mogelijke moeite om mijn ogen open te krijgen maar ze wáren al open, ze zagen alleen maar zwartheid. Toen verloor ik het bewustzijn.

Toen ik bijkwam lag ik op mijn bed en drukte er iets kouds en nats op mijn linkeroog, en het liep over mijn wang in mijn oor. Ik hoorde geluid – ik hoorde iets – iemand in mijn kamer. Het geluid van een la die zachtjes werd opengetrokken; het geruis van kleren die doorgekeken werden. Met mijn rechteroog zag ik alleen de muur naast het bed en een berg dekbed. De la werd zacht weer gesloten. Ik sloot mijn goede oog en hield me stil. De vloeistof die in mijn oor druppelde jeukte als een gek. Behoedzame schuifelende voetstappen gingen naar de klerenkast. De deur ging open, er klonk licht getik van kleerhangers toen ze mijn kleren doorzocht – mijn zakken? –, waar was ze naar op zoek? Wat was ze in godsnaam aan het doen? Ik hoorde haar dichterbij komen, dichter naar het bed toe. Zij en ik waren hier nu alleen. Ze kon wel ik weet niet wat doen...

Ik draaide me half om op mijn rechterzij, kuchte even, en werd toen ostentatief wakker. Toen ik mijn rechteroog opendeed, stond ze over me heen gebogen met een fles in haar hand.

'Ben je wakker? Mooi, je kunt hier een dosis van nemen tegen de kwetsuren.' Ze begon theelepels vloeistof af te meten in een glas. Donkergroene.

'Ik hoef het niet.'

'Het zal je goed doen... Het helpt tegen de zwellingen.'

'Ik hoef het nu niet. Ik neem het straks wel.'

Ze had het glas in haar hand en bracht het al naar mijn lippen.

'Dank u. Zet u het maar naast het bed.'

Ze zette het glas langzaam neer. 'Dat kompres moet ook worden ververst.'

Voordat ik kon reageren had ze het al van mijn oog gehaald. Ik deed het open en keek als het ware door de gleuf van een brievenbus. De hele zijkant van mijn hoofd deed pijn. Ze rommelde met iets in een kommetje en zei me dat ik mijn oog weer dicht moest doen.

Alles – ze kon wel alles met me doen, en wie ter wereld zou het ooit weten? Ik wist dat ze gevaarlijk was en toch was ik naar haar toe gekomen en ik had me per ongeluk – zonder dat het de bedoeling was – aan haar genade overgeleverd. Dus ze kon al mijn spullen doorzoeken; rondsnuffelen, stelen, doen wat haar goeddocht met mijn verwondingen. Was jij nou de slimmerik, Nikki? Ben jij nou degene die de touwtjes in handen heeft?

Ik probeerde langzamer adem te halen. Ze kletste iets ijskouds en prikkends op mijn oog en ik schreeuwde het uit.

'Het is goed, het voelt alleen even wat koud aan.'

Ik wilde niet dat ze zag hoe bang ik was. Ik wilde dat ze de kamer uit ging. Ze schuifelde naar het raam, de kamer werd donkerder. Haar stem klonk verontschuldigend. 'Calum is erg van streek. Ik heb hem gezegd... Het komt door de alcohol...'

'Ik wil graag slapen.'

'Hij kent zijn eigen kracht niet, dat is het probleem, hij weet niet wanneer hij moet stoppen.'

'Ik had me erbuiten moeten houden.'

Er viel opeens een stilte, ze moest stil zijn blijven staan, toen hoorde ik haar naar de tafel schuifelen en gaan zitten. Ze sprak kalm. 'Op een dag zal hij nog iemand vermoorden. Op een dag komt er iemand die níét zegt dat het *in orde* is en eindigt hij nog in de gevangenis.'

'Het is in orde.' Het geluid van mijn eigen stem zaagde door mijn benige schedel.

'Maar dat is het niet, immers.' Het bleef een hele tijd stil. 'Hij is net een kind. Zolang ik leef... om de stukken op te rapen... om een oogje op hem te houden... gaat het nog wel. Maar als ik er niet meer ben...'

Ik draaide mijn hoofd een fractie om haar beter te zien, ze was alleen een donker gebogen silhouet tegen het witte licht van het raam. Ze hield haar hoofd in haar handen, ze snufte. Het klonk alsof ze huilde. Ik kon haar niet volgen; eerst probeerde ze hem te excuseren; vervolgens, toen ik *had gezegd* dat het mijn schuld was, wilde ze me vertellen hoe gevaarlijk hij was. Wilde ze me met hem bedreigen? Zeggen dat zij niet verantwoordelijk kon zijn voor zijn daden, dat hij over de rooie zou kunnen gaan en mij zou kunnen vermoorden? De hele kamer was wazig. Ze zat te snikken, met haar rug naar me toe. 'Ik wou dat hij dood en begraven was. Soms... zou ik dat echt willen. Want dan zou ik weten dat hij veilig was...'

Tja. Ik neem aan dat we allemaal veilig zouden zijn als iedereen dood was, en dat ons dan nooit meer akelige dingen zouden overkomen.

'Wilt u me nu alstublieft laten slapen?' Mijn stem perste zich uit mijn schuurpapieren keel. Ik wou dat ze oprotte, ik wilde haar niet meer hoeven zien of horen. Ze stond langzaam op en schuifelde naar de deur, deed hem open en sloot hem met een klikje achter zich. Ik werkte mezelf overeind tot ik rechtop zat, in mijn hoofd ging vuurwerk af. Langs de muur liep ik op de tast naar de deur. Draaide de sleutel om in het slot. Wankelde vervolgens naar de kraan en vulde een glas met water, hield mezelf overeind en slikte het slok voor slok door. Mijn hele lichaam was zwaar en traag, ik wist dat ze me al had verdoofd, ze had me iets gegeven om trager te worden. Ik zou haar niet meer binnenlaten. Ik ging liggen en viel in een diep zwart gat.

Toen ik wakker werd was het ochtend. Met mijn vingertoppen raakte ik voorzichtig mijn gezicht aan. De linkerkant was dik, mijn lip, mijn wang, zelfs mijn voorhoofd voelde aan die kant gezwollen. Op mijn kussen lag een geplette groene troep van pappige bladeren. Ik kroop over het bed tot ik mezelf in de spiegel kon zien. Het zag er niet zo beroerd uit als het voelde. Ik had honger en mijn hoofd bonsde als een naargeestige klok, maar ik kon wel helder denken. Haar brouwsels hadden me nog niet van mijn zinnen beroofd. Tenzij dit – het feit dat ik hier op handen

177

en knieën op bed zat – niet echt was.

Ik zette water op en maakte thee, ik maakte toast en roerei klaar. Het voelde raar als ik mijn hoofd bewoog en ik moest het schuin houden en draaien als een mechanisch iets, een periscoop of zo, om met mijn rechteroog alles te kunnen zien wat ik nodig had. Ik ging aan tafel zitten om te ontbijten en voelde me verrassend goed.

Op het bedtafeltje stond een van haar bruine flessen. Handge-schreven Latijn op het etiket. Ik snoof – het rook zoet, donker en stroperig. Ze was aardig voor me omdat ze bang was dat ik tegen de politie of zo zou vertellen dat Calum gewelddadig was geweest. Ze maakte zich zorgen over wat er met hem zou gebeu-ren als zij er niet meer zou zijn. Ze zou *alles* doen voor Calum – ze wilde zelfs dat hij dood zou gaan – als ze het idee had dat ze hem daarmee kon beschermen.

De enige manier waarop ik haar te grazen kon nemen was via Calum. Ik zag opeens het licht toen ik mijn slechte oog naar het raam draaide. Een priemende lichtbundel die het licht in me ont-stak. Calum was het enige ter wereld waar ze om gaf. Als ik Calum van haar *weg* zou nemen, zou ik haar reden om te leven wegnemen. Alles wat ze deed deed ze voor hem; zonder hem zou ze zo overbodig en onbemind zijn als ze mij had gemaakt. Calum wegnemen zou de straf zijn die ze verdiende; in vergelijking daarmee zou het nog aardig zijn om haar te vermoorden.

De zon stond stralend aan de hemel. Ik deed de achterdeur open. Op de drempel stond een jampot vol met oranje sterachtige bloemetjes en paarse herfstasters. Ertussen zat een opgevouwen blaadje gelinieerd papier; ik vouwde het open en zag dat het was beschreven met kinderlijke blokletters:

NIKI IK HEB JE NIETBEDANKT VOOR JE HULP BEDANKT IK HOP DAT ALLES IN ORRDE IS EN HET SPEIT ME ERG. XX CAL.

Daar sta je dan. Ik had mijn broer geholpen. Wat zeg je daarvan? Een egoïstisch kreng dat zichzelf niet eens kan helpen, dat tussenbeide komt in een vechtpartij en haar grote sterke broer redt en weet te voorkomen dat hij iemand vermoordt of vermoord wordt. Dat is nog eens andere koek, nietwaar? Ik zette de bloemen met het briefje op de schoorsteenmantel. En ik dacht: als ze hier komt rondsnuffelen mag ik hopen dat ze groen ziet van jaloezie.

15. Wandelstok

Calum kwam na het middageten naar me toe; zo te ruiken had ze hem iets uit de frituur gegeven, of misschien was het friet. In de hal hing de geur van heet vet, en ik vond het helemaal niet erg om zelf een maaltijd te nuttigen van water en een peuk. Het was zo'n warme, gloeiende dag van half augustus zoals die zich begin oktober ineens voor kunnen doen. Ik zat op mijn drempel en de zon deed mijn huid tintelen.

'Je arme g-gezicht.'

'Dat heeft niets te betekenen. Waar ga je vandaag naartoe?' Ik gaf hem een shagje en hij kwam naast me op de drempel zitten. Hij had zijn jas uitgelaten en droeg alleen een vormeloos T-shirt, dat slap om zijn magere, hoekige schouders hing. Hij boog zich voorover, zijn ellebogen op zijn knieën, zijn rechterbeen trilde als de poot van een hond. Hij vermeed het me aan te kijken.

'Ik neem je mee naar de *s-sithein*.'

Hij ging ervan uit dat ik met hem mee zou gaan, maar ik wilde alleen maar lekker in de zon zitten. Ik voelde me wezenloos. Ik wist niet waarom maar ik wilde dat hij me aan zou kijken. De doffe pijn rond mijn ogen was kalmerend en geestverdovend, het gaf me een excuus om dingen niet te hoeven. 'Ik geloof dat ik maar hier blijf.'

'Nee. Ga mee. Het is... Het is een bijzondere plek.'

'Moet je ervoor klimmen?'

'Nee... Nee, het is vlak bij de bossen. Mooi, je vindt het vast leuk.'

Hij voelde zich ellendig, schuldig en bekommerd. Ik had met hem te doen, zijn moeder had hem in de tang. Ze had hem zeker een uitbrander gegeven omdat hij mij pijn had gedaan. Ze zou het niet leuk vinden als ik vandaag met hem meeging... Langzaam herinnerde ik me de dingen die ik moest doen, ze doken op in een trage stilte, zoals dingen opdoemen uit de mist en vanuit het niets vorm aannemen. Ik moest in actie komen. Ik moest Calum bij haar weghalen. Die warme loomheid die me omlaag trok, die moest ik van me afschudden.

'Zit daar water in?' Hij stopte mijn fles mineraalwater in zijn rugzak en we gingen op pad. We liepen in stilte voort, het eiland was glazig in de hitte, het weggetje zinderde ervan. Het was heel stil, op de een of andere manier afwachtend – ik was in afwachting, de dag was in afwachting in een merkwaardige warme glazige rust. We kwamen bij de rand van de bossen en dronken en rookten wat in de schaduw van een scheve boom vol blauwzwarte bessen. Ik vroeg hem wat het er voor een was.

'Vlier. De vogels eten de bessen op.'

Ik kende een Moeder Vlier uit een sprookje, maar mijn slaperige brein kon zich niet herinneren of ze goed of slecht was. 'Ik vertrek binnenkort,' zei ik.

Hij keek me voor het eerst die dag echt aan. 'Hoezo?'

'Nou, ik heb dingen te doen, ik moet ander werk zoeken.'

'Je kunt hier blijven.'

'Nee.' Ik realiseerde me dat ik zijn ronddwalende oog niet meer zag. Ik keek automatisch naar het goede.

'Omdat ik je heb geslagen?'

'Nee. Je kunt met me meegaan als je wilt.'

Ik zag dat hij over dat aanbod nadacht. 'Maar...'

'Wat maar?'

'Mijn m-moeder.'

'Andere mensen blijven ook niet hun hele leven bij hun moeder.'

Hij schudde zijn hoofd.

'Zou je willen zien waar ik woon?'

Hij draaide een paar lange grassprieten heen en weer tussen zijn vingers. 'Ik kan het eiland niet af.' Abrupt liep hij door het hoge gras bij me vandaan. Na een meter of dertig bleef hij staan, hurkte neer en omvatte met zijn handen een opschietende spriet. 'Kijk eens.'

Twee kleine slakken met hun huisjes op hun rug kropen omhoog langs de grasstengel. Hij liep langzaam verder, bleef weer staan bij een steen die volgens hem een fossiel was, vervolgens voor een dop van een oude pen en een plastic fles, die allemaal de rugzak in gingen. Ik voelde me licht en slap, mijn vermogens om me te concentreren en te overtuigen waren net water. Hoe kon ik hem zover krijgen dat hij bij haar weg en van het eiland wegging? Het leek tegelijkertijd een fluitje van een cent en onmogelijk.

We liepen langs de rand van een bos tot we bij een begroeid veld kwamen. Het lange gras had veerachtige pluimen, roodachtig en paarsig tegen de groene stengels. Er waren drie heuveltjes op het veld. 'Nog meer verwoeste huisjes?'

'Nee.' Hij ging naar het dichtstbijzijnde. Aan één kant was een smalle opening; toen ik me bukte kon ik net naar binnen kijken in een donkere met stenen beklede ruimte, als een kleine koude grot.

'Het is een *sithein*. Hier hebben de Kleine Mensen gewoond.' Hij liep verder naar de andere twee heuveltjes, raakte ze aan en controleerde ze op zijn Calum-achtige manier. Ik ging zitten en leunde met mijn rug tegen de met gras begroeide bult. De zon was warm, ik sloot mijn ogen en hij scheen rood door mijn oogleden heen. Mijn wang klopte zachtjes. Ik hoorde dat hij eraan kwam en naast me ging zitten, hij gaf me de waterfles aan.

'Dank je. Vind jij mij aardig, Calum?'

'Ja.'

Ik opende mijn goede oog en wendde me naar hem toe, hij zat fronsend naar zijn knieën te kijken. Ik klopte op zijn hand op het gras. Hij voelde ruw en droog aan. Er viel een korte stilte, die werd gevuld door het gegons van bijen en het zachte ruisen van de wind door het gras.

'Nikki?'

'Ja?'

'Weet je hoe het zat met de Kleine Mensen?'

'Nee.'

'Ze woonden op dit veld.'

'Ik geloof niet in sprookjes.'

'Dat m-moet je niet zeggen.'

'Waarom niet?'

'Ze kunnen geen schapen houden op dit veld – de Kleine Mensen maken ze gek.'

'O ja?'

'Als de sch-schapen op de *sithein* grazen beginnen ze rondjes te rennen. Niemand kan ze laten stoppen, ze rennen rond tot ze dood zijn.'

Een lange warme slaperige pauze, de zon is door mijn botten heen gedrongen, ik ben warm en gesmolten en Calums zachte gestamel met zijn ondertoon van gretigheid – hij wil me overtuigen – vormt een aangename afleiding, net genoeg om me wakker te houden. De hitte is ook sexy, ik doe de bovenste knoopjes van mijn shirt open. 'Ga verder. Vertel me over hen.'

'Weet je het niet?'

'Geen flauw idee. Niets. Geen flintertje.'

'Weet je dat ze uit de h-hemel kwamen?'

'Nee Calum, dat weet ik niet.' Heel makkelijk om sarcastisch te worden; daarbij krult hij in elkaar als een slak wanneer je schaduw eroverheen valt. Wees aardig. 'Wil je het me alsjeblieft vertellen? Waarom zijn ze weggegaan uit de hemel?'

'Ze waren de engelen van Lucifer. Toen hij eruit werd gezet, moesten zij ook weg. Ze werden naar de aarde geslingerd en sommigen vielen in de zee. De Blauwe Mannen, die hebben mijn vader v-verdronken.'

'Blauwe mannen?'

'In de g-golven. Schuimgrijze gezichten, soms kalm maar altijd voeren ze iets in hun schild...'

Zijn stem zweeft weg; ik open mijn ogen en tuur naar de bossen die het veld omzomen. In de zon glanzen de bladeren als metaal. 'Zijn sommigen in de zee gevallen...?'

'De anderen vielen op het land. De Kleine Mensen. *Daoine Sithe*. Ze hebben allerlei s-streken.'

'Zoals?' Er gonst een vlieg voor mijn bezwete gezicht en ik sla hem weg.

'Mensen die hen ergeren – voor h-hen bederven ze alles. Ze kunnen het binnenste uit dingen zuigen zonder dat je dat van-buiten ziet.'

'Leg eens uit.'

'Bij wijze van maaltijd, een soort feestmaal. Ze zuigen de goed-heid overal uit en laten alleen een lege h-huls achter. Het ziet er goed uit maar als je het aanraakt valt het uit elkaar. Tot stof.'

Ik ken dit, ik heb het eerder gehoord.

'Dat doen ze met goud en j-juwelen, vee, huizen – alles. Het ziet er nog steeds goed uit maar ze hebben het binnenste eruit gezo-gen.'

185

'Kunnen ze dat ook met mensen doen?'

'Weet ik niet. Ze hebben een heleboel dingen kapotgemaakt en de mensen weten het niet eens.' Hij hakt met een steen die hij heeft opgepakt naar een graspol. Geagiteerd, zijn stem zorgelijk. 'Sommige mensen zeggen dat ze het al met de hele w-wereld hebben gedaan.'

Stilte. Ik heb jeuk op mijn rug. Ik schurk me tegen het heuveltje aan. 'Nou, zo te horen zijn ze afschuwelijk, Calum. Waarom zitten we hier?'

'S-ssst. Dat moet je niet zeggen. Als ze je graag mogen brengen ze geluk. Ze kunnen wensen laten uitkomen.'

'Ik krijg het te warm. Kunnen we in de schaduw gaan zitten?' Mijn geschonden gezicht deed pijn en stak, ik bedacht opeens hoe stom het zou zijn om het te laten verbranden in de zon. En ik vermoedde dat ik tegen een mierenhoop leunde. Ik liep naar de andere kant van het veld en schudde mezelf uit en krabde op mijn rug en ging toen liggen in de schaduw van een enorme beuk. Calum aaide over het heuveltje alsof het een huisdier was. Toen hij naar me toe kwam stond zijn gezicht somber. Ik liet me op mijn zij rollen en merkte op dat zijn blik naar de spleet tussen mijn borsten in mijn open shirt werd getrokken. 'Vertel verder over de Kleine Mensen.'

'Ze w-willen niet slecht zijn. Maar ze hebben geen huis. Ze kunnen niet anders dan mensen uitzuigen.' Hij ging zitten en ik rolde een shagje voor hem, en hij vertelde me zijn verhaal over de Kleine Mensen.

'Het gebeurde hier in dit bos. Een priester was onderweg naar een doopfeest. Het was net zo warm als vandaag, en toen hij bij een open plek kwam ging hij even zitten om te rusten. Hij stak zijn stok in de grond naast hem.'

Er viel een scherpe lichtstraal in mijn gewonde oog – ik lag achterover en beschermde mijn ogen met mijn arm. Mijn hals en borst kriebelden, alsof er een insect over me heen kroop; ik veegde het weg en liet mijn vingertop naar de kleine warme vallei van zweet tussen mijn tieten gaan.

'Er waren allerlei geluiden. De priester kon geruis horen en geluiden als fluisterende stemmen – die uit de bomen kwamen.'

Met mijn arm over mijn ogen kon ik Calum zien maar hij kon mij niet zien. Hij trok een moeilijk gezicht omdat hij het verhaal goed wilde vertellen.

'Hij... Hij zag, opeens, een m-menigte aan de rand van de open plek. Een menigte kleine mensen. Met kleine puntige gezichtjes en rafelige kleren, als vieze aapjes. Hij schrok. Hij sloeg een k-kruisje maar ze verdwenen niet. Er kwam er eentje dichterbij – een verschrompeld mannetje met een lange grijze baard en ogen als rozijnen.'

Ik had het zo heet dat ik het gevoel had of ik smolt. Ik vroeg me af of ik door mijn blauwe oog op de een of andere manier koorts had gekregen. Stom om met zulk weer een spijkerbroek en een overhemd aan te trekken. Ik maakte de manchetten los en rolde langzaam de mouwen op. Calum leek tot stilzwijgen te zijn vervallen. 'Ga verder.'

'Het kleine mannetje knielde neer en vroeg of de priester hem wilde zegenen. "Wie zijn jullie?" vroeg de priester. "*Daoine Sithe*. Kleine Mensen. We willen vergeving. We willen Gods kinderen zijn en onze zielen terugkrijgen. We hebben spijt van onze zonden." De priester werd heel boos. "Jullie mijn zegen geven? Terwijl God jullie heeft verstoten?" Het mannetje en alle andere elfen kreunden. Ze hadden kleine handjes als magere kippenklauwtjes, ze staken ze omhoog naar de priester. "Alstublieft, vergeef ons." "Nooit! God vergeeft jullie niet eerder

187

dan dat er blaadjes aan mijn wandelstok hier zullen groeien."'

Ik 'rolde me op mijn buik. Mijn hele lichaam voelde kriebelig en tintelend aan – misschien kwam het door de na-effecten van dat medicijn dat ze me had gegeven. Ik kreeg zin om al mijn kleren uit te trekken en me in het koele groene gras te schurken. Er sloegen golven hitte door me heen. Calum ging op het gras naast me verzitten. Hij is je broer, Nikki, niet grof worden. Broer, *half-broer* – wat doet het er verdomme toe? Hij is *simpel*, Nikki, hij is niet meer dan een groot kind. Met het lichaam van een man, met alles erop en eraan, en zo lekker als maar kan, hij zou hele-maal oververhit en trillerig en onzeker worden.

Het leek een heel lange stilte. 'Ben je de rest van het verhaal ver-geten?'

'O, nee hoor.' Hij kuchte om zijn keel te schrapen maar toen hij weer het woord nam leek zijn stem omfloerst. 'De Kleine Mensen bleven hem allemaal met hun kraaloogjes staan aankij-ken. En hij pakte zijn soutane op en rende ervandoor zo snel als hij kon en hun zachte jammerende stemmetjes kringelden hem tussen de bomen door achterna als rook.'

Weer een Angus-nummer, kennelijk. Ik vroeg me af hoe vaak Calum naar de verhalen had geluisterd. Om ze zich woord voor woord te kunnen herinneren.

'De priester bezocht de nieuwe baby en voltrok de doop. Hij was klaar om naar huis te gaan maar hij kon zijn wandelstok niet vin-den. Toen herinnerde hij zich dat hij hem op de open plek moest hebben achtergelaten. Toen hij terugging door het bos kon hij de Kleine Mensen nog steeds door de bomen horen jammeren. Alsof ze hem achternakwamen. Maar toen hij op de open plek kwam zag die er anders uit.'

Ik vind het leuk als je het kunt voelen aankomen. Uitbotten. Wat een sexy woord.

'Waar zijn stok had gestaan... stond een grote esdoorn – mooi, met uitbottende takken, groter dan de andere bomen. Hoger... Hoger...' Hij aarzelde.

'Hoger dan wat?'

'Hoger dan. Hoger dan alle bomen van het bos. Zoals de genade van God groter is dan die van de mens.' Met opluchting in zijn stem sprak hij de slotzin uit.

'Dus de priester was met stomheid geslagen?' Ik rolde me weer om zodat ik zijn gezicht kon zien. Hij knikte en grijnsde. Ik ging zitten om mijn sportschoenen uit te doen om het gras aan mijn tenen te kunnen voelen.

'Hij knielde neer – zelfs zijn tanden klapperden!' Calum zei het verheugd. 'En hij keek wild om zich heen tussen de bomen en zag hun puntige gezichtjes. En hij riep hen toe: "Alsjeblieft vergeef me! Kleine Mensen! Vergeef me!", maar hij hoorde alleen ver weg gejammer tussen de bomen.'

'Te laat,' zei ik. 'Hij was veel te laat.'

'Ja, hij liep heen en weer...'

'Nu eens de ene kant op, dan weer de andere...'

'In en uit...'

'Tussen de bomen door...'

Calum zweeg en keek me zorgelijk aan.

'Laat maar. Ik doe alleen maar met je mee. Maar hij kon ze niet vinden, hè? Het liep niet goed af?'

Calums gezicht ontspande zich. 'Nee, het liep niet goed af.' Hij tuurde naar zijn vingers, die door een graspol kamden, alsof ze geen deel van hem uitmaakten. Toen keek hij naar mij. Ik rolde me weer op mijn zij.

'Calum, waarom ga je niet met me mee? Dat zou leuk zijn... We kunnen van alles doen...'

Hij had zijn benen opgetrokken. Ik bracht mijn voet omhoog en drukte die zachtjes tegen zijn scheen. Ik kon hem alles laten doen.

'Ik vind je leuk,' zei hij.

Natuurlijk vond hij me leuk.

'Nikki?'

'Ja?'

'Kan ik met je trouwen?'

Bingo! 'Als we op het vasteland zijn... kunnen we daar misschien over praten...'

'Ik vind je echt leuk.'

'Weet ik.'

Hij ging plotseling op zijn knieën zitten en boog zich over me heen, zodat het zonlicht werd weggenomen. Ik worstelde me overeind. 'Nikki, vind jij mij leuk?' Zijn stem was onzeker maar zijn gezicht was heel dichtbij. Vlak bij het mijne zijn zoete

190

hooiadem op mijn gezicht ik kon zijn lippen zien en ze waren
even zacht en droog als een fluistering. Hij zou met me meegaan
o ja hij zou me volgen waar ik ook ging ze was hem nu kwijt dat
rotwijf is hem kwijt.

Het was langzaam als een ballet elke beweging onvermijdelijk
maar niet gevaarlijk elke beweging hypnotiserend zoet. Hij liet
zijn vingertoppen over mijn bovenarm gaan raakte net strelend
de huid ik voelde het trekken in mijn buik. Hij bracht zijn vingers naar mijn gekneusde gezicht en omvatte zacht de lucht
eromheen hij fluisterde: 'Kan het beter kussen kan het beter kussen.' Ik legde mijn handen op zijn schouders om in balans te blijven ik verplaatste mijn gewicht zo dat ik geknield zat en mijn
gezicht op dezelfde hoogte kon brengen als het zijne en ik kon
de warmte van zijn lichaam voelen ik kon zijn schouders voelen
trillen. Hij liet zijn armen langs zijn lichaam vallen. Onze lichamen waren naar elkaar toe gewend de vijf of tien centimeter
ruimte ertussen was dik als water hij vertraagde ons hij drukte
tegen ons hij hield ons vaneen maar dwars daardoorheen voelden we elkaars warmte. Hij boog zich er iets verder in naar voren
en mijn keel werd dichtgeknepen zodat ik hijgend de lucht
inademde hij was dichtbij hij was zo dichtbij hij kwam dichterbij. Toen ademde ik in zijn borst raakte net mijn tepels en het was
nog steeds slowmotion, langzaam en plagerig zoet als naar het
randje van het hoogste klif kruipen en langzaam over de rand
turen het was mogelijk het te controleren te kiezen en te controleren om subtiel een centimeter dichterbij te komen en zijn
gewicht tegen mijn tieten te voelen, warmte die zich in kringen
verspreidt hij trilde maar hij bewoog zich niet bleef alleen
geknield zitten met zijn armen langs zijn zij. Ik bracht mijn
gezicht weer dichter naar het zijne het was alsof er tussen ons een
weerstand in de lucht was een kleine barrière een stroom die
wanneer we elkaar aanraakten oploste en er was niets anders tussen ons dan het trekken van de zwaartekracht.

De trage trance werd verbroken. Onze lichamen kwamen met elkaar in botsing. We vielen.

Het was mijn schuld. Ik ben me daar heel goed van bewust. Wanneer is het niet mijn schuld? Ik zette hem ertoe aan. Ik betrok hem erin. Ik was de enige die wist dat we familie waren. Hij was daar niet van op de hoogte. Hij heeft niets verkeerd gedaan. Hij probeerde alleen maar te doen wat de natuur hem ingaf: zijn genen doorgeven.

De weerzinwekkende tegenstrijdigheid van mijn karakter getrouw realiseerde ik me, op het moment waarop de uitkomst van ons wilde gegraai onvermijdelijk werd, dat ik helemaal niet wilde dat het gebeurde. Wat het voor ons allebei nog erger maakte, want ik krabde hem tot bloedens toe en hij scheurde mijn spijkerbroek en legde één hand om mijn hals drukte met één hand mijn gezicht tegen de grond en smoorde me half. Het was in een vloek en een zucht voorbij. Toen barstte hij in snikken uit en liet me los.

Ik kroop onder hem vandaan, liep weg en leunde tegen de dichtstbijzijnde boom. Ik boog voorover om over te geven en ik had mezelf wel uit willen kotsen – helemaal – mezelf binnenstebuiten willen keren zodat ik in z'n geheel door de cirkel van mijn kokhalzende mond overging in een hoop halfverteerde rotzooi op de grond.

Dat zou het beste zijn geweest. Hij huilde en het was helemaal mijn schuld maar ik kon niet bij hem in de buurt blijven. Ik pakte mijn sportschoenen en rende er zo goed en zo kwaad als het ging tussen de bomen door vandoor. In beweging blijven was het enige wat ik kon doen maar uiteindelijk zag ik de zee voor me en dat was wat ik wilde, ik liep naar het water en trok die afschuwelijke kleren uit en ging erin, strompelend en uitglijdend over de stenen. In het begin was het koud de pijn van mijn kwetsuren werd verdoofd en ik schrobde mezelf helemaal af ik dook kopje-onder en bleef onder tot ik dacht dat mijn hoofd zou barsten ik krabbelde en klauwde naar mijn vuile huid om die laag eraf te halen. Het zout beet in mijn opengehaalde gezicht en de lijn van krassen op mijn armen en polsen, en op mijn heup waar ik tegen iets scherps aan was gedrukt. De tranen sprongen me in de ogen van de pijn en de opluchting van het huilen. Ik krabbelde er roze en koud en schoongeschrobd weer uit; haalde mijn slijmerige spijkerbroek het water in en sloeg hem door het water. Het zat tenminste in mijn spijkerbroek en niet in mij. Toen hij schoon was trok ik hem weer aan – ging weer naar de bomen, rolde me nat als ik was op en viel in slaap. Ik weet niet hoe ik dat kon doen, maar ik deed het.

16. Ontregeling

Toen ik wakker werd had ik behoefte aan iets te roken. Ik had mijn blikje shag niet bij de hand dus dat moest bij Calum zijn. Het werd donker en mijn keel was rauw en uitgedroogd. Ik wist niet waar ik heen moest, toen dacht ik: de pub. Daar zal hij niet komen, daar zal zij niet komen, ik moet mijn plan trekken, ik moet gaan zitten met een sigaret. Ik ging op weg door de bomen en probeerde de zee achter me te houden. De bomen waren zwart en de grond onder mijn voeten was verraderlijk vanwege wortels en kuilen en dode takken; twee keer viel ik, elke keer dat ik achteromkeek vormden de bomen meer en meer één aaneengesloten zwarte, donkere massa achter me. Ten slotte leek het voor me uit lichter te worden en kwam ik uit op een open veld en was de hemel boven me helemaal open en bleef ik staan om op adem te komen. Daarna liep ik het veld over en kwam ik bij een weg. Toen ik achteromkeek hadden de bomen zich tot één dichte duisternis aaneengesloten. Ik volgde de weg twee bochten om en toen zag ik voor me uit licht. De maan scheen en de wolken dreven ervoor langs zodat er plekken met zilverig licht te zien waren. De onbewolkte lucht was donkerblauw en ik kon de weg makkelijk zien, en de lichtjes van het dorp voor me.

Er zat een handjevol verschrompelde mannetjes in het café, ze staarden me allemaal aan. Ik vroeg om appelsap en wisselgeld voor sigaretten; de automaat stond in het smerige gangetje dat naar de plees liep. Op de dames-wc trok ik mijn kleren uit, zette één voet tegen de deur en waste me helemaal opnieuw met een dun stukje grauwe zeep en een tot op de draad versleten handdoek. In de spiegel zag ik eruit als een geblutste pruim.

Toen ik me had aangekleed stopte ik mijn geld in de sigarettenautomaat. Ging zitten op de gescheurde plastic stoel die ernaast stond en realiseerde me toen dat ik geen lucifers had. Ik bleef even zitten, het was te moeilijk om me te bewegen. Ik wilde niet dat de mannen naar me keken. De deur naar het café ging open en er kwam een vrouw aan. Ze bleef staan.

'Alles goed?'

'Heb je vuur?'

Ze haalde een aansteker uit haar zak. Ze staarde me aan. De eerste longvol rook was zalig.

'Ja. Bedankt. Met mij is alles in orde.'

Ze knikte en liep verder naar het toilet. Er waren foto's op de muur geplakt – kiekjes, rijen en rijen. Een of andere plaatselijke festiviteit. Grijnzende gezichten, mensen in kostuums, mannen met helmen die een vikingschip droegen. Ik bleef ernaar zitten staren, helemaal verdoofd. De effecten van de sigaret verspreidden zich als sterren door mijn lichaam. Als ik doodga aan kanker zal ik me die sigaret herinneren, en dat ik wist dat toen ik hem rookte dat de dood dichterbij bracht en dat dat het wezenlijke was van het genot dat hij me schonk. De vrouw kwam de plee uit. 'Heb je al iets te drinken? Kom je bij ons zitten?'

Zag ik er zo beroerd uit? Ik voelde me beter. 'Bedankt. Zo meteen.' Ik keek haar na toen ze het café weer in ging. Pot – ik had haar eerder gezien. Ja, die vrouw van het vegetarische eetcafé. Slim. Safe. Sally. Waar zouden we het over hebben? Hallo, ik ben net geneukt door mijn broer.

★ ★ ★

Met de gloeiende peuk stak ik nog een sigaret op. Ik kon mezelf niet tot denken zetten. Dat was te moeilijk. Mijn concentratie ketste af als druppels water in een koekenpan met hete olie. Ketste en spatte en sprong weg van het oppervlak.

Wat deed het ertoe? Hij had me geen *pijn* gedaan. Een paar blauwe plekken. Het had niets te betekenen. Het was niet zo dat ik me in iets had begeven wat ik niet had gewild. Ik wist dat het mijn schuld was daar hoefde ik niet eens over na te denken. Toen moest ik opstaan en naar de wc gaan om nog een keer te kotsen. Er kwam niets anders dan gele gal. Mijn keel werd er rauw van.

Ik was de draad kwijtgeraakt. Hem weghalen bij zijn moeder... Wraak op haar nemen... Ik zou haar gaan vermoorden maar de enige die het zwaar te verduren kreeg was ikzelf. Ik ging weer op de gescheurde stoel naar de foto's zitten staren. Er was er een bij van een grote vent met een vikinghelm, met zijn arm om de schouder van een rode indiaan. De rode indiaan grijnsde van oor tot oor als een koolraap. Hij was jong, een jaar of veertien. Het was Calum. Aan zijn andere kant stond een vrouw met een lange mantel aan met glimmende manen en sterren erop, en een zwarte tovenaarshoed op. Ze lachte. Zij.

Ik ging ernaartoe en ging op mijn knieën zitten om het beter te kunnen zien. Die grote vent moest Angus zijn. De foto was met een flits genomen, de achtergrond was donker, achter hen kon je schaduwachtige gestaltes zien. Zij drieën samen. Een gezin. Vastgelegd op hun moment van samenzijn. Een gesloten bel waar ik niet doorheen kon komen. Veilig in het verleden.

Er kwam iemand aan in de gang achter me – die pot weer. 'Ah, je bent er nog.' Ze bleef staan en keek over mijn schouder. 'Dat is van een nieuwsjaarsfeest dat ze hier vieren. Het is fantastisch.'

'Ja.'

'Ze verbranden de replica van een vikingschip die ze hebben gemaakt – er komen een heleboel mensen op af van Skye, ze verkleden zich en zuipen zich een hele week volkomen lam.'

'Ja.' Het blijft altijd hetzelfde, je hebt alleen verschillende soorten rotzooi, sommige zijn nieuw en andere bekend. Herkenning. Her-kenning, een hernieuwd besef van mijn neergang, mijn verlies, mijn holheid. Ik heb alle keren dat ik in mijn leven nieuwjaar heb gevierd met vreemden doorgebracht, doelloos.

Ik kwam overeind en ze pakte mijn arm. 'Hé? Kom even zitten. Wat is er met jou gebeurd?' Ze herkende me niet – nou, dat verbaasde me niets. Ze pakte mijn sigaretten op en bracht me naar het café. De magere vrouw zat aan een tafeltje bij de muur. Ze trok een stoel voor me bij. Mijn appelsap stond al op tafel. Ik dronk ervan en stak er nog een op.

'Wat is er met je gezicht gebeurd?' De magere. Ze was een en al gespannen aandacht, alsof ze mijn gedachten zou kunnen lezen. De dikke, verstandige ging nog wat drankjes halen.

'Ik ben uitgegleden op de rotsen.'

'O.'

Ik dronk mijn appelsap en vroeg haar waar ze vandaan kwam. Er waren nu meer mannen in het café gekomen, ook wat jongere. Ze keken naar ons.

'Londen.' Ze begon me te vertellen over het marktstalletje dat ze hadden gehad.

Ik vond het niet erg om bij Sally en Ruby te zitten misschien kon ik zelfs met hen meegaan en bij hen blijven logeren maar het was pijnlijk om met hen te moeten praten. Er gebeurde iets aan de randen van mijn gezichtsveld, eerst dacht ik dat het alleen door mijn blauwe oog kwam, maar toen besefte ik dat het ook aan de andere kant gebeurde, dat er dingen voorbijzoefden zoals wanneer je op een motor zit, ik ving vanuit mijn ooghoeken glimpen op van snelle bewegingen.

Ze praatten over hun café het zou toeristen trekken en ze konden de catering doen voor evenementen die buiten werden gehouden. Ze zouden volgend weekend een naamfeest op Skye verzorgen.

'Denk je dat je hier klanten krijgt?' Ik was in staat om iets te zeggen en voor normaal door te gaan. Ik dronk van mijn appelsap en later bracht Sally me er nog een, hoewel ik dat niet wilde.

'Je kunt op het eiland nergens anders uit eten.'

'Maar vegetarisch? Is het hier niet vrij ouderwets?'

'Het zal goed zijn voor het eiland, het zal een extra trekker zijn voor toeristen.'

'Dit is een bijzondere plek,' zei de rustige. 'Het is een spirituele plek.'

God sta ons bij. Ik luisterde met een half oor toe. Wat een types. Ik vroeg me af wat ze zouden zeggen als ik hun zou vertellen wat me was overkomen wat voor verstandig politiek correct ideologisch verantwoord advies ze me zouden geven. De magere moest pas op de plaats maken en elke zin langs de censuur laten gaan voordat ze hem ook maar kon uitspreken. Waarop rustte dat masker dat ze daaroverheen had opgezet? Op wat voor vreselijk kloterig drijfzand? Ze bleven maar drankjes bestellen en ik bleef ze maar opdrinken, mijn pijnen en pijntjes verdwenen naar de achtergrond. Ik moest pissen en toen ik op de wc zat voelde ik mijn ogen dichtvallen. Alles verdween naar de achtergrond, ik wilde slapen. Ik wilde niet dat de ogen van al die rukkers flitsten elke keer dat ik me bewoog. Ga weg ga naar bed doe de deur dicht en ga slapen.

Ik nam afscheid van de vrouwen de zijkanten van het vertrek schoten nu sneller voorbij dan ooit ik zou me tot het uiterste moeten inspannen om terug te lopen naar het huis ik zou nooit meer iets tegen iemand zeggen als ik daar niet zelf voor had gekozen.

Ik liep het donker in. Het was helder. Sterren. Maan. Heel heel groot. Ik liep over de weg ik kon mijn eigen voetstappen horen. Iets... Ik wist dat het iets rampzaligs was maar wat was ik ook weer van plan geweest...? Ik kon me niet herinneren wat het was maar godzijdank was ik niet zoals die twee zo bang om de puin-hoop te zijn die ik was dat ik werktuiglijk een nieuwe persoon-lijkheid moest construeren. Ik was tenminste eerlijk ik was niet aardig of vriendelijk of voorzichtig of bedachtzaam ik was een afgrijselijk mens maar ik hield dat tenminste niet voor mezelf verborgen en deed niet alsof ik anders was mijn paarse gezicht was tenminste de waarheid en elk verschrikkelijk ding was de waarheid ik was tenminste beter dan die zielige wijven ik kende tenminste mijn slechtste kanten. Ik liep voort en er waren een miljard sterren.

Toen raakte ik de draad kwijt. Van de ene minuut op de andere voltrekken deze transformaties deze moorden zich en als het een film was zouden ze nu stoppen met draaien en iemand tot de orde roepen: *Doorgaan, godverdomme!*

Er is geen continuïteit. Ik heb er geen controle over. Eerst func-tioneer ik, vervolgens sta ik machteloos. Ik ben iets, maakt niet uit hoe laag, maar íéts – en vervolgens ben ik niets.

Ik liep. Er waren een miljard sterren

en toen ging alles bewegen maakte de hele boel als het ware een slinger –

de hele zaak het firmament noemen ze het verschoof op een wankele manier van positie en die beweging werd weerspiegeld in mijn hoofd (hoe kun je de binnenkant van je hoofd stil houden, zelfs met bovenmenselijke krachtsinspanning, wanneer de lucht en de sterren beginnen weg te glijden en de donkere horizon kantelt als een zinkend schip?) en ik voelde het allemaal... allemaal...

de hele mij bekende wereld gleed meedogenloos omlaag naar rechts tot een in elkaar zakkende tinkelende hoop en mijn longen trokken zich samen en mijn pupillen werden wijder en mijn ooglenzen verschoven mechanisch als een peperdure camera met autofocus en mijn oren pelden hun fijne zieltogende lagen normaliteit af en als het gebeurt dan is het echt net een oude horrorfilm waarin de goeie kerel een weerwolf wordt en omlaag kijkt en de haren op zijn handen ziet opschieten en zijn mond openvalt van afgrijzen en zijn mannenneus ineens verandert in een snuit

zo is het ik kan lichamelijk voelen dat het verandert ik kan mezelf voelen transformeren en de lucht en de sterren om me heen de hele fysieke wereld lost op en komt scherp terug

gevaarlijk.

Angstaanjagend.

Ik stond midden op een donkere weg met links en rechts duisternis, lege velden. De kosmos ziedde boven mijn hoofd.

Ik hurkte neer, ik weet niet hoe lang maar tot mijn benen pijn deden. Ik liet me op mijn knieën vallen. Het was moeilijk om adem te krijgen, de luchtdruk drukte op mijn longen.

★ ★ ★

Als het gebeurt is alles anders. Werkelijk. Hoe het in werkelijkheid is.

Verbijsterend.

Ik draaide me om om achter me te kijken. Zwartheid. De gele straatlantaarns van het dorp in de verte. Die twee vrouwen in de pub geestelijk gezond en intelligent en gezegend, georganiseerd, gecontroleerd, met elkaar om zich aan vast te houden. Ik had gezien hoe de magere naar de dikke had gekeken toen ze aan het woord was, de kleine flikkering van warmte die tussen hen heen en weer schoot. Met geen van tweeën zou het ooit zover komen. Languit op de weg in het donker, helemaal alleen. Happend naar adem als een vis op het droge.

Ik werkte mezelf overeind. Het deed pijn. Elke vezel van mijn lichaam deed pijn. Ik moest vooruitlopen door het donker om bij het huis van de heks te komen. Toen ik mijn voet omhoogbracht dacht ik niet dat er iets onder zou zijn, de afstand tot de grond was enorm en duizelingwekkend, zoals wanneer een astronaut aan het uiteinde van een kabel in kringen ronddraait een navelstreng in de ruimte. Ik zit er niet eens aan vast. Ik hang los ik val ik ben niet vastgenageld. Er is geen navelstreng.

Optillen – naar voren zetten – omlaag. Zo is de beweging. Zorg dat elk been die uitvoert. Wanneer de ene voet omlaag is, moet je de andere optillen. Optillen, naar voren zetten, neerzetten. Ik beweeg me als een op afstand bestuurde robot voort over de weg. Langzaam. Zigzaggend.

Er scheen een maan. Nu is hij weg. Ik ben blijven stilstaan. Ik kijk naar de verbijsterende lucht die licht lekt met speldenprikken en kleine sneetjes licht vanaf de andere kant heeft er iemand in gestoken en geport om bij ons te kunnen komen.

★ ★ ★

Aah. Haar. Aaah. Ik kan mijn ademteugen horen kreunen en kraken door mijn keel goeie god wat een lawaai houdt niemand me dan tegen? En waar is de maan? Toen ik naar buiten kwam zag ik een maan en nu is hij weg hij is weggehaald uit de lucht geplukt als een appel en opgegeten in het niets verdwenen.

Als ik in mijn kamer kom zal die ritselen en ademhalen misschien zit zij daar wel op wacht. Ze zál er zijn omdat ze weet waar ik ben en wat ik doe ze observeert me ze is een wetenschapper die een experiment doet. Kijken hoe de rat door de doolhof loopt. Ze slaat me gade en ze zal me daar zitten op te wachten maar als ik niet terugga

als ik me omdraai en die donkere weg weer helemaal af loop terug naar de verlichte pub...

Wat dan? Het heeft geen zin. Het zal geen enkele zin hebben.

Ik stuur mezelf, ik ben een buitenaards voertuig, over het pad van zwart naar het huis van mijn moeder waar gedempt licht door de gordijnen schijnt en mijn overgevoelige oren de stemmen opvangen van de personages in de film op de tv en het geluid van hoe ze gaat verzitten in haar stoel en het gerasp van wol die zich ontwindt en het zachte getik van haar naalden terwijl ze zit te breien.

Ik kan achterlangs gaan. Maar aan dit hijgende scheurende geluid moet een einde komen. Hou er nu mee op of anders hoort ze het. Ik doe mijn mond dicht de geluiden en ademteugen snakken in mijn keel naar adem als vissen die proberen uit water te springen dat geen zuurstof bevat. De pijn in mijn hoofd is zo enorm en torent zo dreigend op dat hij mijn hele blikveld vult en mijn andere zintuigen genadig overstemt, ik doe de deur van het slot en ga naar binnen zonder iets te zien of te horen. Ik doe hem achter me op slot, blijf staan in het diepere donker, luister. Blijf doodstil staan. Haal oppervlakkiger adem. Vertraag mijn ademhaling.

★ ★ ★

Ik ben er. Ik kan de tv heel duidelijk horen zelfs wat er wordt gezegd. En ik geloof ook het gezucht van haar ademhaling.

Ik ben blij dat de ruimte van buiten nu is verdwenen. De aanwezigheid van het plafond lucht me op. Zo heb ik minder problemen. Ik kan maar het best doodstil blijven staan en mijn oren spitsen. Ik sta weer bij de deur mijn handen ertegenaan kin geheven. De tijd verstrijkt. Ik adem oppervlakkig en regelmatig. De nacht zal verstrijken.

Ze staat op. Ze loopt naar de tv. Ze zet hem uit. Ik hoor haar stijf door haar kamer lopen. Gerammel van het haardstel, het schrapen van het haardrooster. Klik-klik als de lampen uitgaan. Ze schuifelt naar de deur. Ik haal adem. Ik adem nog steeds. Ze gaat de hal door naar de voordeur. Schuift er de grendel voor. Ze schuifelt de hal door naar mijn deur. Aan de andere kant blijft ze staan aarzelen, mijn adem is gevangen in mijn keel en wil er niet in of uit ik houd mijn ogen strak op de donkere rechthoek gevestigd met het streepje licht eronderdoor ik geloof dat ik de schaduw van haar voeten zie. Ze schuifelt verder; klik; het streepje licht onder de deur verdwijnt. Ze gaat langzaam, tree voor tree, de trap op. Ik moet haar vermoorden.

Maar ze heeft elke actie die ik zou kunnen ondernemen in mijn hoofd geplant en stuurt me zelfs nu ze houdt me hier vastgepind in angst tegen de deur terwijl zij schuifelend haar weg gaat de trap op. Weet ze het van Calum? Is hij hier? Of houdt hij zich ook schuil – voor haar, voor mij?

Ik maak me los van de deur. Hoe kun je je losmaken wanneer iemand anders je geest bestuurt? Hoe kun je ook maar iets denken waarvan zij niet willen dat je het denkt? Weet de magere lesbienne in de pub daar het antwoord op? Wéét ze dat ze alles wat vanzelf, spontaan in haar hoofd opkomt moet wantrouwen – wéét ze dat ze alleen zichzelf kan zijn, niet gemanipuleerd, als ze die pauze inlast om kalm en weloverwogen te zijn? Wéét ze dat

haar eerste reactie op dingen niet te vertrouwen is? Daar is inge-
plant door iemand die haar bestuurt – een gedachtelezer, een
moeder?

Ik ben naar het bed gegaan en zit erop, wat een lichamelijke ver-
lichting betekent. Er schieten pijnscheuten door mijn benen. Ik
kan op het bed zitten en als ik voor me uit naar het raam kijk
(dat sowieso in de gaten moet worden gehouden) kan ik vanuit
mijn ooghoeken ook beide deuren zien (aan tegenoverliggende
kanten van de kamer). Ik denk dat ik de hele nacht zo zal blijven zitten, omdat ik zo de boel in de peiling kan houden. Er
heerst een diepe stilte in het huis, er kraakt alleen van tijd tot tijd
een vloerplank die misschien inkrimpt door de nachtelijke kou,
ik stel me voor dat de dakbalken de daksparren steunen en de
pannen die elkaar allemaal overlappen het volgende dat ik me
voorstel is het gewicht en de constructie van het huis boven me
dat me beschut tegen de lucht. Het is heel bijzonder dat iets me
samenhoudt tot één machine want de afzonderlijke stukken hout
baksteen en dakpan vormen samen een huis het is heel bijzonder dat dingen in elkaar blijven zitten en het is onbegrijpelijk dat
ze dat doen, waarom ze niet uit elkaar vallen in de chaos van
zwart en vonken die kloppend boven ons hoofd hangt, waarom
blijven ze in elkaar zitten?

Ik houd mezelf bij elkaar, ik houd mijn huid om mijn bloed om
te voorkomen dat het eruit stroomt en in stromen op de vloer
valt. Zij kan mij niet vernietigen als ik dat niet *toesta*.

Ik moet mijn hoofd heel stil houden. Als ik het iets schuin houd
naar links of naar rechts, kan ik één deur niet meer zien. Alle
ingangen dienen voortdurend te worden bewaakt.

17. Zout

Wanneer de vorm van het raam lichter wordt, heb ik het ijs- en ijskoud. Overal is het doodstil. De dag breekt aan. Er is niets naar de deuren toe gekomen. Ze is boven gebleven en heeft zich stilgehouden. Aan het grauwe licht te zien is het nu – hoe laat, halfzes? Bij daglicht zal er niets komen.

Mijn lichaam is zo stijf dat het amper kan bewegen, ik laat mezelf zijwaarts van het bed vallen en trek aan het dek zodat het half om me heen komt te zitten. Ik buig me om naar het raam en de deur te kijken. Het wordt steeds lichter. Het dek creëert het begin van warmte. Ik sluit mijn ogen.

Geklop aan de buitendeur. Ik zweet, raak in paniek, zoeklichtzon in mijn ogen.

Klop klop klop.

'Ja?' Mijn stem krakerig en droog.

Geen antwoord. Het dek plooit zich onder mijn gewicht houdt me gevangen in bed. Ik worstel ermee en kruip en wankel naar de deur. Ik ben helemaal bezweet. Draai de sleutel om. Doe open. Calum knielt op de drempel. Zijn gezicht is rood zijn ogen zijn dik.

'Het s-sp... Het s-spijt...'

Het felle zonlicht priemt in mijn ogen. De zon zindert boven de zee. Het moet middag zijn.

'Spijt me. Spijt me. Spijt me.' Hij lijkt wel iemand die zit te bidden. 'Alsjeblieft,' zegt hij. 'Alsjeblieft.' De zon flitst in mijn ogen en explodeert binnen in mijn hoofd de deurpost snijdt neerwaarts over mijn rug.

Een schaduw die me afschermt tegen het verblindende licht, koel water schuin tegen mijn lippen. Ik slik. Als ik mijn ogen opendoe krimpt hij in elkaar, schiet zijn hurkende gestalte naar achteren. Ik steek mijn hand uit naar het kopje – drink het leeg.

'Ik ben nooit... Ik ben nooit...' Hij huilt.

Ik kan geen woord uitbrengen lig alleen maar versuft tegen de deurpost met de gezegende smaak van water in mijn mond.

'Z-zal ik mijn m-moeder halen?'

'Nee.' Ik werk me overeind tot een zithouding. Ik ben flauw van de honger. 'Ik heb honger.'

'Zal ik wat toast voor je maken?' Mijn hoofd is zwaar en gezwollen het wil niet knikken, ik breng mijn hand omhoog. Voorzichtig, terwijl hij ruim afstand van me houdt, stapt hij mijn kamer in. Ik ga op de drempel naar de grassprieten zitten staren en de korrels vuiligheid daartussenin. Ik hoor de kast opengaan het geritsel van papier het brood dat in het rooster wordt gedaan het schrapende geluid als hij de knop omlaagdrukt. Het gezoef van de kleine koelkastdeur wanneer hij op zoek gaat naar de boter de geur van geroosterd brood die naar me toe drijft ik kwijl van de honger, het water loopt me uit de mond. Hij zet een bord naast me neer de boter smelt op de toast en ik prop die in mijn mond. Zijn polsen bungelen langs de zijkanten van zijn lichaam.

★ ★ ★

Als ik alles heb weggekauwd, is er stilte.

'N-Nikki?'

Ik staar naar zijn voeten. Zijn laarzen zijn drijfnat.

'Nikki?'

'Ja?' Een van zijn veters is gebroken en er zit een knoop in. Een bruine veter en een zwarte, aan elkaar vast.

'Ik wilde niet...'

'Het was mijn fout.'

'Nee...' Hij huilt en ik zit hier in de zon die me warmt en mijn maag die rommelt en zich samenklemt om de toast. Eigenlijk net een dier. Een beetje warm vlees dat zoveel ruimte in beslag neemt. Wat doet het ertoe.

'Ik zal nooit... Ik zal nooit...'

'Het is goed. Stil maar.'

Hij loopt weg, naar het eind van de tuin, hij hurkt neer bij het hek zijn handen eromheen geklemd. Het ziet er vreemd uit, alsof iemand hem de aarde in wil trekken. En hij zich aan het hek vasthoudt in een strijd op leven en dood. Hij schokt met zijn hoofd. Hij bonkt met zijn hoofd tegen de horizontale spijl van het hek. Ik kan het hele hek heen en weer zien gaan terwijl hij er keer op keer tegenaan bonkt.

'Calum.'

Mijn stem breekt. Harder. 'Calum.'

Hij houdt op maar verroert zich niet. Hij is te ver weg. Ik kan niet roepen. Langzaam opstaan. Al die pijnen. Mijn rug. Mijn gezicht. Mijn benen. Langzaam kan ik naar hem toe lopen. Ik kan het woord richten tot zijn rug.

Hij verroert zich niet.

'Ik wil er niet over praten. Of er óóit over nadenken.'

De inspanning van het lopen en praten maakt me duizelig. Terug naar de veiligheid van mijn drempel.

Ik blijf een hele poos zitten. Calum komt de tuin door, loopt langs me heen de kamer in. Er klinken geluiden van water, serviesgoed, bestek, de ketel. Even later glipt hij weer langs me heen naar buiten. Hij vermijdt het me aan te kijken.

'Ik heb ontbijt voor je gemaakt.' Hij verdwijnt om de hoek van het huis. Ik ga naar binnen naar de tafel, ga zitten, drink thee, eet gekookte eieren en nog meer toast. Ik zit aan tafel naar de vormen van de eierdoppen te staren. Na een tijdje leg ik mijn hoofd op mijn armen. De tijd verstrijkt.

Ik word gestoord door iets wat over de vloer schuift. Het komt onder de deur naar de hal vandaan. Iets van haar. Het is wit.

Een hele tijd blijf ik er oplettend naar kijken. Het is langgerekt en wit, het straalt pulserend witheid uit. Die lijkt zich uit te spreiden en groter te worden, misschien wel de vloer over te stromen. Ik zou mijn voeten op de stoel kunnen zetten. Later krijgt het zijn vorm: rechthoekig, plat. Ik pak het op, het is een envelop. Er zit een brief in die zij me heeft geschreven:

Beste juffrouw Black, het zou beter voor je zijn om alternatief onderdak te zoeken. Je zult wel begrijpen dat ik het beste voorheb met mijn zoon. Mevrouw McCullough van het postkantoor kan je misschien

verder helpen. Ontruim alsjeblieft uiterlijk vrijdag de 29e de kamer.
P. MacLeod.

De betekenis van deze brief? Ik moet blijven zitten om hem op mijn gemak te bestuderen. Ten eerste: ze stuurt me alweer weg. Ten tweede: ze weet wat ik van plan ben. Wat ben ik van plan? Ten derde: ze wil dat ik bij Calum uit de buurt blijf. Daar is het te laat voor. Ten vierde: nadenken gaat heel moeilijk. 'Alternatief' – waarom dat woord? Alternatief. Alsof dat er zou zijn. Alsof er twee dingen tegen elkaar zouden opwegen of er een positie zou kunnen zijn waarin er iets te *kiezen* zou vallen. 'Ontruim alsjeblieft.' Ontruimd wil zeggen leeg. Ontruimen = leegmaken. Verwijder jezelf alsjeblieft van deze plek. Ga alsjeblieft dood. Wat een bedreiging is. Calum was een bedreiging en nu is ontruimen een bedreiging.

Later komt Calum weer aan de deur. Op dezelfde dag? Een andere dag. Hij staat voor de deur en kijkt naar binnen niet naar mij, maar naar de zijkant van mijn lichaam, zelfs met zijn goede oog. Hij ziet er beroerd uit, met een grauw gezicht. Hij heeft mijn blikje shag op de drempel gezet. Ik pak het op.

'Ik heb haar haar m-middageten gegeven.'

Ik geef geen antwoord; het heeft niets met mij te maken.

'Ik d-denk dat je naar buiten moet gaan. Gaan w-wandelen of zo.'

'Nee.'

'Dan ga je je beter voelen.'

'Ga weg.'

Hij blijft stil naar de grond staan kijken.

'Calum! Ca-lum!' De stem van zijn moeder roept hem vanaf de voorkant van het huis. Ik hoor haar de voordeur opendoen en nogmaals roepen. 'Calum!' Ze denkt dat hij de weg op is gegaan. Hij vouwt zijn armen over zijn borst en blijft obstinaat zonder zijn mond open te doen naar zijn voeten staren. Ze wil dat hij naar haar toe komt, ik wil dat hij weggaat.

Hij gaat niet naar haar hij blijft bij mij. Dit is nogal grappig als je in aanmerking neemt wat ik wilde bereiken. 'Ga weg, Calum.'

Bij wijze van antwoord gaat hij op mijn drempel zitten met zijn rug naar me toe en zijn gezicht begraven in zijn armen. We kunnen allebei het belletje horen dat de telefoon elke keer maakt als ze een cijfer kiest. Vier keer, een nummer in het dorp, ze belt naar zijn huis. We horen haar mopperen en de hoorn met een klap neerleggen. We horen haar de voordeur weer opendoen en de tijdsruimte die het haar kost om het pad af te lopen naar de weg. 'Calum! Ca-lum!' Haar stem in de verte.

We blijven een hele poos zwijgend zitten. Ik ga zo niet de deur uit. Ik ben bang dat ik niet in staat zal zijn om terug te keren. Als ik Angst heb moet ik wachten en toekijken. Wat kan ik anders doen?

'Ik zal niet bij je gaan lopen. I-ik zal niets tegen je zeggen.'

'Hou je mond.'

'Je kunt hier niet zomaar blijven z-zitten...'

De stilte geeuwt. Hij blijft maar wachten als een hond.

Ik sta langzaam op. Wat maakt het uit? Binnen of buiten, als daar iemand anders is? Wat is eigenlijk het verschil? Hij denkt dat ik bang voor hem ben. Maar dat ben ik niet. Hij is wel het laatste waar ik bang voor ben. 'Een klein stukje dan.'

'Nee. We gaan naar de vikingbaai.' Hij springt op, wil graag behagen, wat een zielenpoot. 'De stenen die daar liggen zijn zwart en rond als kegelballen.'

Ik sleep mijn lichaam de deur uit. Hij gaat achteruit om de afstand te houden die ik nodig heb.
'Z-zal ik afsluiten?' Hij draait de sleutel om, geeft hem met uitgestrekte arm aan mij. In mijn zak, zwaar en koud.

Hij gaat op weg de tuin door ik kan achter zijn rugzak aan lopen. Hij loopt een-twee op zijn benen als een ooievaar er zijn strepen geluid dichtbij en ver weg. Het gebonk en geritsel dat we veroorzaken – voeten, kleren, ademhaling (dichterbij, ja, het gehamer van mijn hart). Het gegons van de lucht vol insecten, bijen vliegen muggen ik weet niet wat maar de lucht beweegt en gonst. Het gezoem van geluid in de verte – verkeer? Vliegtuigen? Heb ik iets gezegd?

'Onderzeeboten in de baai. Ze testen torpedo's.' Onderzeeboten in de baai, geluid van onderzeeboten zou ik het zoeven van een torpedo onder water horen? De plof horen als hij wordt geraakt de klap van de explosie, water dat in flarden alle kanten op spat en in glasachtige scherven de lucht in schiet?

Ze is gevaarlijk. Dat is ze. Achter al dit heldere brosse scherpe elke laag van beeld of geluid als glas, elk paneel van dubbel glas waar ik doorheen ga – overal zit zij achter. Calum gaat voorop ik zou het zonder hem niet eens redden ik zou ter plekke stil moeten houden en voor haar een doelwit zijn. Torpedo.

'N-Nikki?' Hij blijft staan wachten en ik kan me weer bewegen. We gaan verder stap stap op het juiste moment gaan onze benen omhoog en omlaag. Hij beweegt zich door de heldere lucht niets snijdt hem of doet hem pijn. De geluiden wijken vaneen wanneer hij erdoorheen stapt.

Het is kristal, als ik erin stap zal het in stukken breken en me snijden maar in plaats daarvan kijk ik naar zijn benen hij duwt zijn voeten naar voren en het breekt niet in stukken het wijkt uiteen als water. Hij kan doorlopen. Wij kunnen doorlopen. Ik kan lopen. Ik wil dat het ophoudt de zee glinstert als messen als scheermessen. Ik ben bang. Ik haal adem en de lucht is te dun geen goedheid erin ik adem en adem hem in en probeer erin te komen ik probeer het ik hijg ervan. Ik had niet mee moeten gaan.

'Ga z-zitten.' Hij gaat zitten op een grijze steen grafsteengrijze steen hij klopt erop zit daar plechtig terneer. Hij schuift op naar de rand. Stoppen is net zo gevaarlijk als bewegen wanneer je beweegt kan het elk moment in stukken breken en je openrijten je in duizend stukken snijden maar wanneer je stilhoudt – wanneer je stilhoudt houdt alles stil. Vooralsnog. Komt dichterbij. Komt naar je randen toe, sluit zich om je heen, komt dan heel dichtbij en wikkelt zich verstikkend om je heen als huishoudfolie over je gezicht de rand van de wereld komt dichtbij tot aan waar jij begint en verstopt je mond en neusgaten en sealt je zo strak in als een ongeopende cellofaanverpakking er kan geen lucht bij komen om bederf tegen te gaan je wordt vacuüm verpakt en blijft voorgoed bewaard op één plek.

'Langzaam ademhalen. Tellen. Eén aardappel t-twee aardappels drie a-aardappels, vier, vijf aardappels, zes aardappels, en zeven aardappels.' Hij beweegt hij zit hij beweegt zijn gezicht, laat het geluid naar buiten komen en er komt niets verkeerds uit ik kan. Ik kan. Ik kan het ook.

We zitten daar in stilte, Calum zegt: 'Zie je die ruïne daar verderop? D-dat vervallen huisje?' Ik zie de weg er zitten kleine vlekjes op die fel glinsteren: greppel, distels, scherpe doornenkronen en rozenstruiken met hun driehoekige doorns ik zie de dingen die pijn kunnen toebrengen ze willen snijden doorprikken kapotsnijden doorboren.

'L-langzaam. Langzaam ademhalen. Eén aardappel, t-twee aardappels...'

Ik zie een ruïne twee half-ingestorte muren de derde is hoger ik zie geblakerde dakbalken die nog zijn overgebleven en nog steeds zit het blauwe polyetheen om me heen gewikkeld. 'Ja.'

'Daar woont de zoutmoordenares. Zal ik je het verhaal v-vertellen?'

Een moeder. Zie je de flitsende lemmeten de punten?

'Het is niet eng. Het l-loopt goed af.' Ik denk ik ben leeg ik ben zo broos als die paashazen van chocola die zijn in kleurige aluminiumfolie verpakt ze hebben donkere glimlachende gezichten heel vol en chocoladeachtig maar ze hebben een naad in het midden en je steekt je vingernagel ertussen en de haas valt uiteen in twee stukken als een lege schil. De Kleine Mensen waren hier het eerst. Niets in het midden, niets te eten, niets te repareren. Geen vlees.

Druk maakt dingen die hol zijn kapot. Ze wil me breken.

'M-Mag ik een sigaret?' Calum kijkt me aan ik voel in mijn zakken ik geef hem het pakje en de aansteker Sally's aansteker hij haalt er twee uit hij steekt ze allebei aan hij geeft mij er een. Heel aardig van hem. Hij steekt hem voor me aan hij steekt hem tussen mijn vingers, het is simpele vriendelijkheid. Tranen springen me in de ogen. Alles is kristalhelder, Calum, trekken aan de sigaret, de cirkel van papier aan het brandende uiteinde die verandert in as, een tractor in de verte, een zuchtje wind. Ik hoor in de verte het gegak van ganzen ik hoor een baby huilen een vrouw die tekeergaat ik hoor snikken ik hoor...

'Niet bang zijn.' Calum zwaait met zijn hand door de lucht. 'Het eiland is v-vol stemmen.' We wachten. We luisteren tot de stilte neerdaalt als slaap.

'Ik zal je haar verhaal vertellen.'

Dit is het verhaal dat hij me vertelde. Hoeveel kun je zien bij het licht van de bliksem? Alles – één flits – alles. Ik werd afgeleid (ik bedoel gek; dat is de oude betekenis: niet alleen maar zonder aandacht maar gek). Ik zag het hele verhaal in zijn geheel, het begon en eindigde als een schilderij de plot en afloop tegelijkertijd, geen verhaal dat zich voltrekt van de ene gebeurtenis naar de andere.

Ik kan geen schilderijen maken. Ik kan het niet in een flits laten zien. Inmiddels zal ik je meeste sympathie wel hebben verspeeld. Waarom zou je naar me luisteren? Je moet geduld hebben. Ik kan alleen maar proberen het zo te vertellen als het mij overkwam, en dat was in fragmenten. Als het voedsel was zou mijn leven een spoor van halfgekauwde brokken zijn, het zou een berg klokhuizen en schillen zijn met een lange sliert speeksel van het ene voorwerp naar het andere, misschien een doodgewoon broodje of een lekker no-nonsensebroodje met boter. Zo is het. Mij is geen menu met een volgorde geserveerd. Waarschijnlijk vraag je je af waarom ik de boel niet opruim. Waarom zou jij de oprispingen of de stillevens van oude kliekjes moeten krijgen?

Misschien doe ik het ook wel. Misschien raakt het wel opgeruimd als ik door blijf vertellen. Zoals de verhalen van Calum opgeruimd en gladgestreken worden door ze te vertellen in vormen die als kiezels uit zee passen in de palm van je hand. Opgeruimd door het vertellen, door de golven van de zee.

Misschien was *The Ancient Mariner* wel ooit opgebraakt zeevoedsel. Ondertussen zou je blij moeten zijn omdat het verhaal dat Calum me over de zoutmoordenares vertelde een mooi gerecht is dat je in één keer tegelijk kunt consumeren zoals een kom soep misschien, een donkerrode kom borsjtsj met een lichte krul zure room erin en felgroen strooisel van gehakt bieslook erop. Althans zo kwam het mij voor toen ik zo in alle staten was. En zo komt het me nu voor, ik zal het je nu gaan vertellen. Ik noem het 'Zout'.

Er heeft hier ooit een vrouw gewoond die haar kinderen vermoordde met zout. Joyce. Ze kwam hier niet vandaan. Ze kwam uit een stad. Ze had vijftien jaar in de gevangenis gezeten voordat ze naar het Eiland kwam.

Haar kinderen waren één en drie, allebei meisjes. Ze was niet van plan hen te vermoorden. Ze dacht niet dat ze van plan was geweest hen te vermoorden. Nee. Maar dit is wat er gebeurde.

De kleine kon niet slapen. Ze kon gewoon niet slapen. Joyce begon haar 's avonds verhaaltjes te vertellen, wat ze ook voor het oudste meisje had gedaan. Op het laatst was ze alleen maar aan het tellen. 'Vierduizend-zevenhonderd-en-vierentachtig. Vierduizend-zevenhonderd-en-vijfentachtig.'

Als het kind gelijkmatig ademhaalde en haar fladderende oogleden dichtvielen, hield Joyce op. Wachten. Luisteren. Dan legde ze oneindig langzaam haar rechterhand op de vloer, draaide haar stijve krakende lichaam naar rechts, verplaatste haar gewicht op haar knieën. Ze wachtte, op handen en voeten op de grond, tot het geruis van haar kleren en het gekraak van de vloer voorbij waren. Dan, heel langzaam, met haar hand steun zoekend bij de muur, trok ze zichzelf pijnlijk overeind.

Negen van de tien keer schoten als ze stukje bij beetje naar de deur toe bewoog de ogen en mond van de baby open en deed een kreet Joyce ter plekke verstijven.

Als de baby wel in slaap viel, bleef ze ongeveer een uur slapen. Daarna werd ze weer wakker, rammelde aan de spijlen van haar bedje, riep, brabbelde en huilde. Als Joyce haar probeerde te negeren en in elkaar gezakt op de zompige sofa bleef liggen, ging het huilen over in jammeren, dat overging in gillen, en begon het oude vrouwtje dat naast haar woonde met haar stok op de muur te bonken en pakte het oudste meisje Joyces hand en riep: 'Stout! Stout! Stout!' en de muren van de kamer gingen bol staan naar binnen en naar buiten met elke gil die werd geslaakt en elke ademtocht die werd ingezogen, en de wurgende band om Joyces keel kwam steeds strakker te zitten.

Als het kind sliep, sliep Joyce ook; soms zat ze tegen de muur geleund bij het bedje; soms lag ze languit op de bank; soms lag ze in elkaar gerold op het smalle bed bij het oudste meisje met het beddengoed tot een worst onder hun lichamen gedraaid.

Ze gaf het oudste meisje zout om haar te straffen. Het was ochtend en ze stond aan het aanrecht kalmpjes de vaat van de vorige dag af te wassen, en ze dacht na over wat ze zou kunnen doen als de baby doorsliep. Na de afwas zou ze in bad kunnen gaan; ze zou de vuile kleren bij elkaar zoeken en ze in de machine stoppen. Ze zou de vuilnisbak wegbrengen en leeggooien, als de baby sliep zou ze misschien zelfs de vloer kunnen vegen. Buiten scheen er een waterig zonnetje, een glimpje hoop op het natte zwarte asfalt.

Toen viel het oudste meisje van een stoel. Ze had erop gestaan en zich over tafel gebogen om een kleurpotlood te pakken dat was weggerold – ze wilde haar voet weer terugzetten op de zitting en stapte mis, ze viel languit naar opzij, trok de stoel over zich heen, slaakte een kreet van schrik en van de schok. Instantstereo vanuit de slaapkamer.

Joyce pakt het gevallen meisje op bij haar nekvel, duwt haar neer op de overeind gezette stoel en tettert in haar gezicht: 'Moet je nou eens kijken wat je doet, verdomme!'

Het meisje gaat zitten sniffen; vanuit de slaapkamer wordt het gekrijs steeds harder. Joyce begraaft haar gezicht in haar armen op het werkvlak; uiteindelijk slaat ze haar ogen op en richt haar blik op *zout*. Voordat ze het weet heeft ze flink wat door de rode Saxa-strooituit in de beker van haar dochter gestrooid; half gevuld met water, omgeroerd tot de wolk is opgelost.

'Hier.' Ze zet hem met een klap op tafel. 'Drink dit maar op. Dat zal je leren.'

Het meisje neemt een slokje en zet de beker voorzichtig neer.

'Drink op!'

'Het is niet lekker.'

'Het kan me geen reet schelen wat jij lekker vindt. Drink op!'

Het kleine meisje pakt de beker weer en drinkt. Halverwege begint ze te kokhalzen. Haar moeder pakt haar op en brengt haar naar de badkamer, zet haar in het bad.

'Geef maar over als je moet overgeven.'

Het gehoest stopt.

'En nu uit de weg. Weg!'

Het meisje krabbelt uit het bad en rent naar haar bed. Ze stapt erin en trekt het beddengoed over zich heen. Joyce strompelt naar haar kamer en pakt de krijsende baby.

In het begin was het voor straf. Iets wat ze hen allebei kon laten doen, iets wat ze niet prettig vonden. Het meisje dwingen om te drinken. Het in het flesje van de baby doen en haar laten drinken tot ze het had geproefd. Haar een reden geven om te schreeuwen, dat zou haar leren.

Toen kreeg ze door dat ze er slaperig van werden. Die eerste ochtend bleef het meisje tot de middag in bed. Als ze genoeg dronken om te gaan braken putte dat hen uit en sliepen ze zelfs nog langer. Of ze kregen er buikpijn van en lagen stilletjes te jammeren, te kronkelen in hun bed, niet in staat om rond te rennen of een keel op te zetten.

De baby dronk het zonder problemen op, vermengd met sap. Bij het oudste meisje wisten zij en het kind allebei dat het een straf was. Omdat ze lawaai maakte. Omdat ze ergens mee morste. Omdat ze onhandig was of rommel maakte of gewoon alleen maar in de weg liep. Omdat ze *bestond*. En zij was groot genoeg om nee te zeggen, om niet te drinken. Joyce sloeg haar weg bij de kranen en de koelkast. Toen ze haar vuile badwater opdronk, begon Joyce daar ook zout in te strooien.

Het was nooit de bedoeling om hen daarmee te vermoorden. Ze wist niet eens dat dat kon. Ze wilde hun alleen maar een lesje leren.

Hun een lesje leren is voor hun eigen bestwil. Joyce waren ook lesjes geleerd. Zij had geleerd dat ze niet altijd haar zin kreeg en dat niets in de wereld gratis is. Ze had geleerd wat haar plaats was en niet om de maan te vragen. Ze had geleerd dat geld niet aan de bomen groeit. Ze had geleerd dat het leven een tranendal is. Waardevolle lessen, die kleine kinderen horen te leren. Joyce hielp hen erbij ze te leren. Ze hielp hen om niet te worden zoals zijzelf: zo wanhopig, woedend makend, verstikkend gevangen, zo in een kooi gezet en kwaad, zo ontevreden. Zij waren slecht geboren, net als zijzelf, en zij kon hun leren hoe ze anders konden zijn. Hun – haarzelf – een lesje leren.

Als de oudste een aanval kreeg en haar lichaam kronkelde en verkrampte als een vis op het droge, keek Joyce met tranen van medeleven in haar ogen toe en droeg haar vervolgens, inmiddels weer bedaard en slap, naar haar bed; stopte haar in en kuste haar. Arme kleine meid. Zoveel pijn in haar leven. Ze kon er maar beter nu vast aan wennen. Joyce bewees haar een gunst. Arme kleine dreumes; nu begon ze de waarheid te begrijpen, de waarheid van het leven.

Als ze allebei de hele tijd in bed lagen, was het makkelijk. Arme kinderen. Het was voor hun eigen bestwil. Als ze nu leerden wie de baas was, zouden ze de rest van hun leven zijn voorbereid. Ze dweilde de kots liefdevol op. Kocht verse sinaasappels om het zout op te doen.

De baby overleed het eerst. Ze had echt een hele poos geslapen. Zo lang dat Joyce zelf rustig en verkwikt was, neuriede terwijl ze een kopje thee voor zichzelf zette, glimlachte naar de tv-presentator, maar heel even geërgerd door het autoalarm dat afging onder het raam, hard genoeg om de doden tot leven te wekken.

De baby werd er niet wakker van.

De baby voelde koud aan. Hevig geschrokken pakte Joyce haar op. Klopte haar op haar rug, probeerde mond-op-mondbeademing toe te passen, vloog naar de telefoon en belde het alarmnummer.

Pas toen ze in het ziekenhuis haar gegevens moest geven kwamen ze erachter dat ze nog een kind had; terug ging de ambulance – en weer terug naar het ziekenhuis, met het oudste kind, dat nog ademde maar vanwege het zout in een coma was geraakt waaruit ze nooit meer zou ontwaken.

De zoutmoordenares. Voor de rechter vergoot ze zilte tranen en ze zei dat ze hen alleen maar tot bedaren had willen brengen. Als het gif is, waarom kun je het dan zo kopen, wilde ze weten. De aanklager zei dat het een gif was dat zo onaangenaam was dat niemand het zou innemen tenzij hij daar door uiterst wrede maatregelen toe gedwongen zou worden. Dat het lichamelijke lijden dat het teweegbracht onder andere bestond uit pijnlijke spierkrampen en contracties, een verzengende dorst, braken, diarree, hallucinaties en spasmen.

'Maar ze dronken het op!' jammerde de moeder.

'U hebt hun geen alternatief geboden.'

De zoutmoordenares werd in de gevangenis gezet, ze werd geestelijk volkomen gezond verklaard en men noemde haar een gevaar voor alle kinderen.

In de gevangenis zochten alle kinderen haar op, krom van de kramp liepen ze heen en weer over de muren van haar cel. Vijftien jaar lang had ze in een cel gewoond waar kinderen om haar heen kronkelden als wormen in de emmer van een visser. Vijftien jaar lang was ze half levend en half verdoofd door de pijn, blind omdat ze te veel zag.

En toen ze haar vrijlieten kwam ze tot leven op het Eiland. Een medegevangene was erover begonnen. Over de leegheid, en de glans van het licht op het water. Uit de gevangenisbibliotheek leende Joyce boeken over tuinieren.

Ze vond een leegstaand huisje – het huisje waar wij nu zaten: half verwaarloosd, vergeten, eigendom van iemand op het vasteland.

Daar ging ze een eenvoudig leven leiden, met planken en polyetheen zakken op het dak, een rommelig achterveldje met uien en aardappels. Liep elke donderdag naar het postkantoor om haar giro op te halen, een paar boodschappen te doen. Kocht geen zout. Sprak met niemand. Zat 's avonds en 's ochtends naar de zee te staren, met de zijkant van haar hoofd naar de horizon gericht, geen muur of kind te zien.

Droomde 's nachts van glinsterende zoutkinderen die wit uitgeslagen uit de zee kwamen aandrijven, gebeeldhouwd en stil als stukken zeep in het maanlicht; zoutkinderen, een miljoen gekristalliseerde tranen. Ze dreven zachtjes als ijs op het zwarte water en botsten en stootten tegen de kust. Maar als ze 's ochtends ging kijken waren ze verdwenen en deinde er alleen bruin zeewier op het wateroppervlak, en af en toe een meeuw met een grijze rug.

Zout conserveert en zout vernietigt. Alle leven is voortgekomen uit de zoutsoep van de zee maar haar kinderen zijn dood zo dood als rotsen en ze hangen even zwaar over haar hart. Het was een gekte, een ongeluk, een onmogelijkheid. Hoe kun je iets voor elkaar krijgen wat je nooit meer ongedaan kunt maken? Hoe kan, in de puinhoop en vergankelijkheid van een leven, één ding onherroepelijk worden? Ze begrijpt dat ze niet meer is dan dat: een zoutmoordenares. De rest van haar leven is louter leegte. Het was alles, erop wachten om dat te worden, en het vervolgens de rest van de tijd alleen maar kunnen betreuren. Wolken en zeeschuim hebben de kleur van zout; zeelucht houdt de smaak ervan in haar mond: zelfs daar is geen ontsnapping mogelijk.

Dan hoort ze op een zoutkorrelachtige vriesnacht gekrabbel aan haar krakkemikkige deur; gekrabbel en gesnif en huiverende snikken. Met haar hoofd nog vol zoutmummies strompelt ze naar het vensterloze raam en buigt zich naar buiten. Er staat een jong meisje zwakjes op de deur te bonzen, haar vuisten geheven, haar zoutzilverig in het maanlicht.

'Hier,' roept Joyce. Haar stem heeft zestien jaar amper gefunctioneerd.

Het meisje komt blindelings naar het raam – Joyce helpt haar over de vensterbank, leidt haar naar haar verwarde hoop beddengoed, wikkelt haar in een deken. Wanneer het meisje zichzelf in slaap heeft gesnift en heeft ingegraven, gaat Joyce naast haar liggen, krult haar lichaam om het warme vraagteken van de met deken omklede meisjesrug.

Waar ze vandaan komt is geen raadsel. Ze is de jongste dochter van de oude McCaulin. Die die avond met haar had geprobeerd te doen wat hij de afgelopen vijf jaar met haar oudste zus had gedaan. Alleen bleef de negenjarige niet misselijk en stil liggen maar vocht ze als een kat, krabde hem tot bloedens toe en rende drie donkere kilometers naar de veiligheid van het dichtstbijzijnde huisje: dat van Joyce.

En daar bleef ze. Ze liep naar beneden naar de schoolboot en ging 's avonds terug naar Joyces huisje. Toen McCaulin uit vissen was ging ze haar spullen halen uit zijn huis, en twee van zijn zes ganzen die volgens haar van haar waren. Ze brachten ze onder in de vervallen voorkamer en het waren goede waakhonden. Ze liet Joyce zien hoe ze alikruiken kon zoeken en waar de braambessen stonden. Ze aten geen zout.

En toen Joyce 's avonds over zee uit zat te staren, zat het meisje op de platte rots naast haar te kleuren in haar schrift; of als die werd overspoeld zaten ze aan weerskanten van het vuur van drijfhout, en verzonnen spookverhalen.

Joyce zei geen woord over haar kinderen, en het meisje niet over haar vader. Dit was hun leven. En toen Joyce opgekruld tegen de slapende rug van haar eilanddochter lag, droomde ze niet meer over zoutkinderen, maar droomde ze in plaats daarvan dat ze de voorsteven was van een boot, met de warme zon op haar gezicht en borst, en dat ze voorwaarts zeilde naar het licht.

18. Verjaardagstaart

Na het verhaal gingen we omlaag naar de kust van de Vikingbaai, waar alle kiezels zwart zijn, en we zochten naar dingen die Calum in zijn rugzak kon doen. De kapotte speelgoedvrachtwagen van een kind (rood en geel), wat polystyreen (wit), flarden van een gescheurd net (groen). Terwijl we op het strand waren kwam er bewolking opzetten, het scherpe zonlicht werd gedempt, omzwachteld door wolken. Ik voelde me veiliger. Calum gaf me wat warme thee uit zijn thermosfles te drinken. Ik was heel... klein. Geconcentreerd. Ik was een kleine, compacte bundel waar ik mee rondliep en hoewel ik aangevallen zou kunnen worden werd ik enigszins beschermd, ik was onbestendig maar omwikkeld. Ik droeg mezelf kalm voort, geconcentreerd op de zwarte kiezels en de stukjes polystyreen.

En toen we over het strand terugliepen en weer naar het pad vertelde hij me het verhaal van de Vikingbaai. Dat ik je later zal vertellen. En we gingen terug naar Calums huis en het ging goed met me, ik keek toe hoe hij de vondsten van die dag toevoegde aan zijn stapels. Vervolgens pakte hij een zak uien om die in de winkel in het dorp te verkopen, hij slingerde ze over een fiets en duwde die voort en ik ging met hem mee en kocht wat brood en tomaten en kippers voor bij de thee. Ik kocht een krant om te lezen. Calum kocht tabak en papier, hij was opgewonden, het was de eerste keer dat hij zelf zoiets kocht. Ik wist mezelf bij elkaar te houden en ik was in staat na te denken ik herinner me dit heel helder, ik dacht ik kom weer in evenwicht het gaat goed. Misschien was dit alleen maar een beving van Angst geen diepe duik, het komt allemaal in orde. Het hing af van de nacht ik besefte dat wel maar ik had de zaken aardig in de hand. Het was oké met Calum en mij, er was een duidelijke ruimte tussen mij en Calum, en iets dergelijks zou nooit meer gebeuren.

Het was vrij donker toen we terugkwamen bij haar huis, Calum reed niet op zijn fiets, hij duwde hem naast me voort en daar was ik blij om. Het huis leek heel donker, alsof ze vergeten was licht aan te doen, Calum zette zijn fiets tegen het hek en ging naar de voordeur. 'Kom eens hier,' zei hij en ik volgde hem. Het rook naar rook. En naar kaarsvet. Er brandde een kaars in de hal. Ik dacht dat de stroom was uitgevallen. Ik liep achter Calum aan naar de keuken. Er stonden kaarsen gerangschikt in drie rijen van de ene kant van de tafel naar de andere, en in het midden stond een taart. Calum staarde naar de tafel.

'Wat is dat?'

'I-ik was het vergeten.'

'Wat vergeten?'

'Het is Susans verjaardag. Mijn zus die dood is gegaan.'

Het was mijn verjaardag. 2 Oktober. Dat stond op mijn geboortebewijs. Sommige jaren was ik het helemaal vergeten; dan dacht ik eind oktober ineens: o, ik ben jarig geweest. Als ik mensen zag op mijn verjaardag vertelde ik het hun bijna nooit. Ze zouden zich kunnen afvragen waarom ik geen kaarten kreeg en waarom ik niemand anders had om het mee te vieren dan mensen die ik amper kende. Ze zouden kunnen denken dat ik het tegen hen zei om cadeautjes van hen te krijgen of hun medelijden op te wekken. Ze zouden zelfs kunnen denken dat ik het verzon.

De taart was bedekt met wit glazuur, en in beverige roze letters stond er SUSAN op.

'Doet ze dat elk jaar?'

Calum knikte; hij ging zitten en staarde naar de kaarsen.

'Hoe gaat dat dan?'

'We steken de k-kaarsen aan en we zingen. Dan snijdt mijn moeder de taart aan. Ik kan beter gaan kijken of z-ze...' Hij schoof zijn stoel achteruit en ging naar boven. Elk jaar wordt er een taart voor me gebakken en worden er kaarsen aangestoken en gaan mijn broer en mijn moeder en waarschijnlijk vroeger ook mijn stiefvader bij elkaar zitten en hebben vrome gedachten over mij.

Het tochtte in de keuken, de kaarsvlammen flakkerden. Waar dacht ze aan als ze ze aanstak, als ze ze neerzette op hun jampotdekseltjes? 'Dit is voor jou Nikki dit is een doodswens'? Haar hand om de medicijnfles geklemd. Het fluisterende geschuifel van haar voeten en het geruis van haar kleren dat door mijn kamer snuffelt of rondhangt voor mijn deur; kijkend naar mij, boven luisterend naar mijn bewegingen. Opeens besefte ik dat ze het wist wanneer ik naar haar zitkamer ging. Haar aanwezigheid vulde elke kamer in dat huis. Vanuit de keuken observeerde ze me kalm, ik was een voodoo-pop waar ze de ene speld na de andere in stak.

De vlammen met daarachter het donker waren hypnotiserend. Ik begon ze uit te blazen. Ik bedacht dat ik er een op kon pakken en tegen de gordijnen kon houden. Makkelijk zat. Hem tegen de gordijnen houden tot die in de fik stonden; een andere bij de dunne houten planken van de commode houden en ze in brand steken. Er eentje bij de tafelpoot houden, eentje bij het voddenkleed bij het fornuis. Binnen een mum van tijd zou het branden als een tierelier. De kaarsen voor die arme dode Susan zouden een rituele brandstapel voor de lijkverbranding van Phyllis MacLeod zijn.

★ ★ ★

Zo makkelijk zou ik van haar af kunnen komen. Maar wat ik van plan was zou haar meer pijn doen.

Ik blies alle kaarsen uit. De keuken was donker en klein, vol zwarte schaduwen. Van boven kwam geen enkel geluid – geen stemmen, geen voetstappen. Het leek een gepast gebaar om een stukje van mijn taart te eten maar ik was misselijk. Ik ging naar mijn kamer.

Als ik Calum weghaal blijft ze alleen achter. Niemand om van te houden en die haar nodig zou hebben; niemand om haar te helpen of om zich tot te wenden. Geen reden om eten klaar te maken en het huis schoon te maken. Niets om voor te leven. Zoals het voor mij al die jaren is geweest. Alleen.

Mijn plan was een plank over de afgrond. Ik kon eroverheen lopen. Ik kon handelen.

Ik haalde de haard leeg en stak een vuur aan. Ik zette een pot thee, en ik las de krant van voor tot achter, waarbij ik de pagina's zo voorzichtig omsloeg dat ze niet ritselden. Het was na negenen toen Calums voetstappen naar beneden kwamen; ik liet hem naar binnen en hij ging gehurkt bij het vuur zitten.

'In haar slaapkamer is het koud. Ze wil het v-vuur niet aansteken. Alleen de elektrische deken.' Ik gaf hem een sigaret aan. 'Ze is erg van streek,' zei hij, alsof ik ernaar gevraagd had. 'Ik krijg haar niet zover dat ze iets eet. Z-ze ligt maar te huilen.'

'Wat ben je van plan?'

Hij stond op en haalde toen zijn schouders op alsof hij er niet meer over wilde praten. 'Ze heeft twee slaappillen genomen. S-straks moet ze in slaap vallen.'

'Waarom is ze zo van streek?'

'Ze wordt somber van Susan.'

'Waaraan is Susan gestorven?' Daar kon ik maar beter van op de hoogte zijn, want het was publiek feit nummer één. Maar Calum schudde zijn hoofd. We bleven zwijgend zitten.

'Weet je dat ze me gevraagd heeft te vertrekken?'

'Watte?'

'Ze heeft me gevraagd of ik de kamer wil ontruimen.'

Hij stond langzaam op, schudde zijn hoofd, hij zag er verdwaasd uit. 'M-maar die kamer is... is... van mij. Hij is niet, niemand anders is...'

'Ze wil namelijk niet dat ik met jou omga.' Toen ik dat zei realiseerde ik me dat ze wat er de vorige dag was gebeurd misschien had geweten... of zo had beraamd?

Hij kromp ineen, draaide me zijn rug toe en keek omlaag naar de sputterende vlammen. Het drijfhout was nog vochtig.

'Heb je verteld...?'

'Nee.' Het kon niet waar zijn. Op wat voor manier zou het haar plannen in de hand hebben kunnen werken? En het was mijn schuld. Ja, jíj bent degene aan wiens touwtjes ze trekt, Nikki.

Nee.

Calum bracht zijn handen naar zijn gezicht en hield ze daar, als een kind dat zich verstopt. 'Ze kan je niet wegsturen.'

'Ik kan niet in haar huis blijven als zij me daar niet wil hebben.' Zij had dat niet laten gebeuren. Ze had niet kunnen weten hoe ik zou reageren, zelfs zij niet.

Stilte. Er brandde iets door en het viel uit elkaar in het vuur.

'Wat ga je nu doen?'

'Terug naar het vasteland.'

Weer stilte. Anders. Een slepende, groeiende, cirkelende stilte. Hij hurkte weer neer bij het vuur, zijn knieën gebogen als een sprinkhaan. 'Dat zou ze niet moeten doen. Ze zou je niet weg moeten sturen.'

Het is maar al te waar, broertjelief, dat ze haar oorspronkelijke misdaad nog erger maakt door hem bijna tot in het ongelofelijke telkens te herhalen.

'Het is niet eerlijk,' zei hij.

'Nee.'

Hij schudde zijn hoofd alsof er vliegen om hem heen gonsden die niet weg wilden gaan. 'Ze heeft mij niets gevraagd. Ze... doet gewoon alsof ik achterlijk ben.' Hij keek naar me op. 'Ze behandelt me als een baby.'

'Ja.'

Hij stond weer op en begon met snelle, schokkerige stappen tussen de haard en de deur heen en weer te ijsberen. 'Ze trapt jou eruit. Ze behandelt mij als een baby.' Zijn stem steeg. 'Het is niet eerlijk. Ze is niet eerlijk.'

Ik bleef zitten en keek toe hoe hij al rondlopend en pratend kwam waar hij wezen moest.

'Ik ga met je mee.'

'Morgen?'

Hij aarzelde geen seconde.'Ja.'

'We nemen de veerboot van zeven uur.Voordat ze opstaat.'

'Goed.'

'Dan pakken we vanavond onze spullen. We gaan gewoon weg,
zonder iets tegen haar te zeggen.'

'Ja.'

'Goed dan, Calum. Ik zie je morgen.' Hij pakte een van mijn oorbellen van de schoorsteenmantel en tuurde ernaar, legde hem
toen neer en liep naar de deur.'Eens zien hoe ze dat vindt,' mompelde hij bij zichzelf.'Maar eens zien hoe ze dat vindt.'

Toen hij weg was deed ik de deuren op slot en knipte het licht
uit; trok de stoel dicht bij het vuur. Ik zag haarscherp voor me
waar ze op hoopte: ofwel dat ik simpelweg zou wegkruipen en
verdwijnen, bang gemaakt door de doodswens van Susans
verjaardagstaart; ofwel dat die me woedend zou maken, dat ik de
laatste brandende kaars zou pakken en haar in de fik zou steken
waar ze lag, haar zou overleveren aan de dood waar ze zo naar
hunkerde en mijn eigen leven zou vergallen (zelfs al die jaren in
de toekomst, die buiten haar bereik hadden moeten zijn) door
mijn schuldgevoel omdat ik haar had vermoord.

Ik poetste mijn tanden en ging naar bed. Het vuur in de haard
liet het licht dansen zoals de kaarsen in de keuken hadden
gedaan. Ik had geen Angst.

19. Storm

De dag van ons vertrek. Nikki en Calum varen het water over. Nikki stelt de lengte en sterkte van Calums ketting op de proef. Nikki speelt haar krachten uit tegen haar moeder.

We namen de vroege veerboot; hij tikte om kwart over zes zachtjes op de buitendeur, ik was op maar nog niet klaar, ik liet hem binnen. Het licht was onheilspellend en tegelijk met hem kwam er een vlaag wind binnen.

'Ik-Ik moet tegen haar zeggen dat we gaan.' Hij liep de kamer door naar de andere deur.

'Calum... Hoezo? Je hoeft haar niet alles...'

Zijn voeten gingen de trap op. Ik dronk mijn thee en trok mijn jas aan, stemmen klonken luid op – onduidelijk maar allebei geagiteerd. Vervolgens het snelle geluid van zware voetstappen op de trap. 'Kom. L-laten we gaan.' Hij rende naar de buitendeur alsof ze achter hem aan kwam.

Ik hees mijn rugzak over mijn schouders en volgde hem naar buiten, hij stond te wachten bij de rand van de tuin. 'Kom...' We renden letterlijk weg van het huis.

Het weer was die nacht omgeslagen. Vanuit zee waaide een straffe wind, harde stoten die je vooruitduwden en je de adem benamen. Hard maar niet koud. We renden half en half de weg naar het dorp af, ademloos en opgewonden. Er dreven enorme wolken door de lucht, van achteren verlicht, alles was in beweging – als een theater wanneer het bijna donker wordt en er scherp licht valt op het decor, het was opeens *een en al verandering*. En van het idee dat Calum en ik, mijn broer en ik de zee over zouden varen en de weg zouden nemen die ik gekomen was, kreeg ik de lachkriebels. Calum grijnsde zijn brede koolrapengrijns en we haastten ons langs alle slapende huizen en het dorp uit en omlaag naar de aanlegsteiger. Toen keek ik voor het eerst naar de zee. De zee was ook geagiteerd. Hij stond rechtop in puntige rijen, als punkhaar; alleen liepen de puntige rijen van rechts naar links en stortten ze zich in hun haast over elkaar heen.

'Kijk!' De golven sloegen tegen de steiger en de veerboot danst op en neer aan zijn kettingen als een kurk. 'Kijk eens naar de zee!' riep ik naar Calum, boven de steiger sproeide een waternevel op en die regende op ons neer, alles was net als wij in beweging, het steeg op, zweefde door de lucht, vloog. Het was levend.

Calum had een grappige uitdrukking op zijn gezicht. De laatste keer dat hij haar had verteld dat hij ergens heen ging had ze geprobeerd zichzelf om te brengen. Waarom zou het hem iets kunnen schelen? Waarom zou hij zich iets aantrekken van die teef? Ze is *niets*. Er stond een auto met twee mannen erin die uitkeken over de baai. Calum liep naar de bestuurder toe en die draaide zijn raampje open. De wind blies hun woorden weg maar ik zag de man op zijn horloge kijken en zijn hoofd schudden. De twee mannen overlegden met elkaar en toen zei de bestuurder weer iets tegen Calum. Calum stapte achteruit, de bestuurder keerde de auto en reed toen weg naar het dorp.

'Wat is er?'

Calum haalde zijn schouders op en kwam naar me toe. 'Hij gaat niet.'

'Hè?'

'De boot. De zee is te wild.'

'Hij gaat niet?'

Hij knikte.

'Maar hij móét gaan. Er zitten hier mensen vast.'

'Het weerbericht is niet best. Zei D-Davy.'

'Zat hij in die auto? De kapitein?'

Calum had zich omgedraaid om uit te kijken over de ziedende zee.

'Maar... Maar wanneer gaat hij dan weer wel?'

Hij haalde zijn schouders op.

'Over een uur? Met etenstijd?'

'S-soms gaat hij dagen niet.'

'Dagen?!' Ik kon de kustlijn aan de andere kant zien. Die lag tien minuten varen verderop. Je zou het kunnen *zwemmen*. Het was volkomen en volstrekt belachelijk.

Calum keerde de zee zijn rug toe. 'Kom mee.'

'Maar ze moeten later uitvaren. En de boeren dan? En het brood en de melk?' Calum begon terug te lopen naar de weg en ik moest wel achter hem aan gaan.

'Je k-kunt altijd afgesneden worden.'

O nee. Dit weer was voor ons; het zei *ja! Ja! Je kunt het, jij met je broer samen, ja!* Het was niet de bedoeling dat we af zouden druipen naar het huis van de oude heks om daar naar het weerbericht te gaan zitten luisteren.

'Calum! Kunnen we geen andere boot nemen? Kunnen we niet iemand betalen om ons over te zetten? De vissers, bijvoorbeeld?'

Hij keek alsof hij het even niet meer wist.

'We kunnen nog steeds gaan. We kúnnen gaan, we redden het wel, dat weet ik zeker.' Ik moest er niet aan denken dat onze vaart er helemaal uit zou gaan. Hoe lang zou het duren voor hij tot andere gedachten kwam? 'Calum! Calum! Ken je niet iemand van wie we een boot kunnen lenen?'

Hij staarde me aan en grijnsde. Hij keerde het dorp de rug toe en begon omhoog te klauteren een smal pad op dat langs de kust liep – het zou een verlengstuk van het weggetje zijn als het weggetje niet omlaagboog naar de aanlegsteiger en uitkwam in de zee. Ik haastte me achter hem aan, de wind trok aan mijn kleren en blies mijn haar in mijn ogen. Ik kon het wel uitschreeuwen. Hij rende voor me uit en toen was hij ineens verdwenen; ik kwam bovenaan en het pad ging recht naar beneden het volgende baaitje in. Daar stonden drie houten schuren, een soort garages, aan de rand van het stenige strand. Calum holde naar de ene toe. Bij de eerste schuur reikte hij omhoog en voelde over het richeltje boven de dubbele deuren – vond een sleutel, deed de deur van het slot en begon hem open te trekken. Hij was door zijn scharnieren gezakt en liep vast tegen de grond, ik rende naar hem toe en hielp hem mee hem open te wrikken. In de donkere schuur bevond zich een bootje. Ik kon mijn lachen niet houden. 'Is dit van jou?'

'N-nee. Ik mag niet...' Natuurlijk. Zijn moeder liet hem niet in bootjes het water op gaan.

'Hoe wist je...'

'Gerry neemt me soms mee uit varen. Een uurtje m-maar, 's avonds als mijn moeder tv kijkt.'

'Gerry?'

'En kennis van mijn vader.' We gingen de donkere schuur in, het voelde warm aan na de wind. Er zat een buitenboordmotor aan de boot, en op de bodem lagen een paar roeiriemen, hij was vrij nieuw. In een vloek en een zucht zou je er de baai mee over komen.

'Vesten.' Calum pakte twee oranje zwemvesten van een plank en gooide mij er een toe.

'Die hebben we niet nodig...'

'Ik k-kan niet zwemmen.'

'Goed, trek jij er maar een aan, maar ik...'

'Nikki, je m-moet...' Ik trok het ding aan om hem tevreden te stellen, het had geen zin tijd te verspillen aan een discussie. Vervolgens sleepten we de boot naar buiten en de kiezels over. Hij was wit met rood. Hij heette *Iris*.

'Fantastisch! Je had het voor me geheim willen houden, hè?'

'Ik mag niet...' De rest was niet te verstaan omdat hij zich omdraaide om over zijn schouder naar de zee te kijken. Er stonden golven maar er was niets aan de hand. 'Stap jij maar in...' Hij hield het bootje even vast toen ik instapte en toen duwde hij het verder het water in terwijl ik begon te roeien.

'Kom, stap in, het is vlot.' Hij klauterde erin zodat het als een gek heen en weer schommelde, zijn benen waren nat tot aan zijn knieën. 'Oké?' Door de wind had ik een kikker in mijn keel. Ik manoeuvreerde met de roeiriemen en duwde ons af van het strand. 'Start je de motor niet?'

'Ik weet niet hoe...'

'Heb je niet gezien hoe Gerry het deed?' Calum klauterde naar de motor en staarde er dommig naar. Ik dacht: oké, goed, als het moet kunnen we ook roeien. 'Kom maar naar de roeiriemen, dan kijk ik wel even.' Hij kwam onhandig naar me terug, hij was te mager om echt zwaar te zijn maar de boot schommelde als een gek en ik verloor bijna een roeiriem. 'Calum! Stommeling – ga zitten!' Ik kon amper adem krijgen van het lachen. Ik verschoof over het bankje om ruimte voor hem te maken. 'Nu moet je hier gaan zitten. Voorzichtig... breng ons niet in de problemen...'

Hij bewoog zich langzaam en zodra hij zat kreeg ik hem zover dat hij de rechterroeiriem pakte en zijn andere arm achter me langs stak om de linker te pakken. Vervolgens stond ik mijn plek af en ging ik naar de andere zitplaats bij de motor. Het was er zo eentje met een touw waar je aan moest trekken. De golven sloegen opzij tegen ons aan met een kletsgeluid en een hele fontein van water, ik knielde neer om aan het touw te trekken en kwam met mijn knieën in een plas terecht.

'Roeien, Calum! Draai de boot eens een beetje om.' Ik gaf een ruk aan het touw en het maakte een klikkend geluid maar verder gebeurde er niets. Er moest ergens een knopje zitten om de brandstoftoevoer aan te zetten, ik tastte over de zijkant en onderkant. De boot schommelde van links naar rechts alsof er een idioot in een hangmat was gaan liggen – 'Calum! Roei je niet?' Over mijn schouder keek ik naar hem; hij zat met de roeiriemen omhooggestoken, als vleugels, naar me te fronsen. 'Steek de roeiriemen in het water! Roeien!'

Hij haalde zijn schouders op. We draaiden een beetje en de wind blies recht in mijn gezicht, stroomde mijn mond en neus binnen, regelrecht door naar mijn longen. Het gaf niet dat hij niet kon roeien. Ik zou ons wel overvaren. Ik zou degene zijn – ik steeg hoog op, ik was in mijn element, ik zou *alles* doen. Ik zette de knop om en trok weer aan het touw en de motor braakte een wolk blauwe rook uit. Nog een keer – en hij sloeg aan. Ik wist het wel. Ik wist wel dat hij het zou doen. De boot ging vooruit door het water, er zat een primitieve hendel aan om mee te sturen. Ik keerde zodat we koers konden zetten naar de golven – ging tegenover Calum zitten terwijl we erdoorheen hotsten, bokkend en stotend als een paard. Hij had nog steeds de roeiriemen vast.

'Te gek, hè? Leg ze in de boot! Haal de roeiriemen binnenboord!' Het sproeiende boegwater gutste over hem heen – hij tilde de rechterroeiriem uit de dol en sloeg toen zijn kraag op en terwijl hij dat deed kreeg een golf de linkerroeiriem te pakken, tilde die van zijn plaats en zoog hem de zee in. Hij graaide ernaar maar greep mis.

'Het geeft niet. We hebben hem niet nodig.' Ik schreeuwde om me verstaanbaar te maken boven het geluid van de motor en de wind uit – we voeren nu weg van de kust, je kon de verte zich zien openen, we waren onderweg en de motor sputterde en ik had nog nooit van mijn leven een boot bestuurd maar het zat logisch in elkaar en was zo makkelijk als wat. Ik vloog, ik zou alles aankunnen.

Opeens werden de golven groter – niet alleen groter, maar ook willekeuriger, ze kwamen nu zowel van opzij als van voren op ons af – opeens schoten we eroverheen omlaag alsof we ons in een liftschacht stortten.

'N-Nikki!' Ik kon niet verstaan wat hij nog meer zei. Ik gaf een ruk aan de stuurhendel in een poging meer in lijn te komen met de golven, ze beukten op ons in en schudden ons heen en weer, opeens schoten we in de diepe dalen ertussen. Ik keek op en zag het uiteinde van de rotsige klip die ons scheidde van de aanleghaven – oké, we hadden geen bescherming, we zaten midden in de baai, het was oké – toen gingen we omlaag en weer omhoog en iets leek ons in de lucht om onze as te doen draaien en de lucht was zo vol waternevel van de storm dat er geen openingen in waren en ik niet kon zien waar we heen gingen. Ik probeerde te gaan staan om over de golven en waternevel heen te kijken maar het land was niet meer te zien. Overal waar ik keek was het donker, de lucht was donkerder en lager geworden en omgaf ons aan alle kanten.

'Calum! Calum! Kun je zien...' We werden opzij gerold en de schroef kwam uit het water en draaide als een gek rond tot we weer omlaagschoten en er een golf zich regelrecht in de boot stortte. Hij krulde zich en sloeg om, als een badkuip die over ons werd leeggegoten. Het water in de boot kwam tot onze knieën.

'Hozen! Calum, hoos het eruit!' Er dreven een paar plastic bakken rond; ik begon te scheppen en het water uit de boot te gooien. Het gedender en gehuil werd almaar harder, we zaten midden *in* het water, het was aan alle kanten hoger dan wij.

'Calum, hozen!' Ik liet het roer los – toen ik het weer beetpakte drong het tot me door dat de motor er de brui aan had gegeven. Ik hoosde me suf. We kregen het waterpeil omlaag tot enkelhoogte en stopten toen, de golven beukten op ons in draaiden ons rond en wierpen ons over hun kammen maar ze kwamen niet meer in de boot. Toen we op een golf omhooggingen en ik mijn hoofd hief kon ik achter Calum de klip zien.

'Blijven hozen...' Ik trok aan het touw van de motor. Niets. Nog een keer. Weer niets.

★ ★ ★

'Nikki!' Zijn kreet kwam tegelijk aanrollen met de golf die vlak onder ons omhoog leek te komen en ons opeens zijwaarts van zich af schudde, zo vaardig dat we ondersteboven kwamen te hangen terwijl ik nog aan het touw zat te rukken. Ik ging kopje-onder en mijn kleren sleurden me omlaag als handen die aan me trokken, het reddingsvest een extra gewicht in plaats van een redmiddel, en mijn longen leken te barsten. Ik klauwde om me heen om naar het oppervlak te komen het was onmogelijk diep het was pikkedonker – toen brak mijn hoofd door het water heen de lucht in en het wás donker, het was zwart met een soort dreunende razende echo overal om me heen. Mijn longen verstijfden van angst tot het tot me doordrong dat ik omhoog was gekomen onder de omgeslagen boot. Ik tastte naar de rand en dook eronderdoor, mijn vingers er stijf omheen geklemd. Dit keer zou het vest niet omlaaggaan – ik moest al mijn kracht gebruiken. Buiten was het licht maar het ziedde om me heen – Calum, *Calum*, ik zocht Calum – ik kon geen adem krijgen doordat het water me in het gezicht sloeg ik proestte en hijgde het water ging door mijn keel en de boot schoot met een ruk uit mijn hand. Toen graaide er iets naar me en werd ik onder water getrokken, er werd aan mijn schouder gerukt maar ik liet de boot niet los en ik hapte een longvol lucht en draaide mijn hoofd om en het was Calum die schreeuwde en sputterde. Ik sloeg een arm om zijn nek en trok hem naar me toe.

'Hou vast! Hou de boot vast!' Zijn maaiende armen sloegen tegen de zijkant en gleden eraf. 'Calum, hou de rand van de boot vast!' Ik wist een van zijn handen eromheen te slaan en zijn hersens begonnen kennelijk weer te werken want hij bracht ook zijn andere hand omhoog en toen proestte en sputterde hij maar zijn ogen waren open en hij zag me. Onze hoofden waren niet echt boven water want de golven sloegen over ons heen en krulden zich om en spatten tegen de boot en de zee was zo'n heksenketel dat lucht en water niet van elkaar gescheiden waren het was één kolkende massa we probeerden adem te krijgen, de boot schommelde en deinde mee op de golven die tegen de andere kant sloegen en water in nevelige druppels over ons heen sproeiden, onze armen uit de kom trokken.

'Vasthouden! Gewoon vasthouden!' Ik kon niets zien, het was onmogelijk. Het kwam in me op om te proberen de boot om te draaien maar zonder roeiriemen... Als hij ondersteboven lag kon hij tenminste niet vol water komen en zinken.

Daar hingen we dan. Ik weet niet voor hoe lang. Het was niet koud, daar dacht ik niet over na. Het ging erom te blijven ademhalen, elke keer dat je naar lucht hapte kwam er water in je mond, of het sloeg helemaal over je gezicht – je moest zorgen dat er geen water in je neusgaten kwam – en de pijn in je armen te verdragen – terwijl je naarstig probeerde te bedenken wat je moest doen of je moest proberen hand over hand naar de voorsteven te gaan en dan naar het land zwemmen met de boot achter je aan. Ondoenlijk want we lagen te laag om überhaupt land te *zien* en geen van ons tweeën had de boot achter zich aan kunnen trekken – het water beukte ertegenaan en duwde hem alle kanten op, we waren machteloos.

Ik probeerde naar Calum te roepen maar ofwel hij kon het niet horen ofwel hij was te bang om antwoord te geven en ik kreeg trouwens toch te veel water binnen om een zin af te kunnen maken.

Opeens stootte er iets tegen mijn voeten botste tegen mijn enkels brak bijna mijn benen. Het was zo hard als ijzer, ik duwde er met mijn voet tegenaan – stenen. De golven sloegen tegen de andere kant van de boot en die kwam tegen onze gezichten en we voelden dat we achteruitgeslagen werden op de rotsen die uit het water klommen. De boot drukte ons ertegenaan, we moesten hem afhouden en onze benen eronder vandaan wurmen en half kruipend half glibberend de rotsen op klauteren het water uit als wezens die waren geboren in de zee. We kropen buiten het bereik van de golven en de bonkende boot en stortten ons languit op de koude harde rots happend naar lucht, zogen die hijgend en happend naar binnen als dronkaards die aan een lege fles lurken. Mijn maag trok zich samen en mijn keel raakte in een kramp. Er kwam schuimig zeewater naar buiten, in lange draden vermengd met gal, een lang waterig spoor braaksel.

Calum lag ook te kokhalzen. Hij probeerde ondertussen adem te krijgen en maakte het nog erger, kreeg geen lucht. Ik krabbelde naar hem toe en sloeg hem op zijn rug en hij viel midden op zijn gezicht op de rots. Er kwam bloed uit zijn neus en een stroom water gutste uit zijn mond, toen gingen zijn ogen open en tilde hij zijn hoofd op. We sloegen onze armen om elkaars dik in de zwemvesten ingepakte lichamen en bleven met z'n tweeën zitten hijgen. Uiteindelijk klauterden en wankelden we over de rotsen (de rotsen die onze baai van de baai van de aanlegsteiger scheidden) naar het stenige strand en omhoog naar de grot van het botenhuis. Uit de wind was het zo stil dat het dreunde. Het enige wat ik wilde was gaan liggen en slapen maar Calum viel me lastig, hij trok aan mijn arm, gromde tegen me dat ik iets moest doen. Dekens. Er lagen wat dekens op de plank aan de andere kant van de schuur, dekens en een slaapzak.

'D-doe j-je zwemvest uit...'

Mijn vingertoppen waren gevoelloos mijn vingers konden zich niet buigen of iets uitrichten ik trok iets uit, het zwemvest, ik wikkelde de deken om me heen en rolde me op ik zakte omlaag naar de bodem.

Toen ik wakker werd had ik het heel koud en had ik overal pijn. Ik herinnerde me meteen waar ik was. Vanaf dat we de boot – de *Iris* – uit het botenhuis hadden gesleept en over de kiezels naar de waterkant hadden gesjouwd. Ik besefte het.

Zij was het. Onze moeder.

Zij had het gedaan. Het laten stormen. Zij had het gedaan om te voorkomen dat we ervandoor gingen. Om Calum op het eiland te houden.

Hij lag achter me – ik checkte het, maar ik kon hem ook zonder dat snuivend horen ademhalen. Ik draaide mijn hoofd weer om en liet het rusten op een opgestopt stuk deken zodat ik vanuit de schuur naar de zee kon kijken. Het regende nu en de wind leek te zijn gaan liggen, maar ik kon nog steeds flarden schuim van de kammen van de golven zien waaien. De Blauwe Mannen. Haar storm. Het was zo duidelijk als wat.

Het was de eerste keer dat het sinds ik op het eiland was gestormd had. Een plotselinge storm die komt opzetten vlak voordat de veerboot vertrekt. Om te voorkomen dat ik hem mee zou nemen. En als ik dat obstakel uit de weg ruim door een boot op te eisen laat ze ons ver genoeg weg gaan om te verdrinken en laat de boot dan vollopen. We hadden kunnen verdrinken. We hadden allebei dood kunnen zijn.

Nee. *Ik* had dood kunnen zijn. Ondanks wat ze had gezegd, was het niet de bedoeling dat Calum zou omkomen. Calum moest een gevangene blijven.

Mijn tanden klapperden en mijn hele lichaam beefde. De kou, ja, maar ook de shock. Het was haar opzet geweest me te vermoorden. Toen puntje bij paaltje kwam en Calum echt in actie kwam – weerhield ze hem ervan. Met harde hand.

Met een verrotte storm.

We moesten warm zien te worden. Mijn horloge zat vol water, ik had geen idee hoe laat het was. Ik kroop naar Calum en porde hem wakker, zijn huid was grauw. 'Kom mee.' Hij wankelde overeind en keek om zich heen alsof hij zijn ogen niet geloofe. Toen...

'G-Gerry's boot.'

'Gerry's boot kan me niet verrotten. We zullen een nieuwe moeten betalen. Je moeder kan ervoor dokken. Kom mee.' We liepen tot boven aan het paadje en toen dwars door het veld, zodat we niet door het dorp hoefden – strompelden voort in onze dekens naar Calums huis zonder iemand te zien. Het regende zo hard dat de dekens even nat werden als onze kleren.

Hij zocht een T-shirt voor me, een trui en een spijkerbroek, die ik moest ophouden door een sjaal door de lussen voor de broekriem te binden, en een paar grote sokken. Ik nam ze mee naar zijn smerige badkamer en deed voor ik me omkleedde eerst de deur op slot. De kleren waren schoon maar ze deden mijn koude vel huiveren. Calum stak de haard aan en ik zette een kopje thee. Ik leegde mijn arme doorweekte blikje shag in de haard en Calum rommelde wat op zijn tafel en gaf me zijn nieuwe pakje aan om erin te doen. Ik rolde voor ons allebei een shagje en we gingen voor het vuur zitten en geleidelijk aan werd het warmer en begonnen we te ontdooien, hij legde er nog meer hout op totdat de hele haard fikte en we allebei weer in slaap vielen. Toen ik wakker werd was het donker. Het vuur gloeide en elke vezel van mijn lichaam deed pijn. Mijn keel was rauw en mijn ogen prikten. Ik voelde me alsof ik binnenstebuiten was gekeerd.

Ik luisterde naar de wind maar die was afgenomen. Ze had hem precies opgeroepen voor wat ze wilde – en nu ze ons had verhinderd te vertrekken liet ze hem luwen. Calum sliep, zijn hoofd schuin, zijn ademhaling rasperig. Zijn gezicht was zo uitdrukkingsloos als dat van een kind. Ze had geprobeerd hem te verdrinken. Te voorkomen dat hij bij haar wegging. Of om zeker te weten dat hij dood zou zijn voordat zij doodging. Ze zou geen middel onbeproefd laten… de storm voordat ik was aangekomen. Dat was mijn welkom van haar.

★ ★ ★

242

Het stroompje in mijn buik was een soort Angst. Maar ik wist wel hoe die eruitzag. Het was uit te houden. Zij liet ons naar adem happen en zwemmen voor ons leven. Ik stond kalm op en zocht mijn schoenen. Oké. Bij alles wat ik haar zou kunnen aandoen bestond het risico dat zij *wilde* dat ik dat deed. Het deed er niet meer toe. Het werd tijd om mezelf de voldoening te schenken van een daad.

Ik kon niet stoppen met trillen, het leek of ik alles wat ik aanraakte liet valllen of omstootte. Maar Calum sliep als een baby. Ik legde nog een stuk hout op het vuur en zette het oude haardrooster ervoor, en ging vervolgens stilletjes naar buiten. Zijn sleutel zat in het slot – ik pakte hem mee, deed de deur achter me op slot en schoof de sleutel vervolgens weer naar binnen onder de kier van de deur door. Hij was veilig voor de nacht. Ik zou nu de confrontatie met haar aangaan. Nu ik kwaad genoeg was om haar de strot door te snijden en te lachen als ze leegbloedde tot er niets meer van haar overbleef.

20. Susans vader

Ik struikelde toen ik over het pad liep, ik kon maar niet bedenken wat er mis was tot het tot me doordrong dat het door de kleren kwam, Calums broek was te lang voor me. Maar toen ik eenmaal op gang was gekomen, maakte dat mijn hunkering er niet minder op. Ik was helder. Het zou nu gaan gebeuren, het had geen zin om kalmpjes te werk te gaan of te proberen het in de hand te houden. Het zou nu gaan gebeuren en later zou ik wel zien wat de gevolgen waren. Zij moest eerst uit de weg worden geruimd voordat het leven anders kon worden.

Ik ging mijn eigen achterdeur binnen en propte een paar koekjes in mijn mond, ik bleef daar in het donker staan kauwen en slikken zo snel als ik kon, niet in staat over haar of over iets anders wat er gebeurde na te denken tot ik iets in mijn maag had. Zoals je een auto voltankt met benzine.

Vervolgens ging ik naar haar hal. De tv stond zachtjes aan in haar zitkamer. Ik klopte op de deur en ging naar binnen. Ze zat in haar stoel voor de tv, toen ze me zag kwam ze overeind en viel haar krant van haar schoot.

'Waar is Calum? Wat is er met Calum gebeurd?'

'Denkt u soms dat u hem hebt verdronken?'

'Verdronken?'

'Het was bijna gelukt.'

'Is alles goed met hem?' Ze kwam dichter naar me toe en pakte mijn kleren vast. 'Dit zijn zijn kleren – waar is hij?'

'Hij is thuis. In zijn eigen huis.' Ik wilde haar niet bij me in de buurt hebben. Ik stapte achteruit.

'Is hij gegaan...?'

'Hoe zou dat hebben gekund? Hoe hadden we weg gemoeten? In die storm.'

'Maar hij is niet komen eten...' Het leek of ze niet wist hoe ze het had. Ze liet zich weer langzaam neer op het puntje van de stoel, zette haar bril af en bracht die omlaag. Toen staarde ze me aan alsof het een groot raadsel was dat alleen ik kon oplossen.

'Nee, hij kon inderdaad niet weg. Verrassing verrassing. En u weet verdomde goed waarom.'

'Hoe dat zo?'

Wat een vertoning. Wat een arm, vaag, verward, niet-begrijpend onschuldig mens. Al haar enorme macht ingekrompen tot dit onschuldig uitziende breekbare wezen. Maar ik had geen zin in dit spelletje. Het doet me trillen van woede en er moet eerst het een en ander worden gezegd voordat ik het ga doen. Ik dwing mezelf ertoe te gaan zitten. Haar afstandsbediening ligt op de armleuning van de stoel. Ik zet het geluid zo zacht dat je bijna niets meer hoort. 'Wat heeft het voor zin om te doen alsof?'

'Hè?'

'Verdomme, ik *weet* het.' Ik trapte tegen de zijkant van haar stoel. 'Vergeet dat viersterrentoneelspel maar ik wéét het verdomme. Ik weet wat je bent ik weet dat je hebt geprobeerd ons te verzuipen het heeft geen enkele zin meer om met die onzin door te gaan.'

Ze doet haar mond open en doet hem vervolgens weer dicht. Ik loop naar de andere kant van de kamer en kijken uit het raam naar het donker. Ik ben buiten adem van woede. 'Geef het maar toe.'

'Ik weet niet waar je het over hebt.'

'Ik weet heus wel wie je bent. Je bent mijn moeder en je hebt zojuist geprobeerd me te vermoorden.'

Ze staart me aan zonder antwoord te geven en maakt vervolgens aanstalten overeind te komen.

'Ik heb je opgespoord. Ik ben bij het huis van je ouders geweest. Je kunt nu niet meer doen alsof.'

Ze loopt naar de haard. Het vuur brandt, het is te heet in deze kamer.

'Waar ga je heen?'

'Ik ga Calum bellen.'

Nog voordat ze de deur halfopen heeft ben ik al de kamer door. Ik sla hem dicht. 'Nee.'

'Ik wil hem zelf horen zeggen dat alles goed met hem is.'

'Als ik jou was zou ik het maar niet laten stormen als ik niet verdomde zeker wist wie daar wel en niet in zou verzuipen.'

Ze deinst achteruit, zoekt zich met haar rug tegen de muur op de tast een weg.

'Stilstaan!'

Ze blijft staan. Opeens krijg ik zin om te lachen. Ze probeert bij me weg te komen en dat lukt haar niet, uiteindelijk. Ze is mijn slachtoffer. Ik ga over de armleuning van haar oorfauteuil achteroverzitten. 'Die magische krachten hebben altijd een prijs, nietwaar? Weet je nog van die man die wilde dat alles wat hij aanraakte zou veranderen in goud? En dat hij vervolgens doodging van de honger?'

'Wat wil je van me?'

'Ik wil dat je het toegeeft.'

'Wat toegeeft?'

'Wie je bent.'

'Ik weet niet waar je het over hebt.'

Ik laat mijn hoofd tegen de stoel rusten en sluit heel even mijn ogen. Waarom geeft ze het niet op?

'Heb je al ander onderdak gevonden?'

'Wat?!'

'Ik heb je gevraagd of je aan het eind van de week de kamer zou willen ontruimen. Heb je al iets anders gevonden?'

'Oké. Nu moet je eens goed naar me luisteren. Ik ben Susan Lovage. Ik ben geboren op 2 oktober 1968. Ik werd in een witte doek gewikkeld en achtergelaten op de trap van het postkantoor van Camden. Oké? Ik werd om halfzeven 's ochtends gevonden door een schoonmaakster en werd naar het ziekenhuis gebracht en mijn moeder heet Phyllis Lovage en haar adres stond op het geboortebewijs. Dus het heeft geen enkele zin om nog langer schijnheilig te doen.'

Er valt een korte stilte. Ik kan de regen tegen het raam horen kletteren.

'Wat wil je van me?' Ze is ijzig wellevend. 'Geld?'

'Ja hoor. Geld zou fijn zijn. Ik wil best geld. Maar ik wil weten waarom, oké? Dus ten eerste: waarom?'

Ze gaat bij de muur weg en begeeft zich langzaam naar de stoel waarin ze altijd zit. Ze gaat zitten. 'Wie heeft je dit verteld? Ze hadden je moeten zeggen dat Susan gestorven is.'

'Ik ben niet dood.'

'Susan is gestorven toen ze tien maanden oud was.'

'Waaraan?'

'Dat weet ik niet.'

'Je weet niet eens waar je dochter aan is gestorven?'

'Ga weg.'

'Watte?'

'Ga weg.'

'Nou, nee. Dat was ik niet van plan.'

Ze komt schuifelend weer overeind. 'Ik bel de politie.'

'O ja? Wat ga je tegen ze zeggen?'

Ze geeft geen antwoord. Ik laat haar dichtbij genoeg komen om de deurkruk te pakken maar dan zet ik mijn voet ertegen.

'Laat me eruit.'

'Nee.'

'Laat me eruit!' Ze brengt haar arm omhoog om tegen mijn been te slaan, maar doet dat niet. Even later loopt ze van me weg en gaat ze weer zitten.

'Hoezo weet je niet waaraan je dochter is gestorven?'

'Ik was er niet bij. Ik was in Italië.'

'Hoe weet je dan dát ze is gestorven?'

'Dat heeft mijn moeder me verteld.'

Ik doe mijn mond open maar er komt niets uit.

'Jij hebt er niets mee te maken.'

'Waar is ze gestorven? In een kindertehuis?'

Ze praat enigszins overdreven geduldig, alsof ze het tegen een achterlijke heeft. 'Dat is jouw zaak niet.'

'Jij zult hier eerder genoeg van krijgen dan ik.'

Ze schudt haar hoofd.

'Wil je nog meer bewijs? Ik heb mijn geboorteakte. Schoolrapporten. Beoordelingen van sociaal werkers.'

Geen reactie.

'Je wéét het. Je hebt het geweten vanaf de dag dat ik hier ben – eerder al. Je wéét het. Je kunt geen spelletjes meer met mij spelen omdat ik weet dat jij het weet.'

Ze geeft geen krimp. Zit daar maar in haar stoel naar haar handen te staren, die ze in haar schoot heeft gevouwen.

'Hoor je me? Ik wéét het.'

Uit de vermoeidheid en de pijntjes en pijnen van het woeste water en het gewicht van de boot en het pijnlijke geklauter over de rotsen en de verstikte halfverdronken longen en hijgende rauwe keel, komt woede omhoog. Een grote sterke hete trage golf van woede bouwt zich op. Die vrouw zit daar maar en kijkt van me weg.

'Wie was mijn vader?'

Ze kijkt even op. 'Susans vader was mijn vader.' Ze kijkt weer naar haar handen.

Woede is rood. Een hete vloed rood over de oogbal. Een warme waterval van bloed.

21. Zeven zwanen

Ik werd zwetend wakker in paniek mijn handen waren weg ik kon mijn gezicht niet aanraken. Ik lag in bed. Ik ging rechtop zitten. Mijn handen waren bedekt door Calums lange mouwen, die los waren gerold, ik had al mijn kleren nog aan, al zíjn kleren. Er stond een fles zuur geworden melk naast het gasstel, ik rook het vanuit mijn bed. Het licht was duister, rond zonsopgang zou ik zeggen. Mijn keel was rauw en droog.

Ik draaide de kraan open en dronk. Mijn blikje zat in de broekzak, ik rolde een shagje voor mezelf. Leunend op het aanrecht herinnerde ik me hoe ze daar had gezeten. Volkomen beheerst in haar stoel. Keurig naar haar handen starend alsof ze in een wachtkamer zat. Mij ontkennend.

Ik draaide mijn deur van het slot en ging de hal in. De deur van haar zitkamer stond nog open. Het licht brandde nog. Ik zag haar bril en de afstandsbediening naast haar stoel op de grond liggen. Toen zag ik haar voeten.

Ze werd aan het oog onttrokken door de salontafel. Na een poosje ging ik de kamer in. Mijn ogen werden naar de tv getrokken, het beeld bewoog maar er klonk geen geluid. Ze lag op de grond tussen de salontafel en de haard, languit met één hand tegen haar gezicht.

Ik trok Calums lange mouw over mijn vinger en drukte daarmee op de knop van de tv. Het scherm werd zwart.

★ ★ ★

Heel langzaam en bedaard liep ik verder tot ik over haar heen stond. Haar kleren hielden haar nog keurig bedekt, haar hand lag gespreid op het tapijt voor haar. Hij zag er heel normaal uit, daar was haar trouwring, daar was haar polshorloge.

Ik wist dat ik naar haar gezicht moest kijken. Omdat het er voor de rest zo normaal uitzag.
Haar hoofd ligt in een donkere cirkel, die wel bloed moet zijn. Haar mond is half opengedrukt tegen het tapijt. Ik kijk. Ik kan mijn ogen niet van haar afhouden. Haar gezicht is blauwachtig. Haar haar is rood en nat en dof. Haar oog is halfopen en kijkt naar het tapijt. Ze ziet eruit als een politiefoto van een slachtoffer van moord.

Genoeg. Ik ga terug naar de deur naar de hal en spits mijn oren. Niets. In huis is het doodstil. Ik ga terug en hurk naast haar neer, leg mijn vingertoppen tegen haar pols. Die is koud. Geen enkele beweging. Ze is dood.

Ik sta op en loop om de stoel en om haar heen. Ze ziet eruit als een slachtoffer van moord. Ze lijkt vrij klein, zoals ze daar in elkaar gekruld ligt. Bijna als een meisje. Ik hurk weer neer. Onder de salontafel zie ik iets donkers – ik steek mijn hand ernaar uit. Een oud strijkijzer. Daarvan heeft ze er aan weerskanten van de haard een staan. Ik kijk er niet heel goed naar. Het ding heeft een houten handvat. Ik loop ermee naar de haard. Zijn wederhelft staat doodkalm naast de kolenkit. In de haard zelf liggen nog wat gloeiende sintels. Ik zet het gebruikte strijkijzer erbovenop en rommel met de pook. Ik doe er wat aanmaakhout uit de mand bij. Er klinkt even gesis en geknetter. Ik veeg mijn hand af aan Calums sweatshirt.

Vervolgens ga ik weer naar de hal. De telefoon gaat niet over maar hij trekt mijn aandacht. Ik blijf er even naar staan kijken. Ik pak hem niet op. De voordeur is dicht maar zit niet op slot. De kat zit voor de gesloten keukendeur. Ik doe de deur naar de keuken open, hij glipt erdoorheen en klimt weer naar buiten door het luikje. Ik ga terug naar mijn kamer en was mijn handen, doe Calums kleren uit en trek een T-shirt en een spijkerbroek van mezelf aan, breng mijn blikje shag over naar mijn eigen broekzak. Ik stop Calums kleren in een tas, doe mijn deur achter me op slot en ga op weg naar zijn huis.

Hij is er niet. Het is even na halfacht. Ik tuur door het raam en zie de stoelen waar we de vorige dag op hebben gezeten, dicht naar de haard getrokken, en de hoop natte dekens op de grond. De deur zit op slot. Ik laat de tas met kleren achter bij de drempel.

Ik nam het pad naar het noorden, naar Durris. De ochtend was heldergrijs en waterig, de lucht en zee glommen elkaar toe, alles kalm en parelend na de storm.

Ik kwam bij de versmalling van het eiland waar de zee van weerskanten zijn tanden in het land zet; het gedeelte dat Calum de Flessenhals had genoemd. Ik bleef staan om omlaag te kijken naar het kale bovenstuk van de Tafelrots en liep toen naar het vlakke plaveisel van de bidstenen. Ik klom de greppel over, liep naar het midden van de bidstenen en keek uit naar het eiland van de monniken. Als je daar stond en dacht dat je de mis hoorde opdragen terwijl die niet gezongen werd, hoe anders zou dat dan zijn dan wanneer je de mis hoorde opdragen als die wél gezongen werd? Zou de mis in je hoofd er minder werkelijk om zijn?

Ik had niet verwacht dat ze iets zou zeggen wat me zou helpen. Ik had verwacht dat haar dood me zou helpen. Dat het me een bevrijd gevoel zou geven om haar uit de weg te ruimen, zoals een duiker die wordt losgesneden van het wrak. Als hij los is kan hij wegkomen door het water, omhoogkomen naar de oppervlakte.

Maar ik was niet vrij. Ik wist nog steeds de waarheid niet.

Ik stond op de kale stenen uit te kijken over de vlakke zee. Aan het eind van een eind hollen, een vijandelijke inval, een verrassingsaanval. De ontmoeting met mijn moeder achter me. Mijn moeder *dood* achter me. En geen andere plek om naartoe te gaan.

Terwijl ik doorliep naar Durris zag ik dat het het getij niet op z'n laagst was; er sloeg water over de grootste stenen en eromheen, je kon niet oversteken zonder nat te worden. Ik deed mijn sportschoenen en sokken uit en rolde mijn spijkerbroek op. Het water was koud maar reikte niet verder dan mijn enkels. Het leek vloed te worden. Weldra zou het kleine eiland worden omsloten. Goed.

Ik klauterde de helling op en keek vanaf de rand omlaag in de kom van land waar de vervallen huisjes stonden. Geen spoor van Calum. Ik liep naar de andere kant van het dal, klom de rand aan de andere kant op; tot aan de zee was er geen leven te bespeuren. Ik wist niet wat ik moest doen. Dat lege, rotsige eiland en die vlakke grijze zee hadden iets zo desolaats dat ik me omdraaide en terugliep naar de ruïnes. Ik ging op een muurtje zitten en probeerde te bedenken wat ik moest doen.

Phyllis lag dood in haar zitkamer. Calum was verdwenen. Er was niets veranderd. Ik was dezelfde die ik altijd was geweest.

Ik maakte me een voorstelling van hoe druk ik me nu zou kunnen maken en wat ik allemaal zou kunnen doen, het een na het ander. Een flat kopen en inrichten. Een cursus gaan volgen. In een nieuwe baan beginnen. Ik zou zelfs een kind kunnen krijgen. Zwerfkatten in huis nemen. Ik zou naar Amerika kunnen liften of iets met een nieuwe man beginnen. Ik zou zelfs zover kunnen komen dat ik in een kerk zou gaan zitten en tegen de Onzichtbare Klootzak zou gaan praten. Ik zag het allemaal duidelijk voor me, en de ene daad zou al net zo hol zijn als de volgende, ze zouden geen van alle voldoening geven, ze zouden stuk voor stuk zo futiel zijn als de achtervolging van mijn moeder uiteindelijk was gebleken. En ze zouden allemaal met elkaar samenhangen en worden gedicteerd door Angst. Mijn leven zou gevuld zijn met kleine projecten, bescheiden pogingen om te ontdekken wat het nou precies was dat echte mensen wisten, om zo mijn best te doen hen te kopiëren dat ik mezelf ervan zou weten te overtuigen dat ook ik echt was.

Doodgaan zou het beste zijn. Dat zou de ellende beperkt houden.

Ik was heel kalm; overal om me heen het kleine eiland, het laatste eiland, op het eiland van een eiland van een eiland was het stil. De stilte was heel natuurlijk. Het was een vergissing om door te blijven klauteren en rennen en hijgend een soort van leven na te jagen; de stilte was iets blijvends.

Ik had geen middelen om mezelf om het leven te brengen bij de hand, maar het kwam me voor dat het mogelijk moest zijn iets op dat kleine eiland te vinden. Verdrinken was het meest voor de hand liggende, maar het valt niet mee om te verdrinken wanneer je kunt zwemmen en de zee zo kalm is als melk. Daar had ik gisteren aan moeten denken, nietwaar. Ik stond op van het muurtje en ging op zoek naar een glasscherf. Binnen in het vervallen geraamte van het huisje lag allerlei troep, geblakerde stukken hout en blikken waar iemand een vuurtje in had gestookt, rommel, doorweekte stukken oude krant. Ik keerde dingen om met mijn voet maar er kwamen geen flessen tevoorschijn. Wat een verrassing. *De eerste keer aller tijden dat er in een ruïne geen glas te vinden is*, klaagt zelfmoordenares in spe. Sinds wanneer is er ooit iets makkelijk geweest, meisje? Ik dacht aan de berg glas van Calum, blank glas en bruin en groen en blauw, uitnodigend twinkelend als de zon erop stond. Ik zag het op die manier voor me maar het was niet waar. Meestal was het dof, ofwel van het vuil, ofwel doordat het was geschuurd door de zee. De beste stukjes glansden helemaal niet ze hadden een halfdoorschijnende lichtgroene kleur, afgesleten tot gladde vormen als zuurtjes waarop was gesabbeld. Je kon het licht erdoorheen zien maar verder niets, hun transparantie was weggeschuurd tot een witte matheid. De snijranden waren gepolijst totdat ze zo rond waren als kiezels, de zee had hun scherpte afgesleten.

Ik kwam tussen de vervallen muren vandaan en ging weer de helling op naar de zee. De zee was het enige schone. Ze lag daar terwijl het bloed uit haar hoofd sijpelde. Het tapijt zou bedorven zijn. Alles wat je aanraakt verandert in een smeerboel, nietwaar? Al die eilandbewoners, moet je ze eens zien. Ze verhuisden van hun huizen op het vruchtbare land in het zuiden, ze kwamen hier waar ze amper hun kostje bij elkaar konden scharrelen – ze bouwden nieuwe huizen en deden al het werk weer over – en wat gebeurde er? Ze werden oud en ziek en hun kinderen namen zo snel ze konden de benen. En de huisjes raakten in verval en nu zijn het net rotte tanden en ligt de grond bezaaid met bierblikjes en geblakerde stukken hout en ruikt het in de hoeken naar pis. Dat is het enige wat er overblijft van de hoop die mensen koesteren. Die wie dan ook koestert.

Ik liep omlaag naar de rand van de zee, er kwam een briesje vanaf het water, het water stroomde in kleine golfjes het stenige strand op en ruiste tussen de kleinere kiezels door om ze alleen maar even op te tillen en te verplaatsen. Het was niet te geloven dat het dezelfde zee was als die van gisteren. Dit was zijde. Ik liep erin. Het water was koud toen het mijn sportschoenen in stroomde, maar toen werd het een beetje warmer. Toen ik daar zo tot mijn knieën in het water stond, was het net of het land er niet was, alleen ik en de vlakke zee. Ik zal niet meer bang zijn, daarom ben ik hier gekomen. Ik zal geen Angst meer hebben.

Het wateroppervlak dat me omringde werd niet doorbroken, het reflecteerde het grijze licht van de lucht. Alleen ik en het water en de lucht, het was doodstil, ik wilde me niet bewegen en de vredigheid van dit alles verstoren. Als ik door zou lopen en het water over mijn hoofd zou spoelen zou ik naar adem happen en om me heen gaan slaan. Ik zou vrijwel zeker beginnen te zwemmen, ik zou niet bewust water kunnen inademen. Ik zou stikken en proesten en het gladde oppervlak stukslaan. Het beste wat ik kon doen zou zijn mezelf *toe te staan* om te zwemmen. Een mooie, kalme borstslag. Doorzwemmen tot het eiland niet meer te zien was. Naar de Poolzee zwemmen, tot ik zo moe en koud was dat ik vanzelf naar beneden zakte zonder me te verzetten, zonder verwoed te vechten om in leven te blijven. Ik begon mijn benen weer door het water te duwen.

'Nikki! N-Nikki!' Ik draaide me om. Hij stond op de glooiing boven de ruïnes. Hij begon omlaag te rennen naar mij toe. Ik wilde niet teruggaan maar ik wilde zeer zeker niet dat Calum spetterend achter me aan zou komen – waarbij hij waarschijnlijk zou vallen en zou verdrinken in water van vijftig centimeter diep of erger nog mij zou redden en me triomfantelijk terug zou slepen naar het strand.

'Alles goed,' riep ik toen hij bij de rand van het water kwam maar hij kwam er toch in. Hij spetterde en dreunde voort door het stille water. Zijn gezicht was rood en opgezwollen, zijn oogleden zo dik dat zijn ogen spleetjes waren. Hij kwam naar me toe gestruikeld en spetterde me helemaal nat, hij stak zijn hand naar voren en greep mijn arm en begon me naar het strand te trekken. Ik bood geen weerstand; hij rukte aan mijn arm, leunde met zijn volle gewicht achterover en trok me bijna omver. Toen we in ondieper water kwamen verloor hij zijn evenwicht en trok mij met zich mee in zijn val. Ik schrok van de kou.

'Calum!'

Hij kroop verder naar het strand, mij achter zich aan slepend. 'N-niet de zee in gaan. N-niet de zee in gaan.'

'Calum, ik...'

'Nee!' brulde hij me toe; ik zakte in elkaar toen we bij het zand waren en hij greep me bij mijn schouders en sleepte me nog een paar meter verder het strand op. 'Niet de zee!'

'Oké. Oké. Niet de zee.'

Hij hurkte naast me neer en barstte in tranen uit. Ik bleef liggen en moest ook huilen. Alsof er nog niet genoeg zout water op aarde was.

Toen we tot bedaren waren gekomen sloot de stilte zich om ons heen. De stilte van de zee die door ons gespetter was verstoord, de stilte van het land die ons gesnik had verbroken.

'N-n-nooit...'

'Oké. Ik zal het niet doen.' Ik had nu inmiddels uit het zicht kunnen zijn. Een stipje, heel ver weg, als de kop van een zeehond.

Hij trok zijn knieën op tot aan zijn borst, sloeg zijn armen eromheen en staarde naar de horizon. 'Z-ze zei dat je mijn zus bent.'

Het duurde even. 'Zij? Heeft je moeder dat gezegd?'

Hij knikte. Ze had Calum verteld dat ik zijn zus was.

'Wanneer?'

Hij bleef zwijgen als het graf, volkomen in zichzelf opgesloten. Toen hij zijn mond opendeed stroomden de tranen en het snot nog steeds over zijn gezicht, hij deed geen moeite ze weg te vegen. 'Ik werd wakker en toen was je w-weg dus ben ik naar het huis gegaan.'

Ik zag hem voor me op de donkere weg. Terwijl hij het verlichte raam naderde. Misschien had hij onze schreeuwende stemmen wel gehoord. 'Calum, ik...'

'Ze zei Nikki gaat morgen verhuizen.'

'Gisteravond? Heb je het over gisteravond? Waar was ik dan?'

'Je sliep.' Zijn rechteroog, het schele, knipperde onbeheersbaar, zijn gezicht was vertrokken van uitputting.

'Maar gisteravond...'

'Ze zei dat er niet over te praten viel, dat het besloten was, jij hebt er niets over te zeggen, Calum.'

Ik wachtte.

'Alsof ik een b-baby was. Dus ik zei... Ik zei jíj hebt er niets over te zeggen. Omdat ik met Nikki wil trouwen. D-dus dan weet je dat.'

Hij wiegde een beetje heen en weer, sloeg zijn armen strakker om zijn lange benen. Calum was naar haar toe gegaan nadat ik naar bed was gegaan. Toen ik naar bed was gegaan, leefde ze nog. 'Wat zei ze?'

'Ze begon te lachen. Ze zei je k-kunt niet met haar trouwen.' Hij haalde lang en rasperig adem. 'Ze zei Nikki is je zuster.' Er viel een stilte, die werd onderbroken door zijn huiverende ademhaling. 'J-je kunt niet met je z-zuster trouwen, Calum, dat weet zelfs jij. Ze lachte me uit.'

'Wat gebeurde er toen?'

'Ik... Ik werd kwaad. Ik pakte...' Hij begroef zijn gezicht in zijn handen. Ik sloeg mijn arm om zijn schouders heel even was ik er niet toe in staat maar ik kon proberen hem te troosten. Hij huilde verschrikkelijk.

259

'Stil maar, Calum. Stil.'

'Het was niet de bedoeling... Ik was niet van plan...'

'Ik weet dat je dat niet van plan was, stil nou maar, stil.'

Na een hele tijd, toen hij was uitgehuild, vroeg hij me of het waar was.

'Of wat waar is?'

'Dat jij Susan bent.'

'Ja.'

'Dat heeft ze me nooit, nooit verteld.'

'Nee. Dat heeft ze nooit gedaan.'

Hij ging iets bij mij vandaan zitten en veegde zijn neus af aan zijn mouw. De wind vanuit zee was verfrissend, het water op de ondiepe plekken vormde bijna golven. Ik realiseerde me dat ik het heel, heel koud had. Ik was gaan klappertanden. Mijn kleren waren doornat en de wind maakte het nog erger. 'Ik heb het koud...'

Calum hees zichzelf overeind. 'We z-zullen een vuur maken.' We gingen de helling op en weer het dal in, uit de wind. Hij bracht me naar het middelste huisje, waar de as nog steeds gloeide tegen een muur en waar een geblakerde balk was neergelegd om op te zitten. Zijn stok en rugzak lagen in de hoek.

'Ben je vannacht hier geweest?' Ik was erlangs gelopen zonder het ook maar een moment in de gaten te hebben. Hij begon het vuur weer op te stoken met rommel en stukken hout die in de buurt lagen; liet me ervoor plaatsnemen en ging nog meer hout zoeken. Hij kwam terug met een paar dode takken, die moesten zijn aangespoeld omdat er qua bomen alleen maar lijsterbessen op Durris groeiden. Het hout deed het vuur hoog oplaaien. Ik ging er zo dicht mogelijk bij zitten. 'Heb je iets te eten bij je?'

Hij schudde zijn hoofd. Wat stelde ik me voor? Een schuilplaats, dat we net zeelui zouden zijn die schipbreuk hadden geleden en op het kleine eiland waren gaan wonen zonder dat iemand dat ooit te weten zou komen? Dat we vis zouden eten en brak water zouden drinken en weer onschuldige wilden zouden worden?

We bleven daar een hele poos naar de rode en gele vlammen zitten kijken, naar hoe ze opschoten en spetterden als water. Ik dacht eraan dat hij hier de hele nacht gezeten had. Terwijl hij zich afvroeg wat er zou gaan gebeuren. Luisterde naar voetstappen? 'Had je me niet gehoord toen ik hier eerder langskwam?'

'Ik... Ik... dacht dat j-je...'

'Wat?'

'Dat je boos op me zou zijn. Ik was bang.' Er viel een stilte, die werd gevuld met het gekraak en geknap van het vuur. 'Ik had me voor je v-verstopt.'

Hij was naar buiten gekomen toen ik in de zee was. Toen ik er tot aan mijn middel in stond was hij schreeuwend achter me aan gekomen. Opeens maakte hij zo'n abrupte beweging dat de balk schommelde. 'Ik ga n-niet weg.'

'Hoe bedoel je?'

'Van het eiland.'

'Niemand probeert je weg te halen.' Ik dacht dat hij mij bedoelde.

Ondanks de warmte van het vuur was zijn gezicht nu bleek. Ik besefte dat hij in een shock verkeerde. Maar hij dacht helderder na dan ik. Uiteraard zouden ze proberen hem weg te halen. Ze zouden hem in de gevangenis stoppen. Ze zouden hem weghalen van zijn eiland, waar hij zichzelf uiteindelijk had bevrijd, en in een cel stoppen weg van de zee en de lucht en allerlei soorten rommel uit het water, weg van de rotsen waar spoken en verhalen aan vastzaten, van het schuimgrijze gezicht van de Blauwe Mannen, van de wereld zoals hij die kende. Vanwege de dood van die heks.

Door de warmte kwam ik weer tot leven. Er sloeg een golf van energie door me heen, alsof iets dat bevroren was geweest was gesmolten. Calum. Ze zouden hem arresteren. Hem in de boeien slaan. Hem naar een boot brengen, een dier dat naar de slachtbank wordt geleid. Mijn hoofd was mistig, maar de warmte maakte het helder, deed de mist optrekken, deed me opdrogen tot iets schoons en scherps. Waarom zouden ze Calum komen halen? Calum had een leven. Calum had een plek om te leven en hij had dingen te doen. Het zou stom zijn als ze Calum weghaalden.

Ik bedacht dat ik, als hij niet struikelend en spetterend door de ondiepe poelen naar me toe gekomen zou zijn, nu naar het ijzige niets zou zijn gedreven. Waarom had hij me eruit gesleept? Ik had de schuld met me mee kunnen nemen naar de bodem van de zee. *Als jij me niet in de steek laat, laat ik jou niet in de steek.*

Mijn huid tintelde door de grote overgang van kou naar hitte. Calum stond op. 'We moeten m-meer hout hebben.' Ik liep achter hem aan weg van het vuur, de bult over en omlaag naar het strand, waar misschien drijfhout lag. Ik vond wat versplinterde stukken van een pallet. Calum was de andere kant op gegaan. *Nu niet en nooit niet.*

Ik sleepte mijn hout naar de top van de glooiing en kreeg het opeens heel warm. Calum was nog steeds beneden bij de kust aan het jutten. Ik ging zitten om te wachten; vond mijn shag-blikje redelijk waterdicht gebleven in mijn zak en rolde voor ons allebei een shagje. Hij kwam naar boven gewankeld naar me toe en we gingen naast ons brandhout zitten roken en uitkijken over de aluminiumfolieachtige zee. Er klonk een ruisend geluid, dat geleidelijk aan steeds luider werd, tot er van achter ons twee zwa-nen tevoorschijn kwamen, die heel laag overvlogen, moeizaam, en bij elke vleugelslag ruisten hun vleugels. Ze doken omlaag voorbij de kustlijn en landden in de zee, waarbij het water alle kanten op spatte en de spiegel in stukken brak. Vervolgens ble-ven ze kalmpjes dobberen terwijl de stukken zich weer aaneen-voegden en de spiegel zich om hen heen zo prachtig herstelde dat er op de zee voor ons nu vier zwanen dreven.

'Weet je waar de z-zwanen vandaan komen?'

Ik had nog nooit zwanen op de zee gezien – helemaal geen zwa-nen op het eiland. Het eiland was praktisch een vogelvrije zone. Deze zwanen waren groot en sneeuwwit in de grijsbruine zee; ze voelden zich er helemaal thuis, staken hun prachtige halzen onder water en lieten zich in een loom kringetje ronddraaien.

Calum vertelde me het verhaal over de herkomst van de zwanen:

Er was eens een koning op het vasteland en hij trouwde met een schuchter jong meisje van het eiland. Hij maakte haar tot zijn koningin. Ze schonk hem zeven prachtige kinderen, een voor elk jaar van hun gelukkige huwelijk, waarna ze ziek werd en stierf. Na een jaar van rouwen besloot de koning te hertrouwen. Hij koos een weduwe uit het zuiden, een opvallende schoonheid, heel trots, een vrouw die zo anders was dan het meisje van het eiland als een rots verschilt van een wolk. Ze was jaloers op de kinderen van zijn eerste vrouw, die lang en sterk en knap waren en werden bemind door ieder die ze zag. Zijzelf had een zoon voor wie ze grootse plannen had, en weldra was ze zwanger van een ander kind, van de koning. Haar stiefkinderen speelden met haar jonge zoon en zwierden hem tussen hen in zodat zijn benen loskwamen van de grond, en hij kraaide het uit van de pret en wilde meer. Maar als ze daarnaar keek stond het haar helemaal niet aan, omdat de kinderen van de andere vrouw langer en mooier waren dan haar eigen zoon, en ze gingen leuk met hem om en waren aardig voor hem, in plaats van onderdanig en eerbiedig.

Ze ging te rade bij een wijze oude vrouw en vroeg haar hoe ze zichzelf kon bevrijden van het kroost van de eerste koningin. 'Want op een dag zullen zij alles krijgen en hebben mijn arme kinderen niets. Als de koning dood is, zullen ze de baas over ons spelen, en zowel regeren over de eilanden als over de zeeën. Ze zullen doen wat hun goeddunkt en wij zullen niet meer zijn dan vuil onder hun voeten.' De oude vrouw brouwde een speciaal drankje en raadde de koningin aan dat op een ochtend, als de koning uit jagen was, in de pap van haar stiefkinderen te doen.

Op vriendelijke toon riep de koningin hen bij zich: 'Kom jullie pap eten, kinderen, voordat hij koud wordt. Ik heb er room in gedaan, zoals jullie zo lekker vinden.' Toen de oudste jongen zijn pap op had, rekte hij zijn hals en kwam er een snaterend geluid uit zijn mond. Zijn stiefmoeder keek tevreden toe. Toen leek er een afschuwelijke huivering over zijn hals te trekken en die maakte hem lang als een dikke gespierde slang die er zo weerzinwekkend uitzag dat de koningin bijna flauwviel. De lange, blinde hals rekte zich uit over het hoofd van de jongen als een kous die over een voet wordt getrokken, en toen de vorm van zijn ronde hoofd werd opgeslokt verscheen er in plaats daarvan een zachte en glanzende witte vogelkop met priemende zwarte oogjes en een sterke welgevormde snavel. En hij hief zijn armen, die allebei nu bijna twee meter lang waren geworden, en met een geruis en een geritsel vanwege de plotselinge groei ontsproten er aan weerskanten duizend sterke witte slagpennen, en toen hij die omhoogbracht veroorzaakte hij zo'n luchtverplaatsing dat de ontbijtboel op de grond viel. Langzaam bewoog hij ze heen en weer, en de gigantische witte vleugels deden de boze koningin duizelen en brachten haar uit evenwicht, zodat ze verschrikt op de grond viel, en het gedreun en gekraak van zijn vlucht weerklonk oorverdovend door het kasteel, tot hij bij de gewelfde ingang kwam en wegvloog. En een voor een vlogen zijn broertjes en zusjes hem achterna, ze kliefden door de lucht en veroorzaakten zoveel wind in het kasteel dat de wandtapijten van de muren werden gerukt en de deuren uit hun hengsels schoten en het vuur in de haarden zo werd aangewakkerd dat het ontsnapte en op de kleren van de kasteelbewoners terechtkwam. En toen de zeven zwanen hoog boven het kasteel uitstegen naar de vrijheid van de wijde hemel, ging het kasteel in vlammen op, en het vuur ziedde zo dat niemand kon ontkomen. En de zwanen vlogen het hele koninkrijk over en waren heersers over het land en de eilanden en de zee-engtes, ze gingen waarheen ze maar wilden en gehoorzaamden aan geen andere wet dan hun eigen wet.

Calum en ik sleepten ons hout naar het vervallen huisje en lieten de zwanen achter als heersers over de kust.

We voedden het vuur en Calum vertelde me waar de bron was, de bron die de oude eilanders hadden gebruikt. Hij had twee Pepsi-blikjes, die hij had omgespoeld en al eerder had gebruikt. Ik liep omlaag langs de laatste ruïne naar het felgroene gedeelte van met riet doorschoten gras, deed dat opzij en knielde neer om mijn blikjes te vullen. Toen ik terugkwam zag ik dat Calum dichter bij het vuur was gaan zitten – hij zat gehurkt, zijn handen geheven om zijn gezicht te beschermen tegen de gloed, zijn lange benen gebogen. Zijn geduldige gestalte deed me denken aan een Afrikaan.

Behalve wij wist niemand wie haar had vermoord. Zij was de enige ander die het wist, en zij was dood.

Het was net of je van een klif af stapte. Ofwel je kunt vliegen, ofwel je stort neer. Je weet niet welk van de twee het wordt.

Oké. Ga naar de rand en kijk omlaag.

Naar een akelige plek. Dikke, stevige muren, zonder raam, zonder lucht; een afgesloten deur, geen ontsnappingsmogelijkheid. Het gerammel en kreten en gehuil en gefluister en gekreun en snikken van honderden andere opgesloten zielen; misère die door de kier onder de deur komt binnengesijpeld. Geen vroege-ochtendlucht om een einde te maken aan de verschrikkingen van de nacht, alleen het geflikker van koude tl-buizen. Een zwarte tunnel van tijd die zich voor je uitstrekt; de witte stip aan het uiteinde onzichtbaar, onmetelijk ver weg. De nonchalante wreedheid van bewakers en andere geïnterneerden.

Maar je wilde de zee in lopen.

Stel je Calum voor in de gevangenis. Ze zouden tegen hem aan duwen, hem bespotten, ophitsen, treiteren, afranselen. Als hij zijn zelfbeheersing niet zou verliezen zouden ze hem breken en als hij door het lint ging zou hij iemand vermoorden.

Onze moeder die daar op haar tapijt ligt. Die geen van ons tweeën nog langer in haar greep heeft. Ik kan als ik wil zó naar de eerstvolgende boot lopen.

Calum buigt zijn hoofd en strijkt met zijn handen over zijn haar en gezicht alsof hij de spinnenwebben probeert weg te vegen. Hij kijkt me aan. 'We k-kunnen hier blijven.'

'Hier?'

'Een van de h-huisjes een beetje opknappen – ik kan groenten verbouwen...'

En vis vangen, en zeemeeuweieren rapen; en ik kan garen spinnen van de brandnetels en hemden voor ons weven en we kunnen bedden maken van de zwanenveren en elke keer dat er iemand naar Durris komt kunnen we ons verstoppen. Niemand zal weten waar we zijn en de politie zal maar al te graag Phyllis' dood wijten aan een onbekende voorbijganger.

Ik denk het helemaal door. Stel je voor dat we een boot zouden hebben... naar een van de verder weg gelegen onbewoonde eilanden zouden roeien... buiten het bereik van andere mensen zouden kunnen komen... Zouden we dat kunnen? Een leven leiden als schipbreukelingen? Als we eens zouden kunnen ontsnappen... Hij kijkt me nog steeds hoopvol aan, wachtend op een antwoord. 'Ze zullen ons gaan zoeken, Calum. Ze zullen gaan zoeken.'

'Maar als we ons v-verstoppen...'

'Ze hebben honden die ons kunnen ruiken.'

Hij buigt zijn benen recht en begint zich als een geagiteerde ooievaar een weg naar achteren en naar voren te zoeken over de met rommel bezaaide vloer. 'We m-moeten wat te eten hebben.' Hij begint te huilen. 'Ik h-heb niet eens iets te eten meegenomen.'

'Calum. Ik zal je vertellen wat we gaan doen.'

Ik krijg hem zover dat hij weer gaat zitten. En vertel hem wat we gaan doen. Als je eenmaal de sprong hebt genomen is het makkelijk, dan kost het geen moeite in den blinde omhoog te schieten en te blijven zweven. Ik kan vliegen.

22. Nachthemel

Na die sprong gingen een heleboel dingen bijna vanzelf en makkelijk, wat nooit zou zijn gebeurd als ik niet was gesprongen.

Ik ging me zelfs de vraag stellen: had ik dit al eerder kunnen doen? Had ik zo'n soort sprong kunnen nemen toen ik nog jonger was, en mezelf op die manier een heleboel ellende kunnen besparen? Maar het leek of ik tevoren nog nooit op een plek was geweest van waaraf een sprong tot de mogelijkheden had behoord.

Toen ik eenmaal de sprong had gewaagd was mijn enige zorg dat Calum de zaak zou verpesten. We bleven de hele middag tot het donker werd bij het vuur zitten, en ik praatte tegen hem. Ik probeerde hem aan zijn verstand te praten dat hij moest doen wat ik zei, maar hij was zo geschokt en verdwaasd dat ik niet precies wist hoeveel er tot hem doordrong. Het verhaal luidde als volgt: ik was naar het eiland gekomen om mijn biologische moeder te zoeken, ik wilde haar zien om te kunnen begrijpen waarom ze me had verstoten. Toen ik haar eenmaal had gevonden was ik bang om mijn identiteit prijs te geven omdat ze leek te denken dat ik dood was (zoals Calum kon getuigen) en wachtte ik een poosje voor ik moed had gevat. Toen ik haar vertelde wie ik was waren we met z'n tweeën. Ze beschuldigde me ervan dat ik een bedriegster was; toen vertelde ze me dat ik dood was, en vervolgens dat ze wilde dat ik dood was. Toen ik begon te huilen (zoals jij ook vanzelf zou doen) viel ze me lichamelijk aan en zei ze dat ze mijn aanblik niet kon verdragen. Ze greep het strijkijzer dat naast de haard stond en wilde het naar me toe gooien – en in de verschrikkelijke strijd die daarop ontstond pakte ik het van haar af en sloeg haar tegen de grond. Toen ze viel gooide ik het strijkijzer in de haard en ging er zo snel mogelijk vandoor, zo ver weg als ik kon. Ik wist niet hoe erg ik haar had getroffen. Ik was helemaal van slag, diepgetroffen door haar gevoelens van haat en afwijzing, doodsbang voor wat ik haar misschien had aangedaan. Toen ontdekte mijn broer haar, die 's morgens vroeg langskwam – en helemaal van de kook ging hij me achterna. Hij vond me en vertelde me dat ze dood was. Ik was ontroostbaar.

Calum luisterde en staarde en knikte alsof hij de schokkende waarheid zelf hoorde. Slechts één keer onderbrak hij me, hij legde zijn hand op mijn arm en fluisterde: 'Maar ik... ik...'

'Nee. Ik heb het gedaan. Nikki heeft het gedaan. Vertel ze maar waar je me hebt gevonden. Waar heb je me gevonden, Calum?'

Je had tot tien kunnen tellen voordat hij antwoord gaf. Ik kon zien dat de gedachte langzaam vorm kreeg achter zijn goede oog. 'In het w-water.'

'In de zee. Ja. Wat was ik aan het doen?'

Hij staarde me aan.

'Je zult ze moeten zeggen wat je dacht dat ik aan het doen was, Calum.'

'De z-zee in lopen.'

'Waarom denk je dat ik dat deed?'

Weer een stilte, en hij schudde zijn hoofd.

'Wat gebeurt er wanneer iemand heel ver de zee in gaat?'

'Dan verdrinkt hij.'

'Goed. Dat moet je tegen ze zeggen. Je zag me de zee in lopen.
Ik wilde mezelf verdrinken.
Goed. Omdat ik onze moeder had vermoord.'

'M–maar...'

'Ja?'

'Maar wilde je dat ook echt?'

'Ik wist niet wat ik anders moest doen.'

Hij prikte in de grond, haalde met een halfverbrande stok scherf-
jes aardewerk naar boven, draaide ze om met zijn lange spinnen-
pootvingers en bekeek ze. 'Dat d-doe je niet nog een keer.'

'Nee.'

'B-beloof het.'

'Ik beloof het.' Nu niet en nooit niet.

Toen ik zeker wist dat hij het allemaal had begrepen, het hele
verhaal, liet ik hem zijn eigen versie van de gebeurtenissen van
die ochtend vertellen: hoe hij had geslapen na ons uitputtende
avontuur op zee van de vorige dag, dat hij vroeg in de ochtend
plotseling wakker was geworden, naar het huis van zijn moeder
was gegaan, verrast was geweest dat de deur openstond (zoals ik
hem na mijn vlucht had achtergelaten), hoe hij door de open
deur van de zitkamer het lichaam van zijn moeder languit op de
grond had zien liggen. De wanorde in de kamer, die erop wees
dat er een strijd had plaatsgevonden. Zijn ontzetting – hij riep
me en ik was er niet – hij rende geschrokken het huis uit.

★ ★ ★

Het was trouwens niet ver bezijden de waarheid. Het was waarder dan de waarheid. Ik was erheen gegaan met de bedoeling mijn moeder te vermoorden.

Toen we klaar waren gingen we terug naar de oversteekplek. Het begon al te schemeren. Ik overwoog te wachten tot ze ons zouden komen zoeken, maar we moesten iets eten. Calum zei dat het om acht uur weer laagtij zou zijn, dan zouden we terug kunnen naar het eiland. Er waren grote open plekken tussen de wolken en we zagen de eerste sterren verschijnen. De afmetingen en de diepte van de hemel deden me even duizelen.

'Wat gaan ze nou doen?'

'Hoe bedoel je?'

'M-met jou.'

'Nou, ik denk dat ze me zullen ondervragen, dat ze ons allebei zullen ondervragen, ze brengen me waarschijnlijk naar het vasteland en sluiten me op tot er een proces komt.'

'Ze zouden mij m-moeten nemen.'

'Nee. Jij moet hier blijven.'

'Je doet het voor m-mij.'

'Nou, wil jij dan voor míj hier blijven?'

Er viel een korte stilte, en toen zei hij: 'Goed.'

We lagen op het korte gras en keken naar de lucht, wachtend tot het tij zou afnemen. Zelfs terwijl we daar lagen te kijken werden de wolken kleiner en losten ze op, we konden regelrecht de ruimte in kijken.

★ ★ ★

Ik zag hoe groot de vrijheid was. Al die sterren. Waarnaar werd getuurd door zeelieden op schepen in de verte, duizend kilometer van het land. Door schaapherders in hete lege woestijnen van zwart. Door astronomen in schemerige sterrenwachten waar ze hun observaties doen met broodjes en thermosflessen onder handbereik, en stilletjes samen lachen om een grap die ze onder elkaar maken en die de slome slapende wereld nooit zal begrijpen. Door kinderen die voor het eerst uit kamperen zijn en hun tent uit komen kruipen om te kijken naar dat uitgestrekte schijnsel boven hun hoofd. Door vissers die 's nachts vissen en naar het licht in de lucht en het water kijken, duizelend tussen het uitspansel en zijn weerspiegeling; door dronkaards die de pub uit komen gewankeld, zwaar neervallen maar met verrassend weinig pijn op de veilige grond terechtkomen, die dichtbij is, en die omrollen en zien dat het donker bezaaid is met sprankjes vuur. Door geliefden die samen een hele poos in de auto hebben zitten rommelen en voordat ze ieder naar hun huis teruggaan buiten nog een laatste sigaret roken; die omhoogkijken en denken *dit is voor ons*; door nachtelijke piloten en chauffeurs en door mensen die voor het slapengaan nog even hun warme, bedompte huis uit gaan om hun hond uit te laten – en als ze toevallig omhoogkijken de glorie van de sterren en planeten boven hun hoofd zien. Door artsen die van hun auto naar het huis van zieke mensen lopen; door vermoeide vroedvrouwen, die de deuren zachtjes sluiten achter de murmelende huilgeluidjes van nieuwe vonken van leven.

We waren om negen uur weer bij het huis. Er was ondertussen een heel leven verstreken maar het zag eruit zoals ik het 's ochtends had achtergelaten. Ze lag nog steeds op de grond in de zitkamer, er was niets veranderd, er was niemand geweest. Ik pakte de telefoon en belde de politie. Vervolgens gingen Calum en ik naar de keuken en maakten roerei en zetten thee.

Ik bewaarde mijn bekentenis voor de politiemensen op het vasteland. Het viel hun niet moeilijk te geloven dat ik het had gedaan. Op mijn motief was niets aan te merken (zoals altijd, niet-waar?). Een open zaak die gesloten werd. Alleen wist mijn plei-dooi voor het eerst van mijn leven enige sympathie te wekken. TWEEMAAL VERSTOTEN DOCHTER TOT BREEKPUNT GEDREVEN, zei een van de krantenkoppen. Met haar terminale ziekte en de manier waarop zíj míj had aangevallen werd allebei rekening gehouden (evenals met het feit dat ik de negen voorgaande dagen rustig in haar huis had verbleven en haar geen kwaad had gedaan) en er werd me doodslag ten laste gelegd. Mijn advocaat pleitte dat ik had gehandeld uit zelfverdediging en niet geheel toereke-ningsvatbaar was geweest. Mijn berouw was oprecht, volgens de rechter: 'Moet deze jonge vrouw, wier hele leven in zekere zin een straf is geweest voor het feit dat haar moeder haar in de steek had gelaten – hoewel niet door eigen toedoen –, moet deze jon-ge vrouw boven op het enorme berouw dat al op haar drukt door ons nog zwaarder worden gestraft?' Hij veroordeelde me tot twee jaar. Ik zat een jaar en werd toen vanzelf voorwaardelijk vrijge-laten. Ik kwam in de gevangenis van Inverness.

23. Vikingbaai

En daarover heb ik niets te zeggen. Het duurde 365 dagen, 24 uur per dag. Er zaten 60 minuten in elk uur. Ik had tijd om na te denken over wat er allemaal was gebeurd, elk incident op het eiland, elk gesprek met mijn moeder en mijn broer, elk verhaal dat Calum me had verteld. Er is een baai even ten zuiden van haar huis, Calum noemde hem de Vikingbaai. Ik zat daar vaak aan te denken, vanwege het zwarte stenenstrand. Vanwege de afwachting die daar hing. Het verhaal dat hij me vertelde ging alleen maar over wachten.

De Vikingbaai kijkt uit op het noorden van de Atlantische Oceaan. De kustlijn is heel zwart, zwarte rotsblokken en kiezels, en het gras loopt door tot aan het water. De grond is hier nauwelijks verhoogd, de kleinste golf zou zo het veld op spoelen, en de vlakke zee strekt zich uit tot de vlakke eilandjes van land en wolken die aan de verre horizon drijven.

Duizend jaar geleden, aan het eind van de zomer, kwam er een vikingschip deze verlaten baai in gevaren. Ze kwamen uit Noorwegen en waren op weg geweest naar het verre IJsland; Ragnar en zijn vrouw Freya en zijn broer Olaf en hun vrijgemaakten en hun slaven en hun bontvachten en hun schilden en bijlen en honingwijn en voorraden gerst en zaad en gedroogde vis. Maar ze waren in een storm terechtgekomen en hadden vervolgens dagenlang in de mist rondgevaren. Ragnar wist dat ze uit koers waren geraakt – misschien zelfs in een kringetje rond hadden gezeild – en op de eerste dag dat de mist optrok liet hij de raven los en bepaalde zijn koers aan de hand van hun vlucht naar het land. Ze kwamen in warmere luchtstreken terecht en hij herkende de zachte stroom die om de noordwestelijke delen van Engeland spoelt. Het jaar daarvoor was hij naar de Ierse kust gevaren, op rooftocht; hij had veel goederen en slaven meegebracht, ook een Iers meisje.

Ze trokken de boot het land op en keerden hem om; maakten een vuur en maakten eten klaar, en installeerden zich voor de nacht. 's Nachts begonnen bij Freya vroegtijdig de weeën en ze bracht een klein, ziekelijk jongetje ter wereld. 's Ochtends waren ze weer ingesloten door de mist.

De hele dag en de nacht, toen ze daar zo met de baby in haar armen onder de boot lag, luisterde ze naar flarden van gesprekken die Ragnar voerde. Hij besprak met Olaf wat ze moesten doen; ze zouden die nacht weg moeten varen, naar IJsland zeilen, voordat de winter hun dat onmogelijk zou maken. Maar ze moesten eerst wachten tot de mist zou optrekken. De baby moest gedood worden en hier worden begraven, het had geen zin om het ziekelijke kind op zo'n tocht mee te nemen. Later hoorde ze haar echtgenoot naar het Ierse slavenmeisje roepen; ze hoorde dat hij haar vragen stelde en een paar woorden uit haar taal gebruikte; ze hoorde hen samen lachen. Ze hoorde de donkere stemmen van de broers samen murmelen toen ze na het eten bij het vuur zaten; ze hoorde de geluiden van een man en een vrouw die dicht bij haar de liefde bedreven. Maar ze wist niet of die man Ragnar was.

Ze zaten dagenlang vast op het eiland, gestrand in de mist. Op de dag dat die optrok, kwamen er vijf walvissen langs de baai gezwommen, en scholen vissen die zo dicht bij elkaar zwommen dat het water ervan glinsterde. De kleine jongen dronk goed en werd sterker; hij had zich aan het leven vastgegrepen.

★ ★ ★

De mannen bespraken of het verstandig zou zijn om verder te varen. Het eiland was een veilige plek om te overwinteren. Als ze zo laat in het seizoen de reis naar het noorden zouden maken, zou dat gevaarlijk kunnen zijn; het zou beter zijn als ze hier bleven en in de lente naar IJsland zouden zeilen. Ze konden uit plunderen gaan in de rijke landen in de nabije omgeving en op het eiland zelf waren geen vijanden. Freya luisterde naar haar echtgenoot en het Ierse meisje, die in het Iers met elkaar spraken en lachten. Ze luisterde hoe ze 's nachts hijgden en kreunden. Ze hield de kleine baby tussen haar borsten.

De volgende dag verdeelde Ragnar de groep in tweeën: de ene helft zou naar IJsland gaan, de andere helft zou op het eiland overwinteren. In de lente zou hij terugkomen om zijn vrouw en zoontje te halen, en hij liet de vrijgemaakten en de slaven bij hen achter. Met Ragnar zeilden de sterkste roeiers mee, plus drie slavinnen, onder anderen de Ierse.

Toen ze uitvoeren liep Freya over de zwarte stenen van de baai met haar baby in haar armen. Ze keek uit over de zee tot het stipje van hun zeil in de verte was verdwenen. Toen ze niet meer te zien waren ging ze op de rotsen zitten en kamde haar lange blonde haar met de benen kam die Ragnar voor haar had uitgesneden toen ze nog een jong meisje was.

De dagen werden korter. Als ze 's ochtends wakker werden was het nog donker. Halverwege de middag werd het al donker. Op sommige dagen, als de bewolking laag hing en er mist in de lucht was, trok het duister helemaal niet meer op. Het donker was een stemming in Freya's hart, die de geluiden omvatte die haar echtgenoot en het Ierse meisje hadden gemaakt, en de zwarte onwrikbaarheid van de stenen aan de kust. Het eiland was vochtig en stil en donker, en dreef almaar afwachtend tussen de zwarte nachtlucht en de inktachtige diepten van de zee. Ze vermoedde dat haar echtgenoot nooit meer terug zou komen.

★ ★ ★

Na de winterzonnewende liep ze elke dag langs de westkust van het eiland, haar ogen strak gericht op de koude, vlakke zee. Het donker drukte op haar, het deed haar haar hoofd buigen, het doordrong haar en vulde haar helemaal, en het werd alleen maar doorbroken door lichtende flitsen van beelden die ze voor zich zag: haar echtgenoot en het Ierse meisje die samen lachten, haar echtgenoot die zich van haar af keerde. Op een dag gooide ze in een vlaag van wanhoop de kam die hij voor haar had gemaakt in de zee. Haar zoon groeide op tot een sterke en gezonde jongen.

Vroeg in de lente, eerder dan wie dan ook had kunnen verwachten, verscheen er in het westen een zeil. Het was een donkere, mistige dag met laaghangende bewolking, sinds de herfst was het niet meer licht geweest, het leek wel of ze vijf maanden lang alleen het licht van het vuur en van toortsen hadden gezien, terwijl de wereld werd teruggebracht tot de kleine, schemerige cirkel die het vuur om hen heen wierp. Nu kwam er een helder gekleurd zeil uit het donker aanzetten, en het voer recht op hen af.

Ze ging op de rotsen zitten en zag het met zowel vreugde als angst in haar hart naderbij komen. Hij was teruggekomen om haar te halen, hij begeerde haar nog steeds. Ze zou van de zwarte stenen in het lichtende schip van haar echtgenoot stappen. Maar nu ze het eiland moest verlaten wilde ze niet zomaar weg van de veiligheid en vastigheid die het bood. Die zwarte stenen die aangaven waar het land ophield en de zee begon – boden die geen bescherming? Tegen ongetemde vormeloosheid, tegen het onbekende, tegen overweldigende golven en verzwelgende winden, en tegen opgelost worden tot ontelbare zandkorrels die treurig beukten op de kust? Tegen liefde die opnieuw zou moeten worden aangewakkerd, tegen het lachende Ierse meisje, tegen al het verdriet dat haar nog te wachten stond? Onder het zeeoppervlak duwden de golven de kam stukje voor stukje naar de kust.

★ ★ ★

Toen hij aan land kwam vroeg ze: 'Hoe kan ik zeker van je zijn?'

'Wanneer ze me in mijn boot zetten met al mijn dierbare bezittingen, mijn zwaard en mijn schild en mijn drinkhoorn en mijn vrouw...'

'Ah...'

'En olie over ons heen gieten en ons in brand steken – dán kun je zeker van me zijn.' Vlammen zouden over hun in olie gedrenkte lichamen dansen, de lange planken zouden splijten en losschieten, het scheepje zou op het water uit elkaar spatten, rood en goud als de ondergaande zon, en hun zwarte rookslierten zouden met elkaar verstrengeld omhoogkronkelen naar de wachtende wolken.

Het eiland was een veilige plek. Het was zowel een gevangenis als de vrijheid. Maar het was tijd om verder te gaan.

Ze stapte van de zwarte stenen in het lichtende scheepje.

Ze laten me uit mijn cel. Ik neem de bus en de trein en de veerboot, ik glimlach naar de oude mensjes en de wandelaars met hun rugzakken. Ik kom aan op het eiland en loop de weg af naar Tigh na Mara. De lucht is zo weids dat ik ervan duizel, het blauw en groen en zacht paarsgrijs van de mist over het eiland en wolkenflarden in de kruinen van bomen doen me mijn pas inhouden en ik kijk om me heen. De lucht leeft door de geuren en geluiden die zich uitstrekken tot de verste horizon, die almaar heen en weer golven en verschuiven en in beweging zijn als de huiverende longen van een reusachtig dier. Ik word omvat door een levend, ademend landschap dat telkens als ik me beweeg versmelt en zich rangschikt tot nieuwe vormen. Het is oneindig gevarieerd. Niets duidt op gevaar, hier zijn schaduwen en echo's van lang geleden verloren gegane stemmen, maar ze raken de aarde ze lopen op het water ze zweven door de lucht als de patronen die zich keer op keer vormen in een caleidoscoop, ze hebben de textuur en de kleuren van een visioen. Ik adem ze in, ze gaan kronkelend bij me naar binnen en naar buiten, mijn zintuigen mijn ademhaling mijn bloed.

Mijn naam is Nikki. Scherp, met snijdende tanden, boos. Buiten alle betoverde cirkels alle groepen vriendschappen gezinnen zoenoffers. Mij maak je niets wijs. Toen ik de eerste keer op dit eiland kwam was het zo plat als een dubbeltje.

Er is iets veranderd.

Ik kan horen. Ik kan zien.

Ik woon met mijn broer in het oude huis van onze moeder. Af en toe komt er een sociaal werkster op bezoek om te kijken of ik niet nog iemand vermoord. Het huis is smeriger dan vroeger, er liggen hopen stenen en drijfhout en schatten der zee en gereedschappen en groentezakken die de hal blokkeren en op stapels liggen in de zitkamer. Ik woon boven. Ik heb het leeggeruimd. Ik heb haar spullen verbrand. Calum heeft me geholpen. En om te beginnen heb ik alleen mijn bed neergezet. Er staat nu een tafeltje dat ik heb gekocht op een rommelmarkt in het dorp, en een kapotte stoel die Calum een poos geleden op het strand heeft gevonden en waar hij een kruk van heeft gemaakt. Op de vensterbank ligt de kleine vikingkam, duizend jaar geleden uitgesneden door Ragnar. Het zachte grijze licht stroomt als een balsem door de ramen naar binnen, soms valt er een rechthoek van helder zonlicht op de kale vloerplanken. Ik zit vaak te kijken hoe het licht verschuift en verandert, 's ochtends word ik wakker en nog voor ik mijn ogen opendoe kan ik voelen dat de zachte mist geduldig tegen het vensterglas drukt ik kan voelen hoe hij de ruimte tussen mijn raam en de lucht overbrugt dan voel ik me aangeraakt en gezegend.

★ ★ ★

Calum is langzaam chaotisch gekmakend mijn broer. Hij vertelt me verhalen. Hij houdt van mijn verhaal over Sparappel. Hij kweekt planten en werkt in zijn tuin. Elke dag zwerft hij rond over het eiland en komt terug met schatten uit de zee.

Soms zie ik het zus, soms zie ik het zo. Ik zie nog steeds wie ik was. Zelfs wie ik zal worden. Niet voorgoed hier in deze vrede. Niet voorgoed ingebakerd en omhuld door de eilandmist, geliefkoosd door de eilandstemmen, gebaad in het zachte eilandlicht. Het is een melkachtige baarmoeder waarin ik als een foetus blind rondzwem en beschermd ben, waar ik op volmaakte wijze en gewichtloos in hang. Ik ben op een stille, veilige plek. Ik heb geen haast om te weten wat hierna komt. Terwijl ik wacht, herhaal ik voor mezelf mijn verhalen. Zoals een baby die in het vruchtwater drijft de dromen droomt van zijn voorbije en toekomstige levens. Ik vertel 'Zeehondenrots', 'Stierenrots,', 'Wandelstok', 'De bidstenen', 'Tafelrots' en 'De zeven zwanen'. Ik vertel 'Vikingbaai'.

Ik heb nog niets nieuws ontdekt ik heb iets ouds ontdekt, iets heel bekends, niet verloren, niet vergeten, niet zeldzaam, niet moeilijk.

Alleen voor mij onbekend.

Ik heb een dappere nieuwe wereld ontdekt waarin stemmen zijn die ik vroeger niet had. Elke stem vertelt verhalen, elk verhaal heeft stemmen. Ze stralen mogelijkheden uit.

Het eerste samenhangende verhaal dat Calum me vertelde was 'Tafelrots', toen hij me op mijn tweede dag op het eiland door de mist leidde. De vrouw die haar kind op de rots achterlaat, het kind dat niet van haar man is. Nu kan ik het opnieuw vertellen: 'Tafelrots.'

★ ★ ★

Een echtpaar wil een kind, maar de man kan er geen verwekken. Ze houden van elkaar, als het 's nachts koud is krullen ze zich om elkaar heen om elkaars warmte te voelen, hun beider zachtheid en vriendelijkheid tegenover elkaar bekleedt hun bed als zwanendons. Maar een kind zal er niet komen.

Ze treuren erom, allebei treuren ze om wat de ander niet heeft. Als hij 's avonds voor de deur van het huisje over zee zit uit te staren, kijkt ze naar zijn gezicht en weent haar hart om hem, omdat ze weet dat hij denkt aan het kind dat hij niet zal hebben. Ze bedenkt een plan.
Als hij op een dag uit varen is gegaan gaat ze naar zijn broer, die thuis zit te wachten tot de koe zal kalveren. Ze zet hem haar probleem en haar plan uiteen, en ze geeft hem een kaas die ze heeft gemaakt, in ruil voor wat zij van hem wil hebben.

En naarmate de maanden verstrijken verbergt ze haar opbollende buik niet, ze stapt trots met haar nieuwe zelf rond voor de ogen van haar verbaasde echtgenoot, die met verlegen, zachte handen haar zachte zijden streelt en zich verwondert maar geen vragen stelt, omdat hij van haar houdt en haar vertrouwt.

Nadat ze is bevallen legt ze het kind op de Tafelrots. Hij is een goede man, hij zal ervoor zorgen. Als hij terugkomt van het vissen zal hij het daar vinden.

En wanneer hij die avond de naburige baai binnenvaart, omdat hij daar zijn vangst moest afleveren, en dus niet langs de Tafelrots komt, bijt ze op haar lip tot bloedens toe maar zegt niets. Hij is een goede man en ze moet hem een vrije keus laten. Ze vertrouwt hem.

Hij neemt haar gezicht, haar lichaam in zich op, kijkt haar in de ogen. Ze zeggen niets. Na het eten staat hij bijna gehaast van tafel op – werpt haar over zijn schouder een blik toe, zoals ze daar in de schaduw zit, met haar zorgen voor hem. Buiten heft hij zijn gezicht op naar het avondwindje, snuivend als een hond. Haastig struikelt hij het rotspad af, tot hij zo dicht bij het geluid is waarnaar zijn oren hebben gezocht dat hij het kan horen – hij waadt, plast door het water en valt bijna in zijn gretigheid om het kind te gaan halen. En wanneer hij teruggaat naar het huisje zijn de vragen die hij niet heeft verwoord omdat hij van zijn vrouw hield beantwoord. Hij begrijpt wat ze heeft gedaan en waarom, en zijn hart zwelt op van liefde voor haar. Hij overhandigt haar de baby als een geschenk van de zee, zoals zij het kind aan hem had gegeven.

Dichter bij huis is er een ander verhaal. Over een vrouw die haar dochter in de steek laat en haar zoon bij zich houdt, en uiteindelijk vermoord wordt: het verhaal van Phyllis.

Een ongelukkige vrouw werd ooit wreed behandeld door haar ouders. Ze werd zwanger gemaakt door haar vader en bracht een dochter ter wereld. Haar moeder vertelde haar dat deze baby, de vrucht van een onnatuurlijke en schaamtevolle verbintenis, was gestorven.

De vrouw ging ver bij haar ouders uit de buurt wonen en begon een nieuw leven. Ze ontmoette een man en baarde hem een zoon. Ze overspoelde de jongen met alle liefde die ze niet aan haar dochter had kunnen geven. Een poos was ze gelukkig getrouwd, maar toen overleed haar echtgenoot. Hoewel ze van haar zoon hield, merkte ze dat ze werd achtervolgd door schuldgevoelens en door verdriet om haar verloren dochter, dus trok ze zich, steeds ongelukkiger, steeds meer terug. Ze vertelde haar zoon over zijn zuster, die op heel jonge leeftijd gestorven zou zijn. Ze maakte zich zorgen om de jongen en probeerde hem dicht bij zich te houden, ze wilde hem voor gevaar behoeden, maar ze schaadde hem door hem zijn zelfstandigheid af te nemen.

Toen hij niet meer bij haar wilde wonen probeerde ze zichzelf het leven te benemen. Hij redde haar. Haar schuldgevoel en schaamte waren nu verdubbeld, nu ze besefte hoezeer ze een last was geworden voor de jongen van wie ze zoveel hield.

Er kwam een jonge vrouw naar het eiland waar ze woonden, en ze huurde een kamer bij de moeder en haar zoon. Het meisje besteedde aandacht aan de zoon, ze wandelde en praatte urenlang met hem, tot de moeder ervan overtuigd raakte dat het meisje haar dierbare jongen van haar af wilde nemen.

Toen confronteerde het meisje de vrouw en verkondigde dat zij haar lang verloren dochter was. De arme vrouw werd verscheurd door tegenstrijdige emoties. Ze had het verhaal dat haar baby dood zou zijn geloofd, dus wat het meisje beweerde schokte haar niet minder dan een spookverschijning. Ze wilde erin geloven maar dat durfde ze niet; ze wilde lachen en blij zijn en het meisje omhelzen maar ze was doodsbang van deze dode die opeens tot leven was gekomen. Ze was bang dat het meisje nog steeds van plan was haar haar zoon af te nemen, en dat ze gek zou worden. Het meisje was spinnijdig op haar moeder omdat die haar in de steek gelaten had en waarschuwde haar dat ze haar zou gaan vermoorden. Toen het meisje woedend vertrok zakte de moeder in de diepste ellende in elkaar, volkomen in de war. Het kwam haar voor dat het meisje sterk was en wel zou weten te overleven, dat het meisje net was als zijzelf en zoveel kon verdragen als de moeder had verdragen (en in haar ogen was dat veel – een oneindige hoeveelheid leed). Maar de jongen was anders, kwetsbaarder. Hij was degene die ze moest beschermen.

Kort daarna kwam haar zoon haar opzoeken en bevestigde zijn moeders diepste angsten door aan te kondigen dat hij met het meisje wilde trouwen. De moeder vertelde hem het hele verhaal. Maar haar zoon, in plaats van op haar verhaal in te gaan, werd kwaad omdat zijn moeder tegen hem had gelogen over de zogenaamde dood van zijn zusje. Als het meisje zijn zusje was, zoals zijn moeder beweerde, kon hij niet met haar trouwen. Dus maakte zijn moeder het hem onmogelijk – zoals ze zijn hele leven al had gedaan – om te doen wat hij wilde. In zijn woede greep hij het dichtstbijzijnde voorwerp en sloeg zijn moeder ermee, en bracht hij haar met één klap om het leven.

Verder is er Nikki's verhaal, een andere manier om ertegenaan te kijken.

Een jonge vrouw bracht een dochter ter wereld, die ze, zonder dat ze daar zelf iets aan kon doen, niet bij zich kon houden. De dochter groeide verbitterd en met verwrongen ideeën op. Overal waar ze keek zag ze wreedheid en zelfzuchtigheid, en dat had zijn weerslag op haar eigen rancuneuze karakter. Ze kon niet liefhebben of zich laten liefhebben; ze was snel op haar teentjes getrapt en vals en destructief, ze was laf en bang voor schimmen. Ze kende geen duurzame vriendschappen, geen werkelijke genoegens, geen hoop of ambities, ze geloofde niet in zichzelf. Niet in staat om verantwoordelijkheid te nemen voor de akelige dingen die haar waren overkomen, legde ze de schuld bij haar afwezige moeder. Ze besloot haar moeder op te gaan zoeken op het eiland waar ze woonde, en haar te vermoorden.

Tot haar grote verrassing ontdekte ze dat ze een broer had die op het eiland bij hun moeder woonde. De broer was even goedaardig van karakter als het meisje wreed was; hij hield van de wereld om hem heen en wist niet wat angst was. Hij kende verhalen over eilandbewoners uit vroeger tijden en voor hem leefden die nog steeds. Hij verzamelde losse fragmenten van hun bezittngen en hun huizen, en koesterde die. Hij mocht het meisje graag maar hij wist niet dat ze zijn zusje was, hij bedacht dat hij graag met haar zou willen trouwen.

Het meisje onthulde haar moeder wie ze was – die het ontkende, omdat ze zo lang had geloofd dat haar dochter was gestorven.

's Ochtends ontdekte het meisje het lichaam van haar moeder en geloofde dat zijzelf verantwoordelijk was voor de moord. Het feit dat haar moeder dood was luchtte haar niet op, en dus besloot ze zichzelf te verdrinken. Toen ze de zee in was gelopen kwam haar broer haar achterna en trok haar uit het water. En toen...

Nou, nou, nou. Je kent dit verhaal, ik heb je alles verteld. De enige vraag is hoe het eindigt. Hier? Hier?

Hier?

We leiden een leven als verworpenen aan de rand van de wereld maar we leven in vrede. Ik heb geen Angst. Ik ben ontsnapt aan de verschrikkelijke eenzaamheid van het haten van iedereen om me heen.

Ik zou je kunnen vertellen dat ik ga werken voor mijn vriendinnen, Sally en Ruby, die Calum onder hun hoede hebben genomen toen ik in de gevangenis zat. Ik zou je kunnen vertellen dat ik ooit op een dag terug zal gaan naar het vasteland, zoals Freya die in het lichtende scheepje stapte. Ik zou je kunnen vertellen dat Calum en ik met een curator van een museum hebben gesproken bij Fort William, die volgende maand terugkomt om naar een paar van Calums schatten te kijken. Maar al die dingen bederven de vorm van het verhaal.

Ik zou je kunnen vertellen dat ik hier ben.

Denk aan mij, op dit eiland, nu. Ik ben veilig.

```
Ki   09/04
KA   8/06
ME   11/2007
KA   12/2007
VE   10/2015
```